のための
アンタジー
装事典

キャラに使える伝統装束118

山北篤 著
池田正輝 イラスト

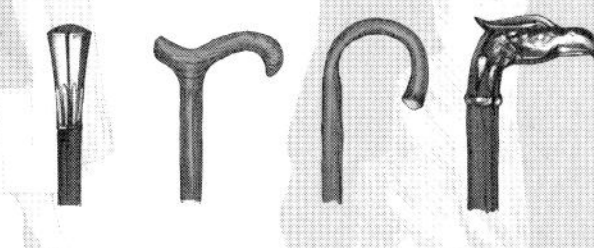

本書に関するお問い合わせ

この度は小社書籍をご購入いただき誠にありがとうございます。小社では本書の内容に関するご質問を受け付けております。本書を読み進めていただきます中でご不明な箇所がございましたらお問い合わせください。なお、お問い合わせに関しましては下記のガイドラインを設けております。恐れ入りますが、ご質問の際は最初に下記ガイドラインをご確認ください。

ご質問の前に

小社Webサイトで「正誤表」をご確認ください。最新の正誤情報をサポートページに掲載しております。

▶ 本書サポートページ

URL　https://isbn2.sbcr.jp/23715/

上記ページの「サポート情報」→「正誤情報」のリンクをクリックしてください。なお、正誤情報がない場合、リンクは用意されていません。

ご質問の際の注意点

- ご質問はメール、または郵便など、必ず文書にてお願いいたします。お電話では承っておりません。
- ご質問は本書の記述に関することのみとさせていただいております。従いまして、○○ページの○○行目というように記述箇所をはっきりお書き添えください。記述箇所が明記されていない場合、ご質問を承れないことがございます。
- 小社出版物の著作権は著者に帰属いたします。従いまして、ご質問に関する回答も基本的に著者に確認の上回答いたしております。これに伴い返信は数日ないしそれ以上かかる場合がございます。あらかじめご了承ください。

ご質問送付先

ご質問については下記のいずれかの方法をご利用ください。

▶ Webページより

上記のサポートページ内の「お問い合わせ」→「書籍の内容について」をクリックすると、フォームが開きます。要綱に従って質問内容を記入の上、送信ボタンを押してください。

▶ 郵送

郵送の場合は下記までお願いいたします。

〒106-0032
東京都港区六本木2-4-5
SBクリエイティブ　読者サポート係

■ 本書は2012年に刊行した『ゲームシナリオのためのファンタジー衣装事典』を元に改題のうえ、項目を追加して加筆・修正したものです。

■ 本書内に記載されている会社名、商品名、製品名などは一般に各社の登録商標または商標です。本書中では®、™マークは明記しておりません。

■ 本書の出版にあたっては正確な記述に努めましたが、本書の内容に基づく運用結果について、著者およびSBクリエイティブ株式会社は一切の責任を負いかねますのでご了承ください。

はじめに

キャラクターの衣装は、世界観や世界の文化・文明を表す重要なキーアイテムです。

農民がつぎはぎだらけの服を着ている世界は、農民が貧しく抑圧された世界であることがわかります。その世界で貴族たちが金のかかったきらびやかな服を着ているなら、貴族が農民から搾取していることがあからさまに見てとれます。

逆に、一般の人々がこざっぱりした服を着ている世界は、豊かで生活にも潤いがあることがわかります。

もちろん、金銭的に豊かで服装も立派であっても、精神的・社会的には抑圧された人々というのも理論的には存在しないわけではありません。一見豊かな未来世界で暮らしているものの、コンピュータに支配されて自由のない人々というのも、定番の一つです。

しかし一般には、金銭的な豊かさと、生活の潤いや自由は比例します。抑圧された一般の人々は、金銭的にも貧しくろくな服を持っていないのです。

また衣装は、文化的背景も表すことができます。近世貴族のような服装をしている人々は、コスプレでもない限り、社会的地位も貴族でしょうし、ものの考え方も貴族らしく他人を支配しようとするでしょう。

本書は、洋風・和風のファンタジーシナリオの設定や、キャラクターデザインをするときに、知っておくと便利な知識を事典形式でまとめたネタ帳です。好評を博した『ゲームシナリオのためファンタジー衣装事典』を元に改題のうえ項目追加して加筆・修正し新版としました。

私の本では毎度言っていることですが、ファンタジー作品はフィクションです。ですから、リアル（本当のこと）にする必要はありません。しかし、読者が作品にのめり込めるだけのリアリティ（本当らしさ）は必要だと考えます。そのために有効なのが、リアルを知った上で、作品の必要に合わせてフィクションを加えるという手法です。リアルを知らなかったので、適当に作っていたら結局間違いになってしまったというのでは、作品にリアリティが出ないからです。

本書が作品のリアリティを作る助けになれば幸いです。

山北 篤

本書の概要

ファンタジーの衣装は近世に始まる

ファンタジーというと中世ヨーロッパの世界であると簡単に結びつけることが多いのですが、必ずしもそうとは言い難いものがあります。

特に、登場するメインキャラクターの衣装や生活は、近世ヨーロッパや近代ヨーロッパのような、比較的新しい時代を元ネタに使っているほうが一般的です。

また、最近は和風ファンタジーや、日本（もしくは日本に似た世界）を舞台にした作品が作られることも多く、和装についてもあちこちに登場します。

そこで、中世末期から近代における西洋と日本のファッションの中から、キャラクターデザインの助けになり、シナリオや会話のヒントになりそうな、見栄えのよい衣装や一般的職業の衣類などを抽出してまとめました。

西洋の衣装は、時代別に分類しています。第1章は、中世末期から絶対王政頃までの、貴族が最も豪華で裕福だった時代のファッションです。第2章は、革命期から帝国時代までの、ヨーロッパが世界を制覇しようとしていた時代のファッションです。いずれも、多くの物語の舞台となり、数多くのキャラクターが着た衣装です。一般には、主人公にはその当時の最新の服を着せて、悪役（特に旧弊を担う人物）には一時代前の服を着せると、対比が出やすいと思います。

日本の衣装は、階層ごとに分類しています。というのは、例えば公家は、時代の変遷よりも、自分たちの伝統的衣装を守ることを優先し、残しているからです。そこで、第3章は公家、第4章は武家、第5章はその他の庶民という章立てにしました。

第6章では、大正ロマンの時代の日本を取り上げました。この時代は、和装と洋装が入り交じり、現代以上に衣装のバリエーションの多い時代だからです。

章の数は、西洋が2章分で日本が4章分となっていますが、第1～2章は長いので、西洋と日本がほぼ半々の内容となっています。

カジュアル化へ向かう服装

服装の歴史は、人類の歴史とそう変わらない長さがあります。その長い歴史の中で、いくつか法則めいたものが発見されています。それが、カジュアル化の法則と、下着が上着になる法則、そして揺り戻しの法則です。

カジュアル化の法則

服装は、どんどんカジュアル化していきます。かつての普段着が新たな時代の正装となります。

例えば、現在では公的な服の代表となっているスーツですが、元々はラウンジスーツといって、部屋着や寝巻き、私的な外出着として使うものでした。イメージとしては現在のTシャツを想像してもらえばよいと思います。Tシャツを着て会社や結婚式には行きません。当時のラウンジスーツは、現代のTシャツと同じようなカジュアルな服装でした。

それが、だんだんと真面目なところに着ていってもよくなり、ついには公式な服として認められるようになったのです。

下着が上着になる法則

下着だった服が、上着になるという変化も頻繁に起こります。もちろん、正装には使えませんが、普段着としてなら問題なく使えるようになるのです。そして、さらに時代が経つと、下着だったことが忘れ去られ、正装になってしまうことすら起こり得ます。

例えば現在では、女性のキャミソールは、普通に着て外に出かけられる服です。元々は下着でしたが、今では誰でもキャミソールドレスとして着ています。

同じことは近世でも起こっています。ペティコートというスカートの下に着るスカートの形をした下着は、いつの間にかスカートをめくってペティコートを見せるのがおしゃれな着方という風に変化しています。

このように、下着だったものが、外から見える上着の一種へと変化しているのです。

揺り戻しの法則

服装は、一方通行に発展するわけではありません。流行の揺り戻しが発生し、流れが逆方向に向かうこともあるのです。そんな時代には、服装が大仰になり、身体を覆い隠した堅苦しい衣装が流行します。

しかし、このような揺り戻しはあっても、時代が進むとともに、服装がカジュアルになることは変わりません。波打ちながら、少しずつカジュアル化していくのがファッションというものなのです。

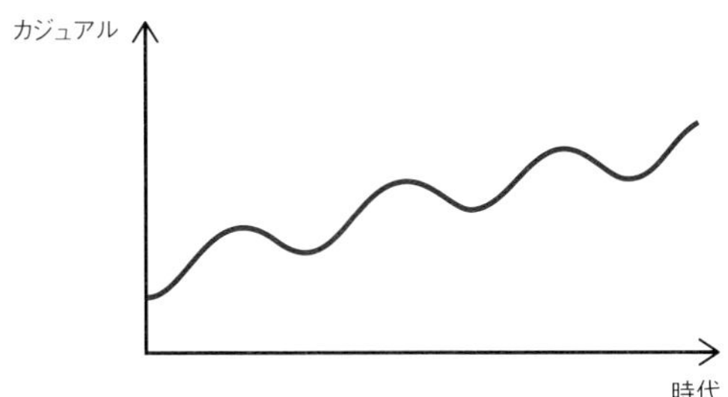

図1 服装のカジュアル化は波打ちながら進行する

服飾用語、言語表記

本書を読むために知っておきたい最低限の服飾用語を挙げておきます。

- 袖無し：袖がまったくないもの。
- 半袖：袖が、上腕の途中から肘の上くらいまでのもの。
- 七分袖：袖が、下腕の途中くらいまでのもの。
- 長袖：袖が手首まであるもの。
- 半ズボン：ホットパンツのように、裾がほとんどないズボン。
- 短パン：裾が上腿の途中までのズボン。
- 七分丈：裾が下腿の途中までのズボン。
- 長ズボン：裾が足首まであるズボン。
- 前閉じ：シャツや上着で、前が開いていて、ボタンや紐でとじるもの。
- 前開き：シャツや上着で、前が開いていて、普段は開いたままにしておくもの。
- 着丈：首の後ろから、背中側の服の一番下までの長さ。
- 前身頃：服の胴体の前部分の布。
- 後身頃：服の胴体の後部分の布。
- 共布：背広の上下のように、同じ布を使って複数の衣類を仕立てていること。違う布を使っている場合は、別布という。
- 貫頭衣：布に頭を通す穴が開いただけの簡単な衣類。チュニックのように腕の下を縫って袖を作っているものも、ポンチョのように頭の穴だけのものも、貫頭衣である。

各言語は、次のように省略表記します。

- 独：ドイツ語
- 仏：フランス語
- 伊：イタリア語
- 西：スペイン語
- 羅：ラテン語
- 葡：ポルトガル語

目次

第2章 近代ヨーロッパ 75

ナポレオン帝国からヴィクトリア朝の時代

第3章 日本の公家 137

平安から明治の時代

第4章 日本の武家 165

鎌倉から幕末の時代

第5章 日本の庶民 199

戦国から幕末の時代

第1章

中近世ヨーロッパ

騎士と姫君の時代

中近世ヨーロッパのファッション
中近世ヨーロッパの衣装事情

001

中近世ヨーロッパのファッション

The fashion of premodern Europe

中近世ファッションの系譜

中世末期のルネサンスからフランス絶対王政までの15～18世紀は、ファッションにおける活動性と豪華さがせめぎ合う時代です。動きやすい服装が好まれる時代の次に、動けないほど豪華で大仰な服装の時代が来たのです。

しかし、そのような揺り戻しがあるものの、全体として少しずつ動きやすくて便利な服へと人々の好みは移行していきます。

ルネサンスの時代（15世紀末～16世紀初頭）

ルネサンスとは、「再生」とか「復活」という意味です。中世最後の時代で、宗教色も薄まって、抑えられてきた文化が花開いた時代です。中世では戦場での個人識別に使われていた紋章も、城やアクセサリーの装飾として用いられるようになってきます。

人々はより活動的になり、それに相応しい服装が好まれるようになりました。きちきちで動きにくい服ではなく、多少余裕があって動きやすい服が好まれます。

バロックの時代（16世紀末～17世紀初頭）

バロックとは、「奇妙な」とか「いびつな」という意味です。抑えられない激情の発露としての芸術やファッションが、この時代の特徴です。

初期バロックは、壮麗かつ自由な服装が好まれます。華麗でかつ動きやすい騎士の衣装などは、初期バロックの傑作です。デュマの『三銃士』なども、舞台はバロック後期なのですが、挿絵で描かれる服装は、初期バロックかロココ期のものがほとんどです。

後期バロックは、服装や髪飾りが派手で重くなって動きにくくなるので、キャラクターに着せるのには向かなくなります。

ロココの時代（17世紀末～18世紀半ば）

ロココとは、貝殻や小岩の飾りを表すフランス語のロカイユ（仏Rocaille）からきた言葉で、当時の上流婦人の過剰ぎみな装飾を皮肉ってつけられた名称です。

ロココの時代には、貴族だけでなく裕福な市民階級が台頭し、それらが開いたサロンにおける教養が重視されます。ファッションも、サロンで目立つことが優先されるようになります。特に、女性のファッションはサロンの置物飾りとしてのファッションであり、動きまわることは考えられていませんでした。

ロココ最盛期が舞台の作品としてはコミック『ベルサイユのばら』が代表的です。

変わらぬ農民の暮らしと大きく増えた都市住民

このように、近世には貴族の生活は、遥かに豪華になりました。しかし、農民たちの衣装や生活は、中世とあまり変わっていません。

もちろん、18世紀には農業革命が起こり、農業生産性が上がったため農民の生活は多少楽にはなります。これによって、人口のほとんどを農民が占めなければ食糧が足りないという状況は改善されました。このため、農民以外の人々、すなわち都市住民が増えることになります。

近世になると、都市も大きく発展します。中世にも都市はありましたが、人口数万人程度と、現在の地方都市レベルです。住民の職種も多くありません。

ところが、近世の都市は、数十万人から百万人もの巨大都市となっています。現在のように、都市の住民が多種多様な職業に就くようになったのは、近世になって巨大都市が存在するようになってからのことです。

絵画で見るファッション

ルネサンス以降、肖像画や風俗画が広く描かれたため、この頃のファッションの参考になる絵がたくさん存在します。ただ、これらを参考にするときには、注意点があります。

宗教画は参考になりません。これらは過去の時代を当時の人々が想像して描いたもので、時代性のあいまいなファッションになっているからです。

参考になるのは、情景画と肖像画です。特に何気ない情景に登場する人物は、普段着を着ている可能性が高く参考になります。肖像画は、衣装としては正確ですが、最高級な一張羅を着ていることを忘れてはいけません。

002

中近世ヨーロッパの衣装事情

The fabric of premodern Europe

衣類の材質

中近世のヨーロッパにおいて、衣類は羊毛、麻、亜麻、木綿、絹、毛皮、なめし革などで作られていました。

羊毛は文字通り羊の毛ですが、ほかに山羊などの動物の毛も、同じように素材として使われていました。近世までのヨーロッパでは、もっとも基本的な繊維として、ありとあらゆる衣類で羊毛が使われたのです。それこそ、下着類までです。

麻とは大麻から取った繊維のことをいいます（日本では亜麻から取った繊維も麻と呼びますが、これは日本だけの例外です）。寒いところから暑いところまで広く生育するので、世界各地で繊維を取る植物として栽培されました。麻は、通気性に優れ、肌触りがよいので、暑いところの衣服に向いています。しかし、残念ながら繊維が硬く、肌に直接当たる下着などには、本来向いていません。とはいえ、ヨーロッパでは絹や木綿は高価だったので、下着などにも使われていました。

亜麻（リネン）は、比較的寒いところで育つ植物です。亜麻は、丈夫で肌触りがよいので、シーツなどに用いられます。そのため、亜麻を使わないシーツ類までリネンと誤って呼ぶようになったようです。リネンも、麻と同様に、通気性と肌触りがよく、繊維が硬い（麻よりは柔らかい）のですが、ヨーロッパでは下着にも使われていました。

繊維としての**木綿**は多年草の植物ワタから収穫されますが、暖かいところでないと育たないのでヨーロッパではほとんど栽培されていません。中世ヨーロッパにおいて、木綿はアラブ商人のもたらす貴重な生地でした。貴族などでなければ、肌触りのよい木綿の下着を手に入れることはできません。しかし、16世紀になると大航海時代によって、インドから綿織物が輸入されるようになり、一般の人にもある程度木綿が買えるようになりました。18世紀には、産業革命によって大量の綿織物が製造されるようになり、一気に庶民的な繊維になりました。

絹は、蚕（かいこ）という虫の繭（まゆ）から取った繊維で、絹織物は古来から高級な生地とされています。古代には、東洋でのみ生産されており、わざわざヨーロッパまで運んでこられるほど珍重されました。この運送路のことを、シルクロード（絹の道）といいます。中世ヨーロッパでは、12世紀頃からようやく絹の生産が始まりましたが、その品質は中国には及びませんでした。このため、輸入ものの絹織物は、やはり高価なままでした。

衣類の扱い

近世までのヨーロッパでは、現代とは衣類の扱いが大きく違います。というのは、既製品の服というものはなく、あらゆる服は、裁縫師に布から仕立ててもらうからです。最初から服の形をしているのは、古着だけです。

このため、衣服は基本的に高価なものでした。お金持ちの貴族などはさておき、一般の農民は、普段着ひとそろい、晴れ着ひとそろいくらいしか持っていません。下着も1枚だけ（もしくは無し）というのが普通です。寝巻きなどもなかったので、そのままの格好か、もしくは裸で寝ます。

普通の農民は、貴族が着古して処分した古着を買って着るのが普通でした。農民が新しい服を作るのは、晴れ着用くらいです。といっても、ヨーロッパでは日曜に教会に行くときも晴れ着を着ますので、日本の晴れ着よりは遥かに使用頻度の高いものです。

衣服の管理も、現代とは大きく違います。生地が傷むので、できるだけ洗濯はしません。夏場で1週間に1回、冬場だと2週間に1回という記録がありますが、これでも洗濯回数の多かったほうだと考えられています。

表1 農民の普段着

衣装	解説
シャツ	前あきの上着。腰の下までの長さがあって、股間を隠せた
チュニック	シャツの代わりに使う上着。貫頭衣
胴衣	チュニックの上に着る袖無しの上着
ズボン	足首あたりまである長いズボン
股引（ももひき）	冬場にズボンの下にはく
パンツ	紐で留めるトランクスのようなもの。持っていない人のほうが多かった
寝間着	聖職者のみが持っていたので、一般農民は裸で寝た

003

中世の貴族男性

シャペロン
Chaperon

ゆったりとひだの付いた布で、15世紀に流行しました。

ロール
Roll

詰め物をした布を頭に巻いたものです。シャペロンが帽子(hat)に変わる中間と考えられています。後には、ラウンドレットと呼ばれるようになります。

ウプランド
Houppelande

14〜15世紀に男女問わず使われた緩い外套です。

スカラップ
Scallop

原義はホタテ貝のことです。ファッションにおいては、衣装の端をホタテ貝の縁のように丸くカットした装飾です。

プーレーヌ
Poulaine

足先が尖った靴です。中には、足先から15cmも伸びた靴もあり、さすがに歩きにくかったと言われています。

時代

12〜15世紀

場所

イギリスを含むヨーロッパ

中世は衣服がより貴重な時代です。そのため、多くの布を使えば使うほど、裕福で偉いというイメージがあります。

古い時代の衣装

どんなファッションでも、流行遅れになると、古臭くダサく見えるものです。逆に、時代遅れのファッションを着せた人間を作品に登場させた場合、旧時代の遺物であり進歩の妨げであるというイメージを持たせることができます。

ファンタジー作品の主人公たちは一般的に中世ではなく、近世や近代の格好をしていることが多いので、中世そのままの衣装の人物は、進歩的な主人公の行く手を阻む敵方にぴったりなのです。

中世の衣装で代表的なのが**ウプランド**です。これは、ゆったりとした外套で、防寒のために、本来は踝くらいまでの長さのものでした。ですが、宮廷内のみで着る場合など、メインイラストのように床に引き摺ったり、逆に防寒を捨てて太ももくらいまでの短いものだったりすることもあります。

ウプランドには、様々な装飾が施されていることが多く、その一例が**スカラップ**です。レースなどで作ることもありますが、メインイラストのように布自体をそのような形にカットすることもあります。

頭飾りとして多いのが、**ロール**です。ロールは中綿の入った筒のような形で、それぞれの先にある紐を括ってドーナツのようにして頭にかぶります。最初からドーナツ型のものもあります。

頭の天辺は、**シャペロン**というゆったりとひだのある布で覆います。

11世紀のシャペロンは、肩布と頭を覆うフードが一体になったものでしたが、14世紀にはリリパイプと呼ばれるようになっていました。そして、中世後期には、別物がシャペロンと呼ばれるようになります。

他の帽子としては、**コポタン**（Capotain、図1）なども特徴的です。縁のある帽子ですが、上が丸くなった高い円錐形で、縁は円錐に比べて小さめです。女性用もありますが、ここでは男性用を紹介しています。

貴族の履く靴は、**プーレーヌ**といって、基本的に先が尖っていました。プーレーヌとは「ポーランド風の靴」という意味で、この靴の流行がポーランドから広まったことから、この名が付いています。先端部は足先が入らないので無駄ですが、そのような無駄な部分を靴に使えることが、貴族の見栄だったのです。現代のようなゴムはありませんから、靴底も革です。ですから、丈夫な牛革・鹿革などが使われました。狼の革なども使われたと言われています。

図1 コポタン

004

ルネサンスの貴族男性

ダブレット
Doublet

プールポアン（仏Pourpoint）ともいいます。首から腰までを覆う、長袖、前閉じのシャツで、キルティング†を施しているものが主流です。本来、鎧下に着るので、身体にぴったり合わせて作ります。14世紀以降は貴族から庶民まで幅広く着られるようになりました。後期には、キルティング無しのダブレットや、逆に貫禄をつけるためか、布袋腹になるように詰め物をしたダブレットもありました。

スラッシュ
Slash

ダブレットなどの上着に入れられた裂け目です。本来は裂け目から下着が見えるだけでしたが、裂け目から下着の布を引っ張り出すのが流行します。このため毎回下着の布を引っ張り出すのも面倒なので、上着の布を二重にして、上の布の裂け目から下の布を引っ張り出した服が作られました。

テューダー・キャップ
Tudor cap

テューダー朝で流行したもので、裕福だった王朝はウールの帽子に貴重な鳥の羽などを使い細かい刺繍などで、帽子を飾りました。

シャマール
仏*Chamarre*

ダブレットの上に羽織る、袖無し、前開きの上着で、肩幅を強調します。毛皮や羽などを使った豪華なものもありました。

オ・ド・ショース
仏*Haut-de-chausses*

詰め物をして丸くふくらませた半ズボンです。特に、イギリスのものは大きく、議会の椅子を大きいものに替えなければならないほどでした。

バ・ド・ショース
仏*Bas-de-chausses*

脚にぴったりした長い靴下で、太ももから下を覆うものです。現在のストッキングのようなもので、特に絹のバ・ド・ショースが大流行しました。

時代

16世紀

場所

イタリアから全ヨーロッパへ

ルネサンス貴族の衣装は現代人には奇妙に見え、コミカルなキャラ、嫌みなキャラに着せると似合います。

豪華で裕福な貴族たち

ファンタジー作品において豪華な城に住む裕福な王様や貴族たち、彼らの多くは近世ヨーロッパの王侯貴族をモデルにしています。貴族たちはお金がありますから、時代ごとに流行の衣装を着ています。このため、国や種族などのグループごとに衣装の時代を揃えておくと、グループごとの統一感が出せます。

ルネサンス時代の服装の特徴は、何よりも**ショース**（タイツのような脚衣）です。これは、**バ・ド・ショース**（長靴下）と**オ・ド・ショース**（短ズボン）に分かれます。上着は、**ダブレット**が一般的です。

他には、わざと布に裂け目を作る**スラッシュ**という装飾が特徴です。これは、戦士の服が戦いで破れていることをモチーフにした装飾で、傭兵たちのあいだで始まったファッションです。現在のダメージジーンズと似た発想です。わざと服の布に裂け目を作り、そこから下の布が見えるようにします。時には、下の生地を裂け目から引っ張り出して見せます。そのために、下の生地は引っ張り出せるように余裕を持って作ります。

図1 ルネサンス時代のラフ

この頃から、**ラフ**（図1）と呼ばれる、付け襟が好まれるようになりました。元々は、衣服をあまり着替えないので、汚れやすい襟だけを交換するために作られた付け襟ですが、すぐに装飾として使われるようになりました。ただし、ルネサンス時代のラフは後世ほど派手な形ではありません。

中世よりも活動的になってきた貴族の服装ですが、元首の礼装（図2）ともなれば、動きやすさよりも威厳が大事です。

引き裾のあるマントの下には、同丈の**ソッターナ**という内衣を身に着け、どちらも赤で威厳を持たせています。マントの上には**アーミン**（オコジョの毛皮）の大きな襟が胸まで覆っています。服と同色の帽子には、金の装飾が付いています。

図2 ヴェネチアの元首の礼服

† キルティング（quilting）：布地を重ねて、その隙間に綿を入れ、縫い合わせたもの。こうすることで、厚みと保温性を持たせる。

005

バロックの貴族男性

ラフ

Ruff

レースなどの布で作った幅広い襟のことで、日本では襞襟（ひだえり）といいます。本来は、服の襟汚れを防ぐ実用品でしたが、大きく精巧な形のものが作られるようになりました。大きいものでは10メートルもの長さの布を畳んでラフにします。

ダブレット

Doublet

バロック期もルネサンス期と同様に、スラッシュの入ったダブレットは一般的です。騎士などが鎧を脱いだらダブレットを着ているという風にも使えます。

ブリーチズ

Breeches

ウエストから膝下まであり（まれにくるぶしサイズもある）、先細りになってホーズ（長い靴下）やブーツに入れてしまいます。注意すべきなのは、現在のジーンズやパンツのようにローライズ†ではなく、ウエストまであるということです。ブリーチズをローライズに描くのは誤りです。

ブーツ

Boots

膝丈のブリーチズに合わせて、ブーツが流行します。特に、上端を折り返したり、飾りを付けたりした、華やかな形が好まれました。それまでは、宮廷内では長靴は不可（長靴は軍用とされていた）でしたが、この時代になると問題なくなります。

時代

16～17世紀

場所

フランスから全ヨーロッパへ

バロック期の貴族男性の服装は、全体に偉そうに見えます。このため、威厳のある人や、偉いが嫌みな人などに着せると似合います。

ちょっといびつなバロックの服装

16世紀末〜17世紀にかけて、バロックの時代が来ます。バロックの服装で特徴的なのは、**ラフ**が本当に大きく派手になったことです。あごの下にぴったりくっついて、首が回せないのではないかと思えるほどのラフ（図1）までありました。

ですが、さすがに大きすぎるラフの反動か、もっとすっきりした付け襟（図2）も使われるようになります。汚れやすい部分を保護するという本来の付け襟の機能を保ちつつ、レースを使ってすっきりとまとめています。

また、下半身は**ブリーチズ**（膝下までのズボン）が多くなり、ルネサンスほど奇妙なデザインではなくなりました。

ダブレットはルネサンス時代からある長袖の上着ですが、この時代になるとキルティングを施しているものは少なくなります。分厚い金属鎧があまり使われなくなったので、金属から身体を保護するよりも普通の衣服として使われるようになったからです。このため、すっきりしたシルエットになります。

バロック初期以降は黒色の服が好まれるようになります。それ以前は、黒が衣装に使われることは多くありませんでした。それは、きれいな黒に染めることが困難だったからでもありますし、どうしても地味なイメージがあって敬遠されたからでもあります。

しかし、キリスト教においてプロテスタントが大きな地位を占めるようになると、黒や暗色を道徳的と見なすようになり、好まれるようになりました。

図1 大きく派手なラフ

図2 レースの付け襟

†ローライズ：腰ばきともいう。ズボンのベルトがウエストではなく骨盤のあたりにある。

006

ロココの貴族男性

クラヴァット

仏Cravate

首回りに巻き付ける布のことで、ネクタイの先祖です。ロココ期にはレースのクラヴァットが流行します。レース自体は、もっと昔からありましたが、このように誰もが飾りに使うようになったのは、17世紀後半からです。

コート

Coat

ジュストコール（仏Justaucorps）ともいいます。現代のスーツジャケットの先祖にあたる膝丈まである上着です。後には、アビ（仏Habit）と呼ばれるようになりました。袖には、大きな折り返しがついています。裾は広がるように芯が入っています。

ベスト

Vest

袖無しのベストで、コートの下に着るようになってからは、背中などの飾りが省略され、前だけに飾りがつくようになりました。

時代

17～18世紀

場所

フランスから全ヨーロッパへ

現代の衣装の形にかなり近くなっています。非常に優雅なロココ期の衣装は、現代を舞台とした作品でも高貴なキャラを演出するときに使われることがあります。

ホーズ

Hose

この時代の貴族は、99%このホーズ（白い絹の長靴下）を履いています。このため、ズボンは現代のものほど長くなく、短パンから七分丈くらいです。

現代でも通用するファッション

正確には、ロココ期は18世紀に入ってからのことですが、ロココ期に流行ったファッションは17世紀の終わり頃から発生しています。その特徴は、中世の大げさで奇妙なファッションが影を潜め、現代にも通じるスーツの先祖にあたる服装が登場していることです。前時代までのラフやスラッシュは廃れ、優美で実用的な服装に取って代わられています。

現在のスーツの先祖にあたる上着が、**コート**と**ベスト**です。ただし、現代のような足元まであるズボンはまだ作られておらず、下に着る服はブリーチズが主流です。

コートは、メインイラストのようなシンプルなデザインの他に、レースの飾りなどをたくさん付けた派手なデザインもありました。

ベストは、古くはウェストコート（Waistcoat）といって長袖でした。ですが、コートの下に着るようになって、飾りも前だけになり、袖無しになって、現在のスーツのベストに近付いてきます。この、袖無しで飾りが前だけになったものを**ジレ**（仏Gilet）といいます。ただし、当時のベストはメインイラストのように腰まで隠すタイプもありました。もちろん、現代のようにウエストまでのタイプ（図1）もあります。

この時代、コートもベストも襟がありません。前時代までのラフも廃れてしまっています。このため、首回りには**クラヴァット**がないと、収まりが悪いのです。

17世紀には、コートに袖がなく、ウェストコートに袖がある服装も使われていました。しかし、ロココ期には、コートが袖ありで、ベストが袖無しと確定しています。

図2は、ロココに至る少し前、まだバロックの影響の残る服装です。コートは使われ始めていますが、半ズボンのように裾が短く飾りのあるブリーチズがいまだに使われています。

ロココ期の貴族の衣装は、アニメ『銀河英雄伝説』などSF作品における貴族の衣装としても参考にされています。

図1 ロココ期のコートとジレ

図2 ロココとバロックの中間の服装

007

中世の貴族女性

エナン
Hennin

女性が被る尖塔のような形のヘッドドレス。15世紀に流行した。とんがりは、2本3本のものもあり、2本のものはエスコフィオン（p.51）という。

ヴェール
Veil

本来のヴェールは頭部を覆い隠すもの（そのなごりがウェディングヴェール）でしたが、その機能が失われ飾りとなっています。

アーミン
Ermine

アーミンとは白い冬毛のオコジョの毛皮のことです。アーミンは、ヨーロッパでは王族を象徴するものでした。トランプの絵札でハートのキングの服の縁などにある黒い模様のある白い部分がアーミンです。

刺繍
Embroidery

衣装の模様は、基本的に刺繍で作られています。当時の染色技術では、布に細かい模様を付けることができないからです。

時代

12〜15世紀

場所

イギリスを含むヨーロッパ

中世の女性の衣装は、近世より奇妙な形をしているものが多いようです。

古い時代の衣装

中世の貴族男性でも書きましたが、より古い時代の衣装は、年寄りで悪役のイメージが強くなります。実際、白雪姫でも、魔女で悪役の女王様はエナンをかぶったりした中世の衣装で描かれることが多いですが、白雪姫自身の衣装はより新しい時代のデザインです。

女性の中世衣装で特徴的なのは、尖った帽子の**エナン**です。といっても、エナンが最も流行していたのは中世末期の14世紀後半で、それまでも使われてはいましたが流行と言うほどではありませんでした。尖った形を維持するために、内側でワイヤーの枠を作って支えていました。そして、先端からは長くて薄い**ヴェール**が下がっています。時には、ヴェールを床まで垂らしたり、ひだを作って腰に巻いたりしました。

メインイラストで言うと、エナンの下は垂れ飾りで縁取りされており、額に見える輪っかのようなものは、**フロントレット・リング**と言って、エナンを支えるワイヤーキャップの一部です。

ドレスの素材は、毛織物か絹です。冬場を除いて、王族や裕福な貴族は、手触りの良い絹織物を使います。

ドレスの模様は、基本的に刺繍で縫われています。もちろん機械縫いなどありませんから、お針子さんの手縫いです。現代から見ると服が異常に高価なのは、このように手間がかかっているからです。

アーミンには黒い模様がありますが、オコジョに黒い模様などありません。実はあの模様は、オコジョの尻尾の先端の黒い部分を切って、毛皮に縫い込んでいるのです。模様を作るために、何匹もの尻尾を使っています。紋章学でも色の一つに毛皮模様がありアーミンと言われています（028参照）。

現代でも、イギリス貴族院議員の正装にはアーミンが使われていますが、動物愛護の風潮により人工毛皮になっています。

頭にかぶるものとしては、**トーク**（つば無し帽子のことで、今で言うキャップに相当します。このため、時代ごとに形が変化しつつ同じ名前で残っています）、**ヘッドドレス**などもあります。

トーク

ヘッドドレス

図1 トーク、ヘッドドレス

008

ルネサンスの貴族女性

襟ぐり
Low-cut

若い女性の着るソプラヴェステの襟ぐりはたいてい大きく広がっていますが、年配者は首まで隠しているデザインを選びます。若い女性でも、威厳を重視する服装の場合（女王として登場するときなど）は、襟ぐりを広げすぎることはありません。

ソプラヴェステ
伊*Sopraveste*

長袖のワンピースです。ローブ（Robe）ともいい、腰から下のスカート部分は大きく広がっています。

ウエスト
Waist

ウエストのくびれの位置が自然になっています。ルネサンス以前の衣装は、バストのすぐ下あたりにウエストのくびれがあり、そこからすぐスカートが広がるという不自然なものでした。

ボルサ
伊*Borsa*

女性の衣装にはポケットがないため、ベルトの紐の先にボルサという巾着をぶら下げて、小物を入れておきます。紐の両端に一つずつボルサをぶら下げている人もたくさんいました。中には、片方はボルサ、片方は扇を付けていた例もあります。

時代

16世紀

場所

イタリアから全ヨーロッパへ

ルネサンス期の衣装は、現代の目で見ると奇妙な衣装ですが、中世の衣装に比べれば動きやすさを考えた作りになっています。貴族の女性に着せるのには便利です。

華麗だが活動的なドレス

ルネサンスは、14～16世紀イタリアで興った文化運動ですが、ファッションにも大きな影響を与えています。女性は中世期よりは活動的になり、スカートの裾は地面ぎりぎりにまで短くなります（それまでは、引きずっていました）。

スカートの形は、その下の**ペティコート**†で整えます。イタリアやスペインではメインイラストのような円錐形を作るペティコート（図1 (c)）が多いのですが、イギリスではタイヤ形の腰当て（図1 (b)）を使ってドラム形のスカート（図1 (a)）にします。

ラフが流行しだしたのは16世紀後半からですが、男性だけでなく貴族女性も多くが身に付けていました。ただ、若い女性は胸を大きく開けたドレスを着たがるので、首回りのラフではなく、胸元が開いた服に付け襟（図2）をつけて着ていました。それでも年配の女性は、肌を見せることなく、首まできちんと隠すラフ（図3）を使っています。

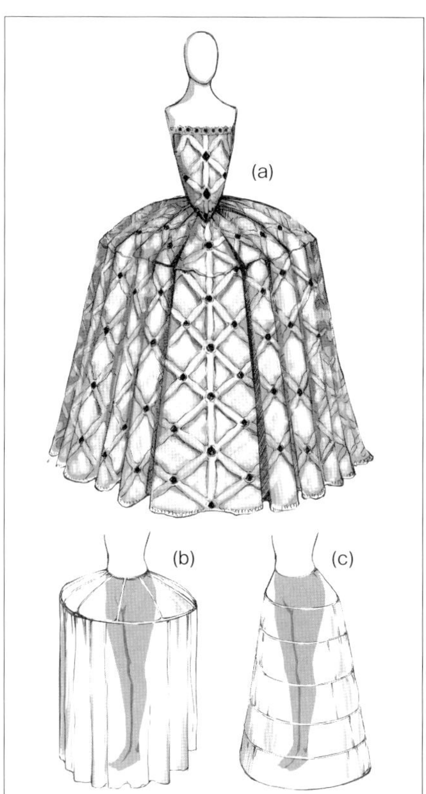

図1 ドラム形のスカートとペティコート

図2 女性の付け襟

図3 女性のラフ

† ペティコート（Petticoat）：スカートの下に着る下着で、時代ごとにその素材や構成、使い道は異なる。ルネサンス期のペティコートは、ファージンゲールとも呼ばれ、鯨骨などで枠を作ってスカートを大きくふくらませる機能がある。素材は、滑りをよくするために、絹が好まれた。

009

バロックの貴族女性

レースの付け襟
Detachable collar

女性の服装からはラフが廃れています。襟ぐりを大きく取って、そこにレースの付け襟をします。

ピエス・デストマ
仏Pièce destomac

ストマッカー（Stomacher）ともいいます。前あきのローブの場合、胴体のボディスが見えるので、その前にピエス・デストマという装飾的な三角形の胸当てを付けます。これは服の一部ではなく、下図のように装飾された三角形の布です。

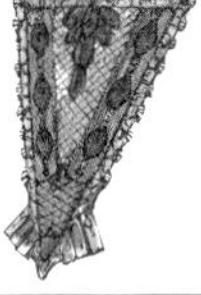

ボディス
Bodice

現代のTシャツのように使われる女性用の衣服で、袖の長さは長袖から半袖まで様々です。首から腰くらいまでを覆い、襟はありません。襟ぐりの広いローブを着る場合は、胸の見えるボディスを使うこともあります。

ローブ
Robe

ワンピースのように上着とスカートを一緒にした服を、この時代はローブといいました。半袖～七分袖が多くを占め、前あきのものと閉じたものとがあります。その下に、胴体はボディス、スカート下にはペティコートを付けていますが、前あきのローブではこれらは見せるものです。

ペティコート
Petticoat

ルネサンス期ではペティコートは下着で人に見せる衣装ではありませんでしたが、この時代のペティコートは見せる衣装の一種となっています。このため、鮮やかな色で染められ、美しい刺繍などがされています。無骨な鯨骨などは使われなくなりました。形もスカートと変わりません。ローブのスカートをたくし上げて、ペティコートを見せるのがはやりでした。

時代

16～17世紀

場所

フランスから全ヨーロッパへ

バロック期の貴族女性はバランスのよい華麗さを見せています。ルネサンス期ほど野暮ったくなく、ロココ期ほど大仰でもありません。美貌のお姫様に着せるのに似合いです。

近代的なドレスの流行

バロックは「いびつな」という意味の言葉で、16世紀末にイタリアで起こり、17世紀前半まで流行した文化です。バロック期の女性ファッションは、その名に反して、スカートも大仰すぎずバランスがよく、品のよい女性に着せるのにちょうどよい服装です。

とはいえ、女性のおしゃれ心は消せません。ペティコートを、見せる下着としてローブの下から覗かせるようになったのも、おしゃれ心の表れです。現代ですと、元は下着だったキャミソールが上着になっているのと同じパターンといえます。

スカートはバロック初期には大きくふくらみますが、それもだんだん廃れていきます。17世紀前半には、コルセットやファージンゲールなどはほとんど使われなくなり、ナチュラルなシルエットが主流となります。デザインも、バロック前期の反動か簡素なスタイルが流行します。重々しい厚手の**ブロケード**（浮きだし模様のついた織物）ではなく、軽やかな薄手の絹織物が好まれるようになり、色遣いも柔らかなものになります。

ラフもバロック初期まではありましたが、だんだんと廃れてきます。メインイラストのように代わりに襟ぐりを広げて、胸元まで見せるファッションが流行します。ラフを付け、首筋まできっちり隠すのは、時代遅れのおばさんのすることになってしまいました。

ラフがなくなったために、髪を伸ばすことができるようになりました。バロック後期からは、髪型も、人工的な盛り上げ髪よりも、自然な垂れ髪が多くなります。口紅や白粉も、この時代から広まります。

この時代に流行した化粧は、**つけぼくろ**（図1）です。黒い布を糊で貼り付けて使いました。しかも、丸いものだけでなく、星形や三日月形など、様々な形のものを使いました。うまく使うと、疱瘡の跡を隠し、艶っぽさを増してくれます。付ける位置によって表1のような意味があります。

当時は、天然痘の後遺症であばたのできた女性も多く、つけぼくろの流行は大変ありがたいものでした。一つ二つではなく、顔中にほくろを付けた女性も多かったとされます。

図1 つけぼくろ

表1 つけぼくろの位置と意味

つけぼくろの位置	意味
額	荘重
目尻	情熱家
頬の中心	男好き
鼻	恥知らず
口元	キスして

010

ロココの貴族女性

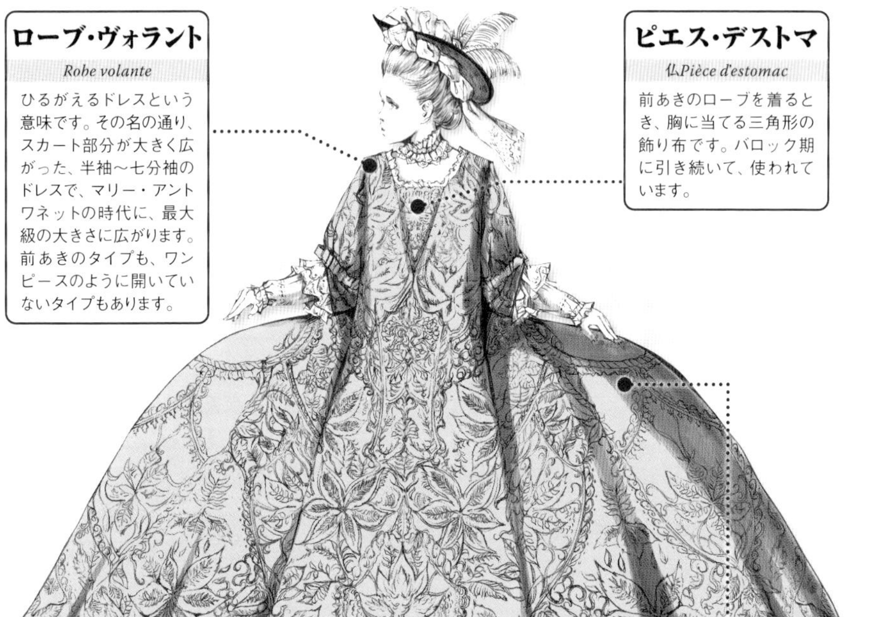

ローブ・ヴォラント

Robe volante

ひるがえるドレスという意味です。その名の通り、スカート部分が大きく広がった、半袖〜七分袖のドレスで、マリー・アントワネットの時代に、最大級の大きさに広がります。前あきのタイプも、ワンピースのように開いていないタイプもあります。

ピエス・デストマ

仏Pièce d'estomac

前あきのローブを着るとき、胸に当てる三角形の飾り布です。バロック期に引き続いて、使われています。

ゆったりとした服

Roomy dress

下にコルセットなどを着けてはいるものの、ローブ・ヴォラント自体はゆったり目に作られています。くつろいだ雰囲気を出すためです。

パニエ

Panier

スカートを大きく広げるための、型枠です。以前はファージンゲールと呼ばれていましたが、この時代にはパニエと呼ぶのが一般的です。通常の円錐形の他に、このイラストのように横に伸びるものもよく使われました。

時代

18世紀

場所

フランスから全ヨーロッパへ

ロココ期の女性は、華麗ですが派手すぎの面もあります。そのため、贅沢好きで浪費癖のある女性に着せると似合います。

官能の喜びが女性を装わせる

ロココ期になると、男性ファッションが洗練されて地味になった代わりに、女性ファッションが華麗で艶やかになります。フランス王妃マリー・アントワネットの華麗なドレスがロココ期を代表する衣装です。

宝石も、前の時代と異なり、女性を飾るものになりました。

ロココの時代も、貴族女性の服装はローブ＋ピエス・デストマ＋ペティコートが基本です。ただし、その下には、**パニエ**（図1）や**コルセット**（「コルセットとファージンゲール」023）という造形的な下着があります。

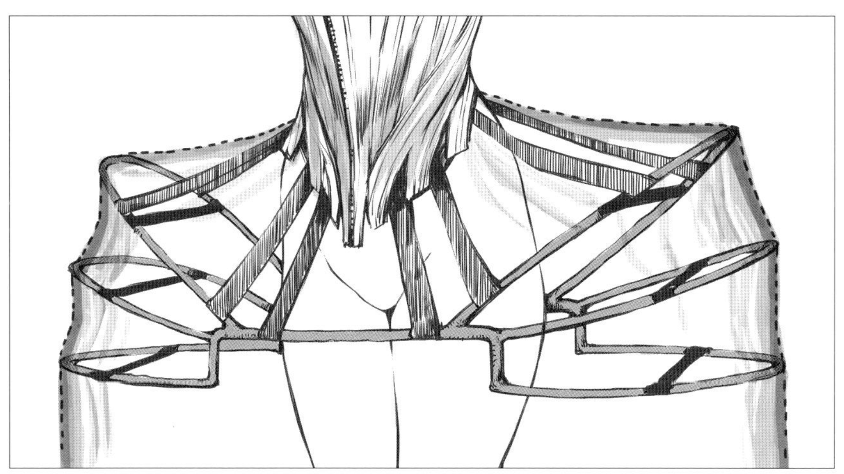

図1 パニエ

ロココ前期（18世紀前中期）は、それでもバロックの時代を踏まえ、スカートの下に大きな型枠などを入れることはありませんでした。髪型も、ポンパドール（前髪を大きめにあげて、高い位置で留めた髪型）くらいでした。

しかし、マリー・アントワネットの時代（18世紀後期）になると、ナチュラルになったシルエットは、パニエやコルセットによって変形させられ、ウエストはあり得ないほど細く、スカートは以前にも増して大きくふくれあがります。

あまりにふくれあがったスカートは、歩きにくく、広い王宮の廊下ですらすれ違うのに苦労するほどでした。しかし、ロココの時代は、バロック以前のような舞踏会文化が廃れ、サロン文化が流行します。つまり、快適なサロンでくつろぎながら、詩を詠んだり、ウイットに富んだ会話をすることが、貴族のたしなみとなったのです。このため、動きにくいドレスでも問題ありませんでした。

髪型も、再び盛り上げ髪が流行し、以前にも増して大きく派手に盛り上がっていきます。1m以上もある巨大な盛り上げ髪すら珍しくありませんでした。

011

聖職者

トンスラ

羅Tonsura

カトリックの修道士は頭のてっぺんをそり上げて、はちまきのように髪を残します。この髪型をトンスラ（日本語で剃髪）といいます。神父は、必ずしもこの髪型にする必要はありません。また正教会では、このような髪型は誰もしません。

ダルマティカ

羅Dalmatica

一枚布の貫頭衣で足元まであります。袖口が広く、全体にゆったりとしています。カトリックにとどまらず、ルター派や聖公会といったプロテスタントでも、典礼衣装として使われています。聖公会は英語を使うため、ダルマティック（Dalmatic）といいます。

ストラ

羅Stola

聖職者が儀式のときなどに首から下げる帯です。聖公会は英語を使うため、ストール（Stole）といいます。

カズラ

羅Casula

聖職者がダルマティカの上に着る祭服です。聖公会は英語を使うため、チャズブル（Chasuble）といいます。袖のないポンチョのような服で、典礼の際に一番上に着ます。

時代

15～19世紀

場所

全ヨーロッパ

聖職者の衣服は、中世から近世にかけて、それほど大きくは変わりませんでした。それどころか、現在ですら根本的なところでは変わっていません。

長く変わらない聖職者の衣装

ダルマティカは、1枚の布の中心に首を出す穴を開けて、二つ折りにして脇と袖の下を縫った簡単な衣服です（図1）。本来は東方（東ヨーロッパ）でよく使われていた装束でした。昔はTシャツくらいの短いものや膝丈くらいのものもありましたが、だんだんと長いものが主流になりました。

キリスト教の聖職者は、2世紀頃からダルマティカを着ていました。それが、ローマ帝国でのキリスト教の普及につれて広まり、多くの人々が普段着として着るようになりました。12世紀頃には一般人は着なくなりましたが、現在でもキリスト教の聖職者は儀式のときなどにダルマティカを着て、カズラかストラを付けます。

カズラは、ダルマティカの上に着る祭服で、刺繍などで飾ります。首の所に穴が開いた1枚の布を身体の前後に垂らした衣装です。服の色は、典礼色と呼ばれ白・赤・緑・紫・黒があり、それぞれの意味があります。表1にカトリック教会のストラやカズラの典礼色の意味をまとめました。同じキリスト教でも東方教会では色遣いに差があります。架空の宗教を作る場合でも、文化によって色の意味に差異はあるものの、色が何らかの意味を象徴している点は押さえておくとよいでしょう。

現代では、カズラを使うことは少なくなり、代わりに**ストラ**を首にかけます。色遣いはカズラと共通です。ストラはその付け方によって、地位がわかります。首から下げるのは司祭以上で、肩から斜めがけにするのは助祭以下です（図2）。

(1) 1枚の布をカットする。首の穴は切り取る。

(2) 半分に折って、袖と胴を縫い合わせる。

(3) 完成。胴は布が余るので、襞ができる。

図1 ダルマティカの構造

表1 典礼色の意味

色	意味
白	純真を表し、クリスマスや復活祭に用いる。
赤	イエスの血と殉教を表し、殉教者の祝日に用いる。
緑	通常のカズラで、特別な意味のない日に用いる。
紫	改悛と懺悔を表し、待降節や四旬節に用いる。死者のためのミサにも用いる。
黒	悲哀を表し、死者の日（11月2日）に用いる。葬儀にも用いる。

司祭以上

助祭以下

図2 ストラの付け方

012

傭兵

プラッター・ハット
Platter hat

別名ピザ・ハットとも呼ばれる平らな帽子です。頭よりひとまわり大きく、鳥の羽などを飾りに付ける例も多くありました。

スラッシュ
Slash

わざとたくさんの切れ目を入れて中の生地を見せるようにした装飾です。戦いで切られて裂け目がたくさんあるように、傭兵たちが衣服にわざと裂け目を入れたのが最初だといわれています。

クウィラス
Cuirass

この時代になると、全身を覆うスーツアーマーは動きが鈍くなって銃の的になるだけの時代遅れの代物になっています。胴の前後に胸当てと背当てだけを付けたクウィラスが、歩兵の鎧として使われるようになりました。

ミ・パルティ
Mi-parti

傭兵は目立つために、わざと衣装をミ・パルティ(左右非対称)にします。メインイラストでは、袖のスラッシュの入れ方や、下半身のタイツの模様が左右で違っています。

ホーゼン
Hosen

傭兵たちがよく着ていた膝丈～七分丈のズボンです。ウエストまであるズボンで、スラッシュが入っている場合もあります。

ガーター
Garter

ホーズがずり落ちないように、縛っておく紐です。傭兵は靴下がずり落ちて動きにくくなると命に関わるので、ガーターで留めておきます。

ホーズ
Hose

この時代の人がよく履いていた膝まである長靴下です。

時代

16世紀

場所

ドイツ・イタリア・スイス

立派な騎士ではなく、荒くれ者の傭兵に相応しい姿です。目立ちたがりで刹那的な傭兵たちの、精一杯の魂の叫びが衣装に表れているのです。

鎧が重視されなくなった時代

16世紀には、騎士が決戦兵力としての力を失い、歩兵の集団戦術が戦いの帰趨を決めるようになりました。これは、小銃の発達と、テルシオ（西Tercio、スペイン方陣）のような、槍を持った歩兵の密集隊形の発明により起こったことです。しかし歩兵になりたがる貴族はおらず、歩兵は傭兵が占めるようになっていきました。

当時有名だった傭兵には、**スイス傭兵**（独Schwerzergarde）、**コンドッティエーレ**（伊Condottiere、イタリア傭兵）、**ランツクネヒト**（独Landsknecht、ドイツ傭兵）などがあります。しかし、国民性や成立の経緯により、その性格は大きく違います。

スイス傭兵は、質実剛健です。土地が貧しく出稼ぎをするしかないスイス人傭兵は、州政府単位で傭兵団を結成します。彼らは雇い主に忠実で、死ぬまで戦うという評判がありました。

コンドッティエーレは、イタリアの地方領主が領地から徴用した兵士を率いて戦う傭兵隊長です。ルネサンスの万能人思想の影響か、傭兵隊長には洗練された教養人も多く、勝てるような状況を作ってから戦うことを良しとします。負けそうになっても死ぬまで戦うのは、蛮勇と見下します。このため、勝っているときは強いが、負けそうになると逃げ出してしまうという評判もありました。

ランツクネヒトは、スイス傭兵を手本に作られましたが、その出身は貧しい騎士などが多く、派手好きで利那的です。傭兵の派手すぎる衣装は、ランツクネヒトから広まったのです。メインイラストは、このランツクネヒトです。彼らの行動は、日本の戦国時代に登場するかぶき者と共通するところがあります。戦いの中に生きて明日の命の保証のない者が、自分の生を輝かせるために精一杯目立つ格好をするという考え方は同じなのです。そのため赤・青・黄色といった派手な色の服を好み、しかも単色ではなく混ぜて使いました。

彼らを描くときに注意すべき点は帯剣の位置です。彼らは剣をベルトに直接刺さず、図1のように帯剣します。ベルトに直接付けておくと、柄（つか）の位置が高くなりすぎて、引き抜きにくいのです。ただし、図1(c)のように剣が短い場合は、右に柄をもってくることもありました。日本刀ではほとんど見ない形ですが、短い剣の場合は柄を握って後ろに引っ張ればそのまま突きに使えたのです。

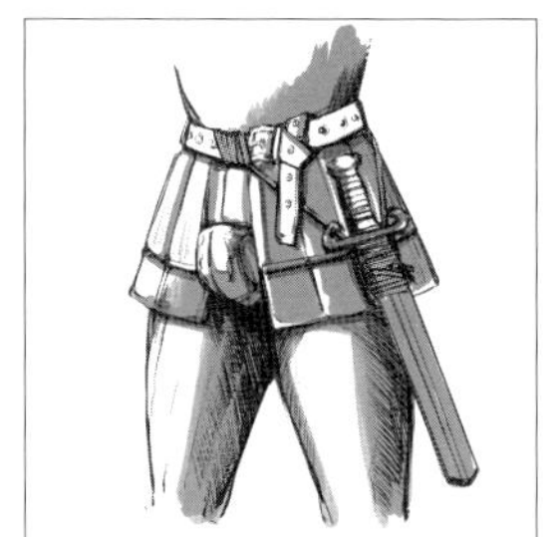
(a)ベルトの2箇所にくくってぶら下げた紐に留める。

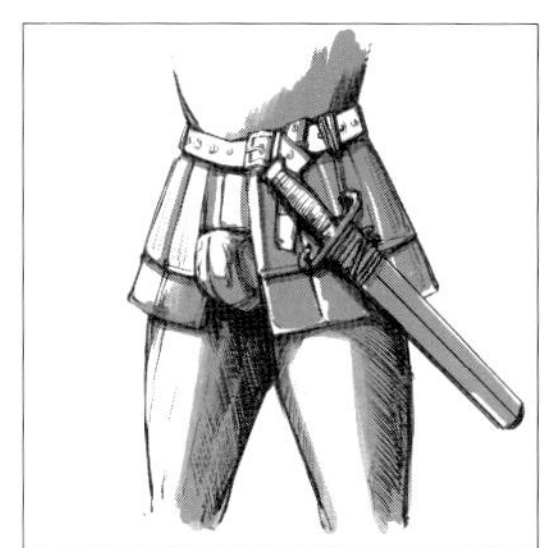
(b)ベルトに下げ紐を付けてそこに付ける。

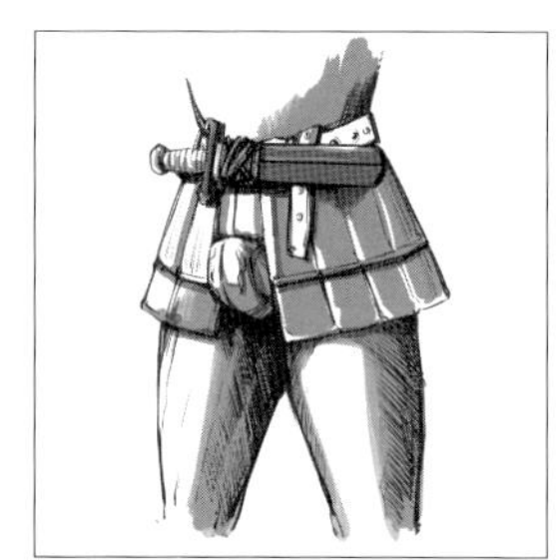
(c)短い剣の場合は、腹の前にくくりつけておく。

図1 帯剣の位置

娼婦

ジュッボーネ

伊Giubbone

この胴衣は本来は腰の下までの長さの、長袖、前あきの男性用上着です。通常は毛織物で作り、裕福な者は毛皮の内張をしていました。娼婦はこれに、フリルなどの飾りを付けてよく着ていました。ちなみに、これが日本に取り入れられて襦袢になります。

ブラゲッセ

伊Braghesse

薄絹のような薄い素材で作った七分丈のズボンです。ニッカー（Knicker）ともいいます。女性は本来ズボン類をはくことはありませんが、スカートをめくってチラ見せするためにはいています。

扇

Fan

当時は、このような形の扇もありました。安いので庶民でも買えました。

スカート

Skirt

当時のスカートは、前が開いており、中のペティコートが見えるようになっていました。一般の女性は下にペティコートを着ていますが、娼婦はブラゲッセなどで脚のラインを見せています。

ホーズ

Hose

膝くらいまである靴下で本来は男性ものです。一般の女性はスカートの下を見せないので履きませんが、娼婦は脚を見せるためにはいています。

ピアネッレ

伊Pianelle

15センチ以上も高さがあるオーバーシューズ（靴の上に履く靴）で、木かコルクで作ります（娼婦以外も使った）。ショピン（伊Chopine）ともいいます。洋の東西を問わず、娼婦の履物は高いようです。

時代

16世紀

場所

イタリアから全ヨーロッパへ

当時は、胸元を開けていても問題ありませんでしたが、脚が見えるとモラルに反するとして教会からにらまれます。このため、娼婦は胸元を大きく開き、脚は覆っているもののラインが想像できるような衣装を着ています。

意外と慎み深かった娼婦たち

娼婦は、「最古の職業」とまでいわれる古い古い仕事です。実際には、売春よりも古い仕事はあったと思われますが、「最古の職業」という言葉が「売春」の代名詞になるほどですから、古いことは確かです。

ただし、売春はキリスト教的に見て、非常に悪いことでした。そのため、おおっぴらにはできません。しかし必要とされる人には、娼婦であることが一目でわかるようになっていてほしいということから、一般人とは違う様々な格好をしていました。その一例として、男装ではないものの、男物の服装をアレンジして着るというファッションがありました。

ジュッボーネは、前ボタンの上着です。このような服は、本来は男性の着るもので、一般の女性は着ませんでした。しかし、それをおしゃれに着ることこそ、娼婦のファッションだったのです。襟元は大胆に開けていますが、袖を捲るのははしたないこととされていました。ジュッボーネの下には前ボタンの**カミーチャ**（伊camicia、肌着）という男物の下着を着けることもあります。

また、スカートの前を開けておいて、ちらりと中を見せるというのも、娼婦の手管の一つです。そこから見える、薄絹の**ブラゲッセ**（緩い脚衣）が、客にはエロティックに見えるのです。

髪を漂白して金髪っぽくしたり縮らせたりと、ちょっと変わった髪型をして目立たせてもいます。パーマはまだありませんでしたが、図1のように数日の間だけ縮らせるくらいは、当時の技術でも可能でした。

ちなみに、一般的な娼婦は家の扉や街角に立って客引きをしていたので、地面に引きずるような長いスカートははきません。

高級娼婦は屋敷で客を待つことができるので、巷の貴婦人となんら変わらない姿をしています。ドレスを引きずっていても大丈夫なのです。胸元は大きく開けていることが多いですが、貴婦人でもそのようなドレスを着ていることはありました。

中には、王の愛妾にまで成り上がった娼婦もいます。例えば、イングランド王チャールズ二世の愛妾ネル・グウィンは、女優（当時の女優は娼婦も兼ねていた）から、貴族たちの愛人を経て、最後は王の愛人となっています。

図1 縮らせた髪型

014

商人

ラフ
Ruff

ラフを身に着けている商人はいましたが、さすがに貴族ほど大きなものは着けていません。ラフ本来の、襟の汚れが上着に付かない用途が主で、おしゃれの要素は二義的でした。また、着けていない商人もたくさんいました。

帽子
Hat

ベレーの一種で、タッリエーレ型（伊Tagliere）と呼ばれる平らな形です。

袖
Sleeve

商人の上着の袖には穴が開いています。

靴
Shoes

ブーツなどは履かず、短靴です。

時代

16～17世紀

場所

全ヨーロッパ

いつの時代も、商人は実用本位の服装を好みます。ですから、無駄な装飾は付けないほうがよいでしょう。

実用優先の商人

商人はいつの時代でも、実用本位の衣服を着ます。大商人ともなれば、そこらの貴族以上の暮らしができるのですが、それでも貴族のような華美な服装の商人は少数でした。

ただし、外から見えにくいところに金をかけたりします。例えば、上着で隠れてしまうシャツをサテンにしたり、服の裏側に高価な毛皮を使ったりと、たまにちらっと見える贅沢さが商人の金の使い方です。

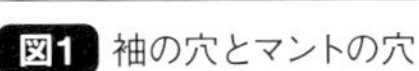

図1 袖の穴とマントの穴

商人は、商品の出納や金勘定など手を使うことが多いので、彼らの上着の袖やマントには穴が開いていました(図1)。これは、金勘定などの細かい作業をするときには穴から腕を出して作業し、そうでないときは普通に長袖(手が隠れるほどの長さがあります)やマントとして使用します。

イタリアなどの暖かい地方では、ここまで厳重な防寒が必要ないので、**フェッラライウオロ**(伊Ferraiuolo、図2)という短いマントのような外套になります。

商人の帽子(図3)は、ベレー帽が主でした。**トッツォ**(伊Tozzo)という頭頂の高いベレーと、**タッリエーレ**という薄いベレーがあり、若者はトッツォを、年配はタッリエーレを好んだとされます。また、現代の**トップハット**に近い帽子も存在して、商人が使っていました。

図2 暖かい地方の上着

トッツォ

タッリエーレ

トップハット

図3 商人の帽子

015

女商人

髪型
Hair style

大きすぎない帽子で髪をまとめています。

袖
Sleeve

上着の袖には、男商人と同じく穴が開いています。また中の袖は、貴婦人のものと違って、金勘定などの邪魔にならないように腕にぴったりしたものです。

ローブ
Robe

普通の女性と変わらない、前あきのローブです。ただ、商人は、きっちりした感じが必要なためか、胸元を大きく開けたものは好まれません。

ペティコート
Petticoat

前の開いたスカートの間から、ペティコートが見えています。中世では下着だったペティコートですが、この時代には、上着となっています。

ボルサ
伊*Borsa*

ボルサとは、ベルトの紐の先に結びつけて、低く垂らした巾着です。ポケットのない女性服ではたいへん重宝しますが、その恩恵を最も受けるのは女商人たちです。

時代

16～17世紀

場所

全ヨーロッパ

女商人が普通の女性と違う点は、地味で物堅い服装と、手作業の邪魔にならない袖です。

女心と実用の狭間に

女商人といっても、おしゃれはしたいものです。しかし、商人としての実用面も忘れることはできません。そこで、制限のある中で可能なおしゃれを追求しています。

まず、商品を運んだり金勘定をしたりしますので、腕、特に下腕はすっきりさせておく必要があります。しかし、上腕のほうはそれほどでもありません。このため、女商人の腕の飾りは上腕部にあります。下腕は、付け袖（洗濯回数を減らすために、袖の先にあてる布）にレースや小さな襞を使うくらいです。それに比べ上腕は、スラッシュにしたりふくらんだ袖にしたり、様々な装飾があります（図1）。

上着の袖が長くて邪魔になる場合は、メインイラストにあるように男性商人の上着と同じく袖に穴を開けて、中から手を出します。もちろん、女商人がマントを着るときも、男性商人と同じく袖から手を出せるようにします。

女商人や、その他の都市の女性たちに特徴的なのが、低くぶら下がった小さな巾着袋である**ボルサ**です。腰に巻き付けたベルトの紐の先を足元近くまで垂らして、その先にぶら下げているのです。ここには、貨幣や化粧品などの小物を入れておきます。使うときには、紐を持ってするすると引き上げてから使います。袋の他に、鏡や扇などをぶら下げる人もいました。

また、汚れ避けのために前掛け（図2）をしている女商人もいます。きれいな模様の前掛けをファッションとして取り入れている人もいます。

髪型は、作業の邪魔にならないように、シンプルな帽子でコンパクトにまとめています。

上腕部のスラッシュ

上腕部がふくらんだ袖

図1 上腕部の装飾

図2 前掛け

016

宮廷道化師

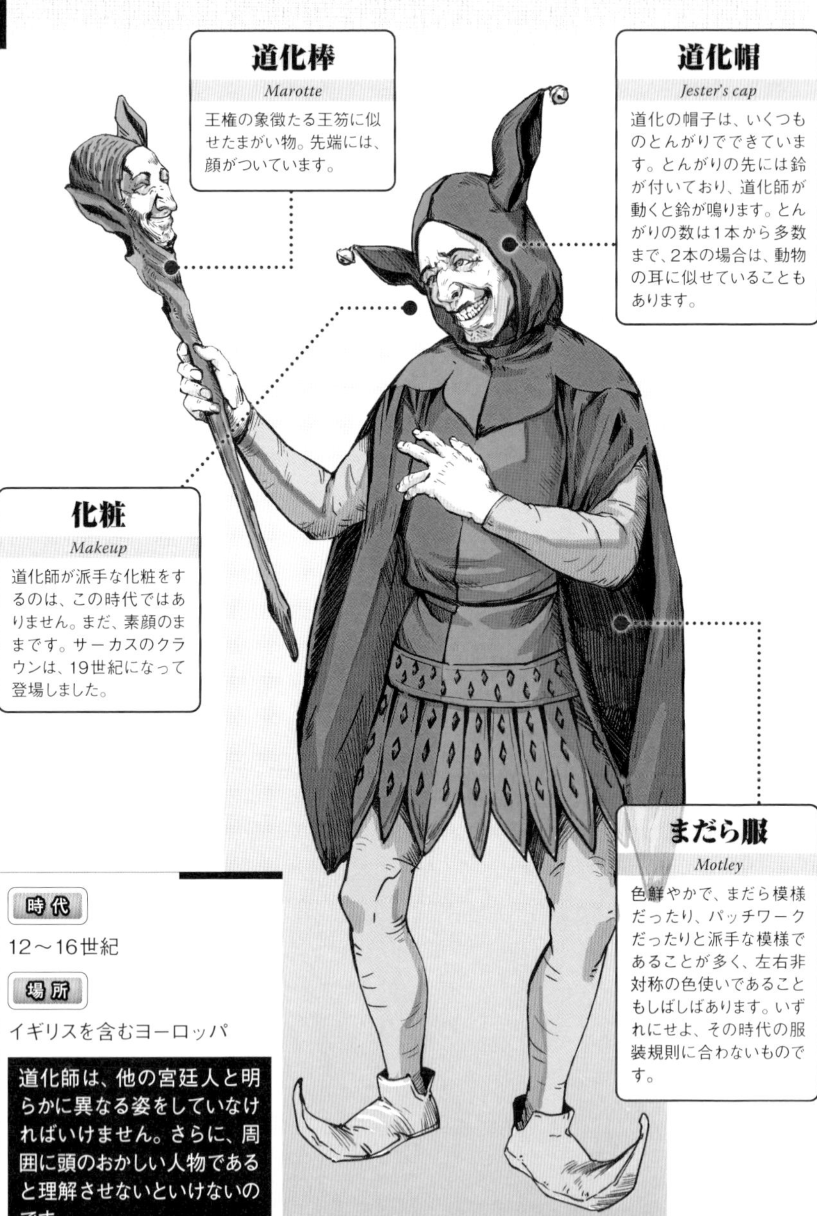

時代

12～16世紀

場所

イギリスを含むヨーロッパ

道化師は、他の宮廷人と明らかに異なる姿をしていなければいけません。さらに、周囲に頭のおかしい人物であると理解させないといけないのです。

奇妙な特権を持つ者

西洋史において、そして西洋ファンタジーにおいて、もっとも奇妙な立ち位置にいる者、それが宮廷道化師（Jester）です。タロットでは「愚者」のカードとして知られています。ただ、正確に言うと、宮廷道化師が存在したのは、中世からルネサンスくらいまでで、バロック以降の時代には、宮廷道化師はごく一部の国を除き廃れていました。

宮廷道化師の仕事は、もちろん芸能です。物語る、歌う、奏でるといった芸術方面だけでなく、冗談や軽業、物真似や奇術など様々な芸を行いました。

道化師は**愚者**（Fool）と呼ばれることもあります。そして、愚者であるということは、特権であるとされていました。彼らは、神に触れられた者であるとして、自由な言動が許されたからです。ただ、道化師の中には実際には愚者では無く、役割として愚者を演じている者もいます。しかし、たとえ演技であっても、道化師である限り、愚者としての言動が許されています。この自由な言動こそが、宮廷道化師の特権なのです。

宮廷道化師は下々の者に代わって、王に直接諫言できる立場にあります。そして、王は、その言葉を神に触れたる者の言葉として、受け取らなければ行けません。怒って処罰、ましてや処刑などしてしまっては、王としての器に欠けると周囲から見られます。

その代わりに、宮廷道化師は誰もが王に報告したくない伝達を、王に伝える役目も引き受けています。1340年に英仏が戦ったスロイスの海戦においてフランス艦隊が潰滅したとき、フランス王の道化師は、フィリップ6世王に「イングランドの船乗りは勇敢なるフランス人の船乗りのように海に飛び込む勇気は持ち合わせておりません」と言いました。要するに、フランスの船乗りは船が沈んで海に投げ出されたという報告をしたのです。

道化師は、多くの場合は手に**道化棒**（Marotte）を持っています。これは、王の持つ王笏（王権の象徴）に似せた棒で、先端には大抵顔が付いています。もちろん、道化棒には権威などありませんが、王のパロディとして、王を批判できる立場にあることを示しています。

ほとんどの道化師は、頭に被り物をしています。頭の真上に1本伸びているもの、2本が動物の耳のようになっているもの、多数のとんがりからなるものなど様々です。いずれの場合でも、先端に鈴が付いていることが多く、道化師が動くと鈴が鳴ります。

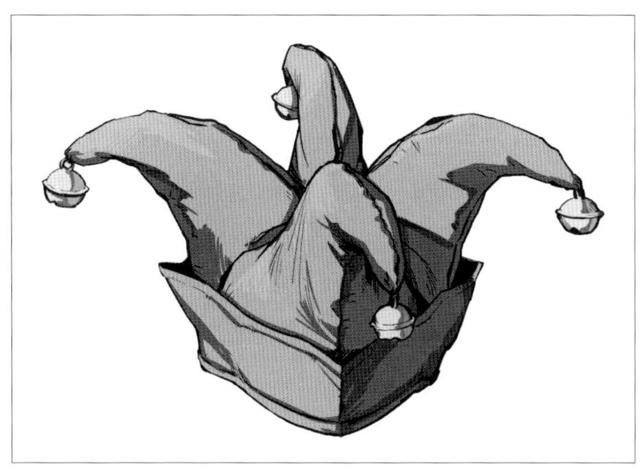

図1 とんがりが4本の道化帽

017

農民男性

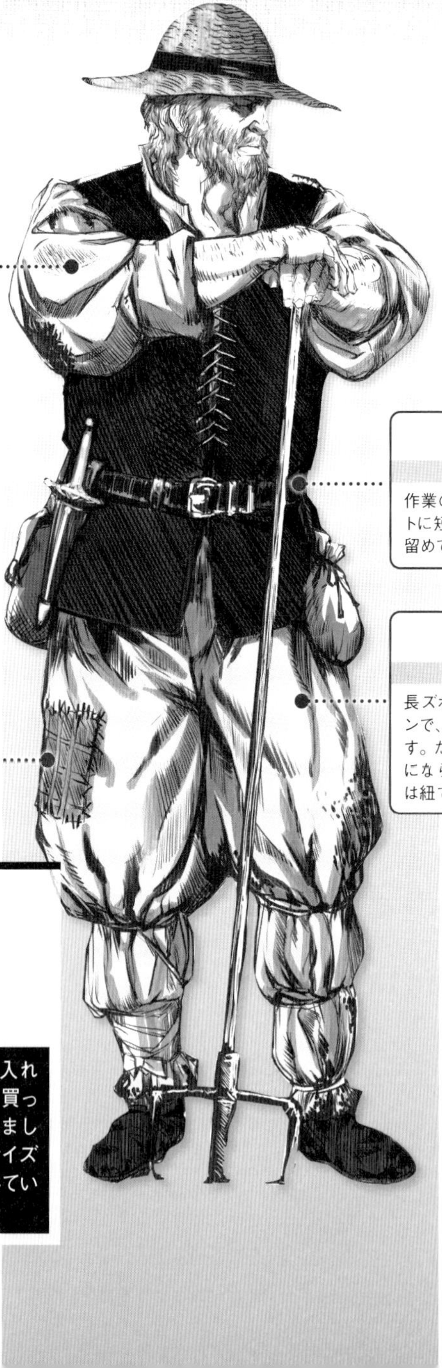

チュニック
Tunic

上着は、作成が簡単なチュニックが使われていました。頭からかぶる服で、袖も胴も緩く作ってあります。こうすることで、誰でも着ることができ、使い回せるのです。

ベルト
Belt

作業の便のために、ベルトに短剣やポーチなどを留めています。

ツギ
Patch

農民は、服に何度もツギを当てて着ていました。

ズボン
Trousers

長ズボンは、太めのズボンで、裾が開いたものです。ただし、作業の邪魔にならないように、膝下は紐でくくっていました。

時代

16～17世紀

場所

全ヨーロッパ

農民が新品の服を手に入れる機会は少なく、古着を買ってツギを当てて着ていました。このため、微妙にサイズの合っていない服装をしています。

古着にツギを当てていた

農民の多くは農奴（完全な奴隷でこそないものの、勝手な移動は許されず決められた土地で農業をやることが定められている人々）でした。広い土地を所有する裕福な農民は、ほんのわずかしかいません。

ですから彼らの普段着は、ほとんど古着です。当時は既製品の服は存在しません。すべて注文服です。最初から服の形をしているのは古着だけです。

ボタンは高価（当時は貝殻か堅い木を削って作った）なので、ほとんど使っていません。古着になったときにはボタンが取れていることも多く、ボタンの代わりに紐を縫い付けてくくって着ました。

靴は、サンダルか短靴が中心ですが、金銭的余裕があれば長靴を履きます。特に、森に狩りに行く猟師などは、足元を守るために金銭的に無理をしてでも靴底のある長靴を履くことが多かったのです。サンダルは、木かコルクで靴底を作り、革か布で紐を作って脚に結びつける履物です。

靴は、単に革を縫い合わせて足の形の袋状にしたもので、靴底はありません（図1）。一般の農民の靴にまで靴底が普及するのは、17世紀くらいになってからのことです。

彼らも特別なときはできる限りおしゃれをします。襟も貴族ほどではありませんがラフで飾り、ボタンを使った服を着ます。祭や結婚式がそのときです。新しい服も、祭（結婚相手を探すとき）や結婚式といった特別なイベントに合わせて作ります。簡素ながらも、貴族の着ている服に少しでも似せた服を着ています（図2）。

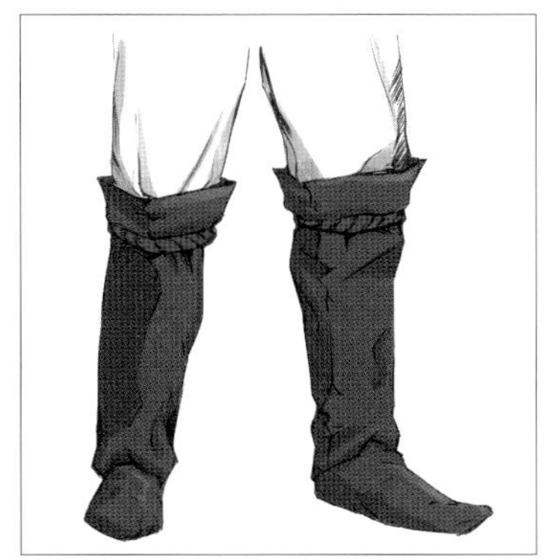

図1 靴底のない靴

図2 着飾った農民男性

018

農民女性

ボディス

Bodice

多くの女性は、階級の上下にかかわらず、袖無し、前あきの胴着であるボディスを着ていました。農民女性の着るボディスは、単なる袖無しのベストです。前を締めるのも、ボタンではなく紐です。紐のほうが、サイズの調整も利いて便利なのです。また、ブラジャーはまだないので、ボディスの上部分で、乳房を支えています。

シフト

Shift

女性の最も基本的な、長袖、前あき無しの上着です。長さや、首回りなどは様々ですが、胴前・胴後・右袖・左袖の4枚の布を縫い合わせて、首回りを縮めただけの、簡単な衣服です。

エプロン

Apron

女性たちは昔からエプロンを着けていました。この時代のエプロンは、ウエストから下に伸びる四角い布です。

スカート

Skirt

当時の女性たちは、農作業中でも長いスカートをはいていました。ただし、泥がつかない長さにとどめています。

時代

16～17世紀

場所

全ヨーロッパ

農家は狭く、ベッドも共用なので、女性たちは生活のかなりの部分を屋外で過ごします。授乳しやすいように、胸の部分は大きく開きやすくなっています。汚れても平気なように茶色っぽい色が好まれました。

農作業でも長いスカート

農家では、男女の区別なく農作業に従事します。しかし、彼女たちの服装は、あまり農作業向きではない、長いスカートです。日本のような田んぼはありませんから、スカートの裾が泥水に浸かるということはありませんが、それでも泥だらけになるのは否めません。けれども、彼女たちは慎みを重視して、長いスカートのままで農作業を行ったのです。

長いスカートでの農作業は、その後もずっと続きます。農作業に女性がズボンをはくのが一般的になったのは、20世紀になってからのことです。有名なミレーの絵画『落穂拾い』は19世紀半ばに描かれたものですが、農家の女性たちの服装は、この時代とあまり変わっていません。

とはいえ地面に付くほどの長いスカートはさすがに不便なので、図1のように腰のあたりで紐で縛って持ち上げるといったことは行っていました。

農家の女性の上着は、シフトとボディスが一般的です。

シフトは、わずか4枚の布を縫い合わせただけの、頭からかぶる上着です。首回りの絞り方によって、大きく胸元が開いた服から、首まできちんと締めた服まで、様々なデザインがあります。

ボディスは、シフトの上に着るベストで、紐で前を締めて身体に合わせます。下のシフトがぶかぶかなので、ボディスで締めて身体に合わせます。

また、13歳以上になった女性が髪をむき出しにすることは、はしたないとされていました。たとえ貧しい農民であっても、布をかぶったり、髪飾りを付けたりして、一部でも隠します。

農民でも結婚式などの特別なイベントのときは、新しい服を用意して精一杯着飾ります。図2の女性と「農民男性」017の図2の男性は、結婚式の新郎新婦です。ただし、地面を歩く関係上、スカートの裾は地面から離れており、靴や足先が見えるようになっています。また、新しい服といっても、貴族が手放した服をほどいて布地を仕立て直したものだったりすることもあります。

図1 紐で縛って持ち上げたスカート

図2 着飾った農民女性

019

子供

レースキャップ、コイフ

Lace cap, Coif

女の子の頭に載っているのは、レースの縁取りのある帽子です。コイフは頭巾のことで、この女の子は、頭巾をかぶった上に帽子を載せています。

シフト

Shift

農民の子供は、大人の服を無理矢理に着ています。このイラストの子供は、女性の上半身用のシフトを着せられています。

ソプラヴェステ

伊*Sopraveste*

貴族の子供は、子供サイズに作られたソプラヴェステを着ています。スカートの下には子供用のファージンゲールを付けて、ふくらんだスカートを演出しています。

時代

16～17世紀

場所

全ヨーロッパ

子供の概念がない世界には、子供服もありませんでした。子供服を着ていない子供は、子供が大事にされていない時代の象徴です。

大人と同じ子供服

子供が子供として認識されるようになったのは、近代になってからのことです。もちろん、子供年令の人間は存在しました。しかし、それを「子供」という大人と別カテゴリーの段階にあるとは考えなかったのです。現代の私たちがこの感覚を理解するのは大変難しいのですが、当時の人々は、子供のことを、身体が小さくてあまり仕事のできない大人と見なしていました。

このため、子供は大人と同じ服を着るのが当然だと考えられていました。

大人と同じ服といっても、金持ちと貧乏人では、対応が異なります。

貴族は、子供のために新しい服を買うだけの財力を持っていました。このため、貴族の子供服とは、大人と同じデザインの服を子供サイズで作ったものになります。

女の子のドレスは、きちんとファージンゲールがあり、スカートが広がっています。男の子の服も、大人と同じく、ダブレットやブリーチズのブーツといった格好です。

それに対して農民は、子供のためにわざわざ新しい服を買う余裕がありません。ですから、大人になっても着られるように大人サイズの服を作って無理して着せたり、親の着ている服を工夫して着られるようにしたりします。布を切り縮めたりしたら、身体が大きくなってから着られなくなるので、縫い縮めることはあっても切ってしまうことはありません。またどんどんサイズの変わる足のために子供用の靴など買っていられないので、裸足のままが多いのです。

子供に服を買う余裕のある比較的裕福な農家でも、袖を長めに作って一部を折り返して縫っておくなど、成長しても何年も着られるような服を作ります。もちろん飾りなどは付けないし、布の使い回しを考えてできるだけ大きな布を切らずに作ります。例えば図1のような服であれば、大人になっても、肩のストラップを伸ばすことでスカートとして利用可能なのです。

図1 成長しても着られるように工夫された服

ケルト人

フィブラ
Fibula

衣服を留めるために使うブローチ。ここではマントを留めています。この時代は、真っ直ぐな留め針を使っていますが、14世紀くらいからは針金を曲げた安全ピンのようなものが作られます。

ケルティック・ジャイア
Celtic Gyre

ケルト人が意匠に使う渦巻き模様のことです。絵には描いていませんが、これを三つまとめたトリスケル（Triskele）は、三位一体の女神の聖なる証として、特に尊重されます。

タトゥー
Tatoo

腕の模様は衣装では無くタトゥーです。ケルトの戦士は上半身にタトゥーを入れて、その勇猛さを表します。渦巻き模様は、ケルトの特徴的意匠の一つです。

チュニック
Tunic

袖なしの上着で、ベルトで腰を絞めます。チェック柄もケルト人を特徴づける意匠です。スコットランドのチェック柄も、ケルトの伝統の末裔です。彼らの服は、基本的に羊毛で作られています。

時代

5～13世紀

場所

ヨーロッパ

ケルト人は、古代ヨーロッパに広く居住していた民族ですが、ローマ人やゲルマン人に敗北し、だんだんと支配地を失っていきました。服装からも技術力に劣っていたことがわかりますが、その意匠は独特で異民族とわかりやすいのです。

裸足
Barefoot

裸足で行動する人も多くいました。それこそ、貴族階級ですら、裸足のままの者もいます。

ヨーロッパ風異民族

13世紀ぐらいまでのケルト人は、中世ヨーロッパ人（ローマ人およびその後継となったゲルマン人）にとっては、最もわかりやすい野蛮な異民族でした。

アラブ人も異民族ではありますが、彼らのほうが文明が進んでおり、どちらかというとヨーロッパ人のほうが技術も規範も遅れていると言えたので、野蛮な異民族と思い込むのは難しかったのです。実際、十字軍の時代も、ヨーロッパ人は、アラブ人と戦いつつ、彼らから技術を盗んでいました。軍規のレベルでも、明らかにアラブ人のほうが規律正しい軍隊でした。これでは、蔑みたくてもできません。

これに対し、ケルト人は異民族であり、しかもヨーロッパ人より文明的にも遅れていましたから、思う存分に蛮族扱いしていたのです。

実際、荒々しい部分はありました。この時代のケルト人というと、そもそも靴を履いていないで裸足というイメージがあります。上半身裸でタトゥーを入れ、裸足で武器を振りかざして襲ってくるのですから、ローマ人からすれば蛮族以外の何者でもなかったのでしょう。ただし、常に裸足というわけではありません。さすがに真冬は裸足では寒いので、可能ならば皮を紐で括った靴（モドキでしかありませんが）を履きます。靴紐のある靴に見えなくも無いものから、単に袋をくるぶしでくくっただけのものまで、色々あります。

裸足の伝統は現代まで続いています。クロム・ドー（アイルランドの聖山）という神々の住まう山で7～8月にルナサという祭りがあります。かつては、そこに巡礼する人々は裸足で山に登りました。現代ですら裸足で登る人がいます。

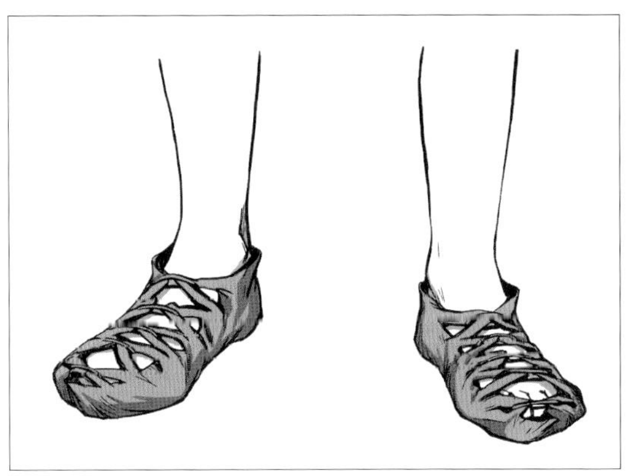

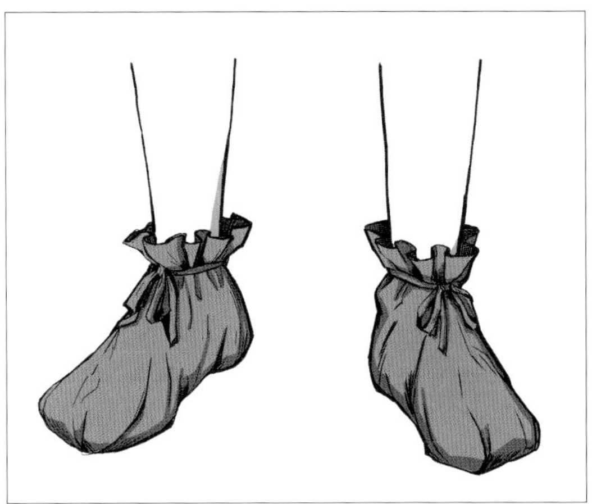

図1 ケルト人の靴もどき

021

ミ・パルティと コッドピース

時代 16世紀

場所 全ヨーロッパ

中世から近世にかけて、現在の感覚ではとても奇妙な衣装やアクセサリーが使われていました。これを利用して、異国情緒を醸し出すことができます。

ミ・パルティ

左右非対称のことを**ミ・パルティ**といいます。そこから左右非対称の服もミ・パルティと呼ばれるようになりました。11世紀頃からミ・パルティが流行しはじめて、16世紀くらいまで流行は続きました。

(a)ミ・パルティのサーコートを着た修道騎士

(b)ホーズ(長靴下)をミ・パルティにした宮廷貴族

図1 ミ・パルティ

最初のミ・パルティは宮廷の道化師が着るものでした。ですが、十字軍兵士がチェインメイルの上に着るサーコート（金属鎧に直射日光が当たるのを避けるために、鎧の上に着た外套、022 参照）が、紋章のデザインを基本としたために必然的に左右非対称になりました。このため、左右非対称の衣服を見慣れた人々にとって、ミ・パルティは滑稽な服から格好良い服へと変わっていったのです。

通常の宮廷服でも、おしゃれな人はミ・パルティを着るようになりました。全身左右非対称は恥ずかしいと思う人も、ホーズ（長靴下）だけミ・パルティというふうに、一部だけ取り入れた人を含めれば多数になったのです。

傭兵は、目立ちたがりだったので、積極的にミ・パルティを取り入れた格好をしました。「傭兵」012 でも、袖やホーズが左右非対称になっています。

現在でも、オートクチュールコレクションや、おしゃれ着の一部などには、左右非対称を利用して印象を強めている服が存在します。

コッドピース

コッドピースは、本来は男性の小用を楽にするため、股間部分に開く布を当てるようになったのが始まりです。当時はジッパーなどありませんでしたから、ズボンの前は開いたままでした。そこで、股間を隠すために当て布をするようになったのです。

ところが、16世紀になると、ダブレットの詰め物を多くして、体形を誇張するようになりました。肩幅を大きく見せたり、腹をふくらませて裕福に見せたりするようになったのです。そして、その流れはコッドピースにもやってきました。股間を大きく立派に見せるために、詰め物をするようになったのです。

中には、リボンやレースや宝石で飾り立てたコッドピースもありました。また、コッドピースの形を整えるため、金属のコッドピースを布で覆った物などもありました。

こうなってしまうと、もはやコッドピースに小用のときの便利さなどまったくなくなってしまい、かえって小用のときには不便な飾り物になってしまいます。

それどころか、板金鎧にまでコッドピースを付けて、男らしさを誇示しようという風潮さえ生まれました（図2）。

図2 コッドピース

022

サーコートとマント

時代 12～16世紀

場所 イギリスを含むヨーロッパ

サーコートは、元々は戦士の実用品でしたが、後にはファッションアイテムとなっています。マントは、最初から実用品であり、同時に権威の象徴ともなりました。

サーコート

サーコート（Surcoat）とはコートの上（サー）に着る服のことです。ただ、何の上に着るのかで、大きく二つに分けられます。

一つは、中世後期の頃にチュニックの上に着た大きめの上着のことです。男女ともに使いますが、男性用は膝からくるぶしくらいの長さで、女性用は床に引きずるような長さです。このような日常着としてのサーコートは、十字軍兵士が戦地で着ていたサーコートが取り入れられたものです。ちなみに、このようなサーコートは、**シュルコー**（仏Surcotte）と呼ぶことのほうが多いようです。

ここで紹介するのはもう一つのサーコートです。騎士たちが鎧の上に羽織る紋章の入った軍衣です。日本語にするなら、陣羽織でしょうか。肩から腰～膝くらいまでの長さで、初期は麻の白無地が多かったのですが、だんだん派手になり赤や青の毛織の色物が増えていきました。中には、金糸銀糸を使った高価なものもあったとされます。ただ、黄色、特に黄褐色はほとんど使われませんでした。黄色は裏切り者の色として嫌われたのです。

①テンプル騎士団のサーコートとマント：鎧の上に着るサーコートは、おおよそ腰下から膝くらいまでの長さです。紋章は、個人の識別がしやすいように、胸に大きく描かれています。テンプル騎士団のサーコートなので、個人ではなく騎士団の紋章です。マントも、同生地で仕立てられていて、マントの止め方は紐で括っているだけです。

このサーコートには、戦場において機能的な役割がありました。まず、戦っている騎士が誰なのかを明確にする役割です。サーコートには自分の紋章を大きく描きます。これによって、手柄を立てたのが誰なのか、逆に死んだのは誰なのかが明確になるのです。実際、当時のヨーロッパでは、戦場に紋章官という専門の役人が同行し、騎士の功績や、死亡したり負傷後退した騎士が誰なのかを記録していました。ただし、キリスト教騎士団の騎士や兵士は、騎士団の一員の聖職者であり個人ではないという立場からか、騎士団の紋章を大きく描き、個人を明確にしません。

敵に視認されにくくする役割もあります。金属鎧は光を反射するので、鎧の上にサーコートを羽織ることで、光が反射しないようにします。これで敵に存在がバレにくくなります。

さらに、雨などで鎧が錆びにくくする役にも立ちました。

最後に、防暑・防寒です。金属鎧は熱伝導率が高く、暑さ寒さが直接身に堪えます。それこそ、十字軍の出征した砂漠で太陽光線に晒されれば、火傷するほど熱くなります。逆に、寒冷地ではあっという間に体温を奪われ、下手をすると肉体が凍り付いてしまいます。

ちなみに、サーコートの下がチェインメイルなのは、プレートメイルの登場時にはサーコートは廃れていたこと、中東遠征もないので実用品としても必要なかったからです。

マント

マント（Mantle）は、本来は防寒具ですが、中世からルネサンスにかけて、権威の象徴として貴族がまとうものになっていました。一般には、両肩を覆って胸元で留めます。ですが、片方の肩で止めたり、フードとして頭まで覆ったりと、様々な着方のバリエーションがあります。また王のまとうマントだと、身長より遥かに長い豪華なものもありました。逆に、農民だと単なる布を適当にくくっただけです。このようなマントは、19世紀まで使われ続けます。

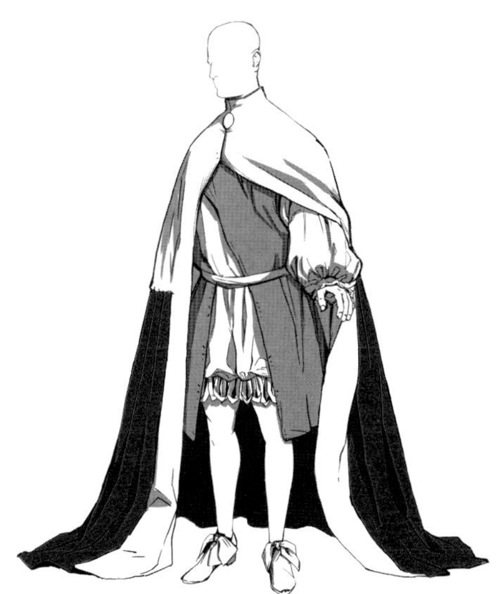

②チャールズ二世のマント：外側の上半分と内側は白貂です。外側の下半分は金糸で飾った赤（恐らくシルク）で、首元は恐らく裏側でボタン留めです。首元は紐で括っていますが、裕福なものはブローチで止めたりします。

③農民のマント：男性が羽織っているマントには、紐さえ付いておらず、端っこを括っているだけですが、これだけでも防寒の役に立ったのです。

023

コルセットとファージンゲール

時代 16世紀

場所 イタリアから全ヨーロッパへ

女性の美を演出するため、身体を締め付ける下着が流行しています。腰はあくまでも細く、ヒップは誇張して見せるのが美しいとされていました。

コルセット

コルセット（Corset）は、ウエストを細く見せるための補整下着です。鯨のひげや鋼鉄を使って枠を作り、その中に女性の胴体を入れて紐できつく縛ります。このため、服の上からウエストを触ると硬いのです。

きついコルセットを着けると、息を吸うのも苦しいほどで、食事など喉を通りません。当時の女性がよく失神したのは、コルセットが苦しくて貧血を起こしやすかったからだともいわれます。

コルセットは、13世紀頃に発明されたものですが、フランス王アンリ2世の妻となった16世紀のフランス王妃カトリーヌ・ド・メディシスが広めたといわれています。フランス革命の時代まで貴族の女性たちにせっせと使われ続けました。フランス革命の後で一旦廃れますが、ヴィクトリア朝の時代になると 再び復活します。

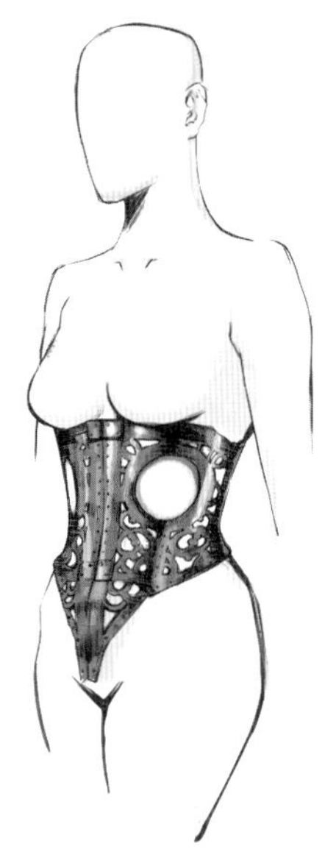

①鋼鉄製コルセット：鋼鉄で作ったコルセットで、前にちょうつがいがあって、後ろが開きます。後ろは、紐で締めるタイプや、留め金で留めるタイプがありました。

②鯨のひげのコルセット：丈夫な鯨のひげで作ったコルセットで、紐で締めるタイプが主流です。

ロココ期の女性は、まず肌着としてシュミーズ（Chemise）を着て、その上にコルセットとファージンゲール（Farthingale）を着けます。その上にペティコート（Petticoat、スカートのすぐ下にはくスカート型の下着）を着て、ようやくドレスが着られます。こうするのは、構造上洗濯しにくいコルセットやファージンゲールを、直接肌に当てないようにするため（垢が付くから）でした。

ファージンゲール

ファージンゲールは、スカートを美しく広がらせてヒップを豊かに見せるために、スカートの下に着用する補整下着です。ロココ期のものは、鯨のひげでしっかりした型を作り、それに布を張った、提灯のような仕組みの下着です。ファージンゲールには、円錐形に広がったスペイン式と、円筒形のイギリス式、その中間のフランス式があります。

ファージンゲールは、15世紀スペインが起源です。17世紀には一旦廃れますが、ロココの時代になると**パニエ**（Panier）と呼ばれて再び流行します。こちらもフランス革命の後で一旦廃れますが、ヴィクトリア朝の時代に**クリノリン**（Crinoline）として復活します。現代でも、ウェディングドレスなどを着るときに使われています。

③ スパニッシュ・ファージンゲール（Spanish farthingale）：15世紀にスペインで発達したもので、円錐形をしています。横線に見えるのは、フープ（Hoop）といって、鯨の骨などを輪にして下着に縫い付けたものです。上から順に少しずつ大きくしていって、裾に向かって広がるようにします。

④ フレンチ・ファージンゲール（French farthingale）：16世紀にフランスで発達した下着です。バムロールともいいます。腰回りに輪のようにクッションを巻き、そこからスパニッシュ・ファージンゲールと同様にフープの付いたスカート状の下着を付けます。このため、釣り鐘形をしています。

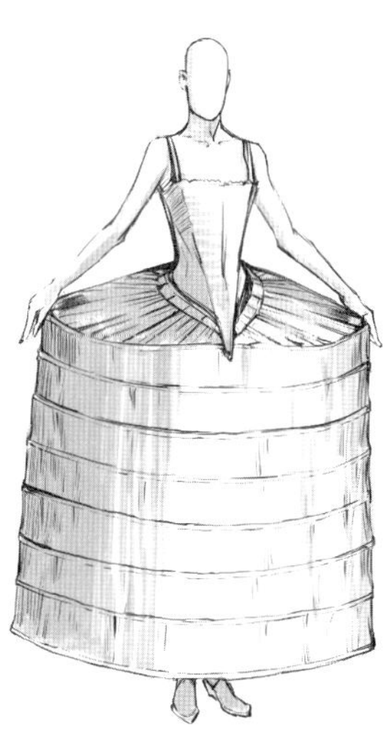

⑤ グレート・ファージンゲール（Great farthingale）：16世紀にイギリスで発達した下着です。腰に円盤形に広がった枠を付けて、そこからフープの付いた下着を真っ直ぐ降ろしています。このため、円筒形をしています。

024

服飾小物

時代　16〜17世紀

場所　全ヨーロッパ

服飾小物の使い方は、時代が変わると大きく変化します。これによって、現代と違う時代・世界を感じさせることができます。

女性の仮面

現代から見ると奇妙ですが、中世から近世にかけて、慎みのために女性が**仮面**を付けることがありました。

逆に、羽目を外すために仮面を付けることもありました。**仮面舞踏会**は、14世紀頃から行われており、17〜18世紀のヨーロッパ宮廷では大人気となりました。仮面で顔を隠しているので、多少の羽目を外しても平気だったのです。あまりの人気に、禁止令が出たこともあったほどです。また、顔を隠せることを利用して、仮面舞踏会を暗殺の機会とする者もいました。

またロココ期には、上流階級の女性は乗馬をするときには仮面で顔を隠すことになっていました。

図1は、高貴な女性が仮面を付けて頭巾をかぶり、お忍びで出かけている姿です。

図1 お忍びの貴婦人

手袋

女性は、できるだけ肌を隠すことが美徳とされています。そのため、上流階級の女性にとって**手袋**も必須です。

手袋の素材は、麻もありましたが、絹のものが高級とされます。16世紀には、すでに革手袋も存在しました。中世の手袋は、シンプルなデザインが多かったのですが、16世紀に英国女王エリザベス1世が、豪華な刺繍や宝石で飾った手袋を使ったことで派手な手袋が一大ブームとなりました。また、ほぼ同時期のフランス王妃カトリーヌ・ド・メディシスは、ムスクなどの香水を香らせた毛皮の手袋を愛用していて、これも流行しました。毛糸の手袋は作業用なので、ファッションとしては使われませんでした。

中世からルネサンス期くらいまでは、服の袖が長く、少なくとも手首をきっちり隠しています。長いものでは手まで隠れるものもあります。そのため、手袋は短いもので十分でした

（図2 (a)）。

しかし16世紀後半になると、袖が手首から七分袖くらいになったため、長い手袋（図2 (b)）が必要になりました。しかし、手袋をしたままでの食事は不便ですし、握手するとき手袋のままでは失礼ですが、長手袋の着脱は面倒です。このため、手首の側に穴を開けて、手だけ出せるようにしてありました。

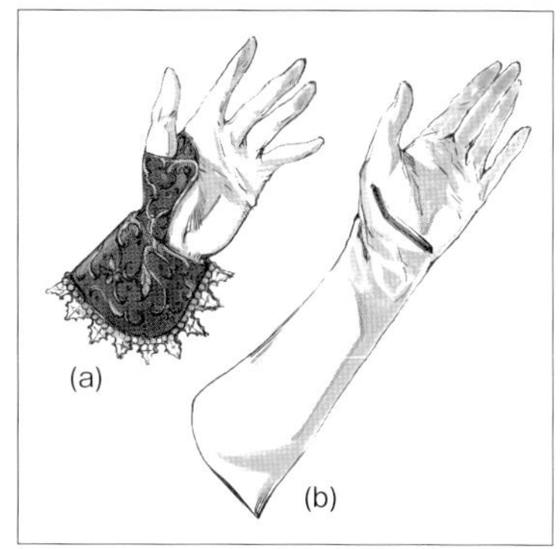

図2 短い手袋と長い手袋

マフ

手袋ではなく、**マフ**（Muff、図1）で隠すこともありました。毛皮を円筒形にしたもので、中に手を入れて温めます。防寒具なので、毛の生えたほうを内側にしてあります。表にも毛皮を貼るマフは、2倍の毛皮が必要なので、高級品です。毛織物のマフもありますが、毛皮に比べれば安物でした。

扇

優雅な**扇**（ファン）（図3）も女性の必需品です。しかし古代ヨーロッパには存在していた扇は、中世期の西洋には存在していません。ルネサンス期から流行る扇は、15世紀頃に中国や日本の扇が持ちこまれたものです。扇の流行も、エリザベス1世が羽根や宝石で飾って持ち歩いたことから始まります。どうも、エリザベス1世は、豪華な服飾小物を好んだようです。

図3 扇

特に18世紀、ロココ期の高貴な女性で扇を手にしたことがない人はいないのではないかと思われます。扇は、普段は閉じておき、笑うときなどに顔を隠すために広げます。笑ったり泣いたりといった明白な表情を他人に見せるのははしたないと、考えられているからです。

当時の扇は現在と同じく、竹や木の軸に紙や薄い布を張った扇が主流です。しかし、宝石や羽根飾りを付けたもの、雲母片に象眼をしたもの、香木を薄く削ってつないだものなど、高価な扇もありました。

025

ルネサンスの帽子

時代 14～16世紀

場所 全ヨーロッパ

西洋風ファンタジーの演出には帽子が重要です。17世紀までのヨーロッパの人々は、ほぼ帽子をかぶっているからです。見た目もよく、キャラクターの特徴付けになりそうな帽子を紹介します。

男性の帽子

この時代の男性は、人前に出るときは帽子をかぶると考えて間違いありません。聖職者でも縁なし帽子をかぶっています。例外は修道士くらいです。

ヨーロッパの国ごとに、特別に形が違うということはありません。ただ、イタリアやフランスなどラテン系は派手目で、イギリスやドイツなどゲルマン系は地味目というくらいの傾向はありました（ただしドイツには一部例外あり）。

①羽根飾り付きのベレー（Beret）：16世紀ドイツ傭兵（ランツクネヒト）の派手な帽子です。ベルベットとダチョウの羽根で作ります。当時のドイツは羽根ブームだったので、多くの傭兵が羽根飾りを使いました。

② ラウンド・キャップ（Round cap）：15世紀のイギリスの地方領主くらいの地位の者がかぶった帽子です。

③トール・ラウンデッド・クラウン・ハット（Tall rounded crown hat）：16世紀のイギリス商人がかぶった帽子です。

④ フェルト帽（Felt hat）：15世紀の農民の帽子です。

⑤ ラウンドレット（Roundlet）：15世紀のイギリス貴族がかぶった、詰め物をした布を頭に巻いた形の帽子です。

⑥ ブリムド・ハット（Brimmed hat）：16世紀のスペイン貴族の帽子です。小さな縁があり、現在の帽子に少し近付いています。

⑦トーク（Toque）：16世紀のフランス貴族がかぶった幅の狭い縁がある帽子です。

⑧キャスケット（Casquette）：16世紀のフランス貴族がかぶった縁なしの帽子です。

女性の帽子

この時代の女性も帽子（もしくは何らかのかぶり物）は正装の一部であり、帽子をかぶらないのは慎みのない行為とされます。かぶっていないのは、娼婦たちくらいです。ただしかぶり物は、髪飾や王冠でも構いません。

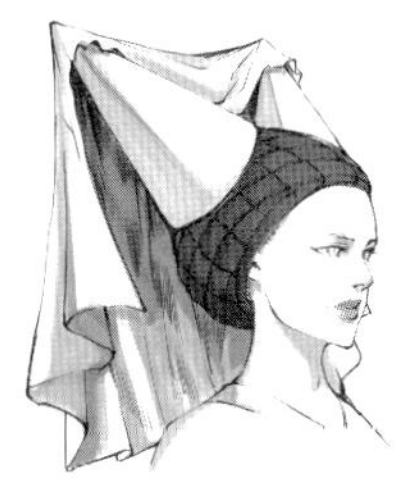

⑨エスコフィオン（仏Escoffion）：14世紀頃のイギリス貴族がかぶった、中世の影響を残した帽子です。ルネサンス期には、保守的な女性のかぶるものになっています。とんがりは1本や3本のものもあります。

⑩ヘッドスカーフ（Headscarf）：15世紀イタリアの、都市の平民や農民がかぶった帽子です。

⑪フィレット（Fillet）：15世紀のイタリア貴族が使ったヘッドバンドです。現在の日本ではカチューシャと呼びますが、これは和製ロシア語なので使わないほうがよいでしょう。

⑫ボンネット（Bonnet）：16世紀のイタリア都市の平民がかぶった帽子です。

⑬ヘッドスカーフ：16世紀のイタリアの貴族女性がかぶったお忍び用で、顔を隠しています。

⑭フーク（Huke）：15世紀のイギリス貴族がかぶったベールです。木枠に布を張ってあります。

⑮トーク：16世紀イギリスにおいて、商人の妻などの都市住民がかぶった帽子です。

⑯麦わら帽子（伊Cappello di paglia）：15世紀イタリアの都市住民がかぶった帽子です。

バロック・ロココの帽子と髪型と鬘

時代　17〜18世紀

場所　全ヨーロッパ

バロック以降は、男性は帽子ではなく鬘をかぶることも多くなります。また女性の髪はだんだんと派手になります。贅沢なキャラクターを強く印象づけられる髪型をメインに紹介します。

男性の帽子と鬘

バロックの時代、フランスのルイ14世はボリュームのある鬘(かつら)を付け（禿隠しのためだったという説もある）、それが貴族に大ブームを起こしました。そして、フランスのみならず全ヨーロッパで、鬘は権力の象徴となったのです。また、18世紀になると、鬘を白く染めることが流行しました（グリースやポマードを塗って、小麦粉を振りかけていた）。現在でもイギリスの裁判官は、刑事裁判では白い鬘をかぶる義務があります（民事裁判では一部義務でなくなった地域もある）。元イギリスの植民地だった国でも、白い鬘の裁判官が残っているところがあります。

①キャバリアハット（Cavalier hat）：17世紀後期フランスのおしゃれな騎士がかぶった帽子です。

②コンチネンタルハット（Continental hat）：17世紀後期ドイツの貴族がかぶった、冬場に出かけるときの実用品の毛皮の帽子です。

③アロンジュ（Allonge）：17世紀後期フランスの貴族がかぶった大きな鬘です。ルイ14世が始めたスタイルです。

④ブルス（Bourse）：18世紀後期フランスの貴族が使った、髪をまとめるための袋です。髪を後ろでまとめて、黒い絹の袋に入れ、うなじに垂らします。帽子のほうは、バイコーンです。

⑤トリコーン（Tricorn）：18世紀前期フランスの士官の帽子です。帽子の下は鬘をかぶっていました。

⑥カドガン（Cadogan）：18世紀後期フランスの貴族がかぶった鬘です。イギリスのカドガン男爵が始めたといわれるスタイルです。

女性の帽子と髪型と鬘

バロックの時代、女性の髪は、男性の派手さに比べてまだ大人しいものでした。盛り上げ髪は、そろそろ登場していましたが、せいぜい30～40センチくらいです。

女性の髪が派手になるのは、18世紀末のロココの時代です。この時代は、フランス革命直前でもありました。この頃になると、鬘の主役は女性に変わっています。

特に、フランス宮廷では高い髪型が大流行し、50センチ以上の盛り上げ髪は普通で、最大で2メートル近いものまであったといわれています。このために、付け毛などの様々な鬘も活用されました。また、髪には様々なものを飾りました。リボンや櫛など普通のものだけでは飽きたらず、鳥かご・馬車・軍艦などこれでもかと言わんばかりの満艦飾です。

こうなると普通に馬車に乗れなかったので、窓から首だけを出したり、床に座ったりして乗ったそうです。そして、重い首を揺らさないように、すり足で優雅に歩きました。優雅な歩き方は、美のためではなく、首を捻挫しないために必要だったのです。

⑦ブレイデッド・シニョン（Braided chignon）：17世紀前期に使われた髪型です。この頃から帽子がなくても大丈夫になりました。

⑧ハールバール（仏Hurluberlu）：17世紀後期によく使われた縦ロールの髪型です。

⑨ハールバール：⑧と同じタイプですが、少しボリュームのある髪型です。ボリュームを増すための鬘とともに、つけぼくろが流行していました。

⑩ポンパドール（仏Pompadour）：18世紀前期に使われた、前髪をふくらませてピンやバレッタで高い位置に留めた髪型です。襟足は上げて後頭部でまとめます。フランス王ルイ15世の公妾ポンパドール夫人の髪型が大流行したものです。

⑪プーフ（仏Pouf）：18世紀後期フランス貴族の、白く染めたロール巻きの髪型です。

⑫プーフ：⑪と同じ髪型ですが、派手な帽子でボリュームをより大きくしています。

027

靴

時代　16～18世紀

場所　全ヨーロッパ

現代の靴とは見た目が異なるものをメインに紹介します。同じ文化圏のキャラごとに、靴のつま先が尖っている・丸くて広くなっているなどと統一しておくと、各グループのまとまりが出せます。

ルネサンスの靴

ルネサンスの時代において靴がファッションとなるのは、基本的に男性のみです。女性の靴は、スカートで隠れてしまうために、ほとんど見えないからです。靴が見えるのは、娼婦か農作業中の農婦くらいです。

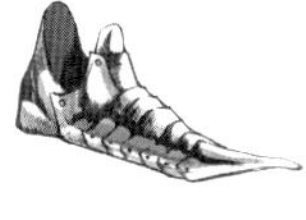

①プーレイン（仏Poulaine）：15世紀の男性が履いた、鉄の鎧の足元を覆う鉄の靴です。当時の流行に合わせて先が尖っています。同じ形の革靴もプーレインといいます。

②ガマシャ（仏Gamache）：15～16世紀の男性が履いた、靴底のない、革を2枚縫い合わせただけの靴です。農民から貴族まで、広く使われました。

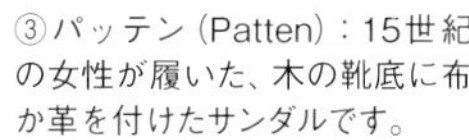

③パッテン（Patten）：15世紀の女性が履いた、木の靴底に布か革を付けたサンダルです。

④エスカフィノン（仏Escaffignon）：16世紀の男性に広く使われた、つま先が広く留め紐の付いた革靴です。

⑤ウッズマンズブーツ（Woodsman's boots）：16世紀の男性が履いた靴です。後ろの紐をベルトに結びつけることで、ブーツを上まで引っ張り上げて、森の中でも引っかかりにくくしていました。

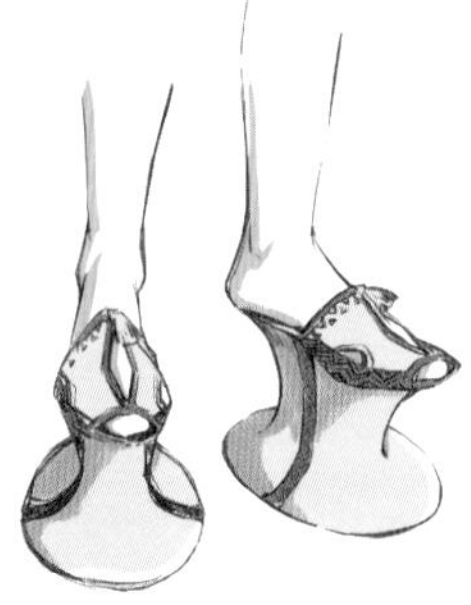

⑥チョピーン（伊Chopine）：16世紀頃に、女性が背を高く見せようとしてはいた靴です。ピアネッレ（伊Pianelle）ともいいます。娼婦が使っていたことで有名ですが、一般の女性も長いスカートの下で、これを履いていることが多かったそうです。

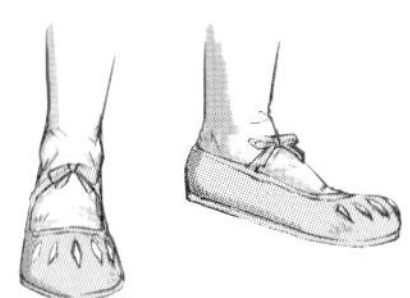

⑦ダック・ビル・シューズ（Duck bill shoes）：16世紀の女性が履いた、厚手の布でスラッシュが付いた靴です。ベアズ・クロー（Bear's claw）ともいいます。15世紀には足先の尖った靴が、16世紀には足先の広がった靴が流行しています。

バロック・ロココの靴

バロックからロココの時代になると、靴にかかとを付けるようになったので、現代の靴と共通点の多い靴が出そろってきます。

18世紀後半になって、ようやく女性の靴は男性と異なるデザインになります。当時の女性にとって、足が小さいことは美しさの一つでした。このため、足が小さく見えるデザインが好まれます。ハイヒールも、足を小さく見せる工夫の一つです。

ちなみに、靴のつま先には尖っているデザインと広がっているデザインがありますが、20～30年単位で流行が変わっています。

⑧ライディングブーツ（Riding boots）：17世紀男性が履いた、拍車が付いた乗馬用のブーツです。

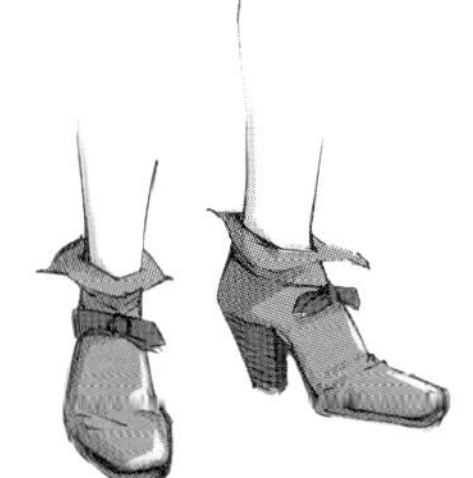

⑨パンタフル（Pantofle）：17世紀の男性が履いた、かかとの高い靴です。当時は、道路に人や馬の糞尿が落ちていて汚かったため、男女問わずハイヒールを履いて、足があまり汚れないようにしました。

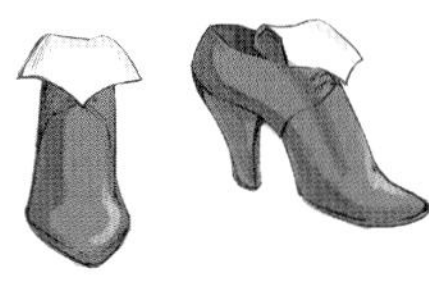

⑩パンタフル：女性が履いたパンタフルです。この頃までは男女の靴にあまり差がありませんでした。

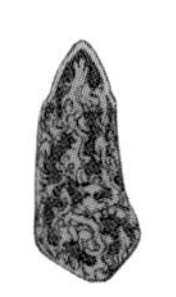

⑪ミュール（Mule）：18世紀の女性が履いた、かかとの部分に紐やカバーがない、サンダル状の靴です。男女とも、ミュールを履きました。

⑫ブーツ（Boots）：18世紀になっても、男性靴のブーツは定番でした。

⑬バックルレザーシューズ（Buckles leather shoes）：18世紀の男性が履いた短靴です。この絵のように短靴にホーズ（長靴下）をはくのも、男性の定番でした。

⑭ルイスヒール（Louis heel）：18世紀の女性に流行った、ヒールの基部が開いた靴です。

028

盾の紋章(色)

時代 12世紀～現代

場所 ドイツから全ヨーロッパへ

盾の紋章は、盾だけでなく、城門や謁見室の壁など、自らの名前を誇りたい場所に飾られます。美しい紋章は、ゲームの背景を飾る装飾として、有用なのです。

戦争のためにできた紋章

紋章は、戦場での個人識別のために盾に描かれた図形が始まりです。戦果を上げたのは誰なのか。これがわからないと、恩賞も与えられません。

日本の家紋や旗指物と似ていますが、日本の家紋は家名を識別するしるしだったのに対し、紋章は個人を識別するしるしであるところが違います。日本ではその家の誰が戦果を上げても家に恩賞が出るのに対し、ヨーロッパでは戦果を上げるのはあくまでも個人であり、親子であっても恩賞は個別です。

こうして、**盾の紋章**(Escutcheon、**エスカッシャン**)が生まれました。このような紋章について研究する学問を**紋章学**といいます。

盾の紋章には、厳密なルールがあります。最大のルールは、同じ紋章が存在してはならないということです。とはいえ、他の王国の人間に強制はできないので、他国に行くと同じ紋章の人間がいることもあったようです。

盾の紋章に使ってよい色にもルールがあります。紋章の色は**ティンクチャー**(Tincture)と呼ばれ、金属色(The Metals)・原色(The Colours)・毛皮模様(The Furs)の3種類だけです(表1)。これは、遠くからでも識別しやすくするため、紛らわしい色を使わないようにしたからです。

表1 ティンクチャー

ティンクチャー	色
金属色(The Metals)	金(オーア)(Or)、銀(アージェント)(Argent)
原色(The Colours)	青(アジュール)(Azure)、赤(ギュールズ)(Gules)、紫(パーピュア)(Purpure)、黒(セーブル)(Sable)、緑(ヴァート)(Vert)
毛皮模様(The Furs)	アーミン(Ermine)とヴェア(Vair)、およびそのバリエーション

とはいえ、長い年月の間に例外も発生しています。例えば、人物を描くために肌色を使った紋章も存在します。

これら紋章は、盾の他にサーコート(鎧の上に着る服)のデザインに使ったり、城壁に飾ったり、便せんに印刷したりと、様々な場面で個人の識別用の装飾として使われます。

ティンクチャーのルール

紋章の色の最も基本的なルールは、同系色の隣に同系色を置いてはいけないということです。例えば、金属色の金と金属色の銀は隣り合ってはいけないのです。紋章では黄色や白は使いません。ときおり、黄色や白で表示されている盾の模様がありますが、黄色は金、白は銀の代用です。

毛皮模様は金属色と原色を各1色ずつ組み合わせる模様で、この模様を紋章学では色として扱います。毛皮模様アーミン（図1）は、模様は同じですが、配色によって表2のように名称が異なります。地色と模様色は、片方が金属色、もう一方が原色でなければいけません。地色と模様色ごとに、名称が異なります。

表2 毛皮模様の中で特別に名称を持つ4例

名称	欧文	地色	模様色
アーミン	Ermine	アージェント	セーブル
アーミンズ	Ermines	セーブル	アージェント
アーミノワ	Erminois	オーア	セーブル
ピーン	Pean	セーブル	オーア

アーミンズは、別名カウンター・アーミン（Counter Ermine）ともいいます。

また、表以外の色の組み合わせの場合は、青地に金の模様なら、アジュール・アーミンド・オーア（Azure ermined Or）といった感じで、地色と模様色を合わせた名称になります。

毛皮模様ヴェアは配色が変わることはあまりなくて、通常は青と銀の組み合わせです。しかし、模様の組み合わせによって、図2のように名前が異なります。

図1 毛皮模様アーミン

その他の色を使ったヴェアはヴェアリー（Vairy）と呼ばれ、色の説明を付けた名称になります。例えば、銀と紫のヴェア・イン・ペイルだったら、ヴェアリー・イン・ペイル・アージェント・アンド・パーピュア（Vairy in Pale Argent and Purpure）というのです。

ヴェア（Vair）

カウンター・ヴェア（Counter Vair）

ヴェア・イン・ペイル（Vair in Pale）

ヴェア・アン・ポワント（Vair en Pointe）

図2 毛皮模様ヴェア

029

盾の紋章(図形)

時代 12世紀～現代

場所 ドイツから全ヨーロッパへ

盾の紋章の紋様によって、キャラクター同士の血縁関係を表せます。また、複数のキャラクターの紋章に同じ土地を表す紋様を入れることで、領地争いを表すこともできるのです。

オーディナリー

紋章に現れる簡単な幾何学図形を**オーディナリー**(Ordinary)といいます。細かいものを除けば、おおよそ図1のような図形です。

①チーフ(Chief):盾の上1／4～1／3くらいを覆う横線があります。

②フェス(Fess):盾の中央に、盾の高さ1／4～1／3くらいの横線があります。

③ペイル(Pale):盾の中央に、盾の幅1／4～1／3くらいの縦線があります。

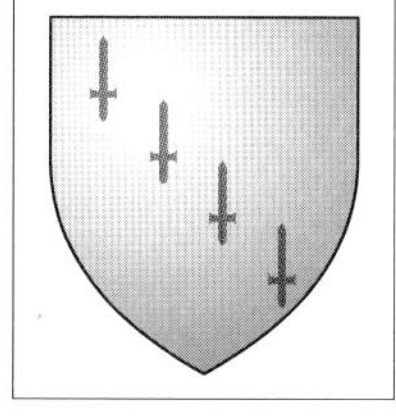

④ベンド(Bend):フェスやペイルと同じくらいの幅の右下がりの斜め線です。左下がりの場合は、ベンド・シニスター(Bend sinister)といいます。

⑤クロス(Cross):フェスとペイルが両方ある十字架形です。十字架模様として非常に多くのバリエーションを持ちます。

⑥サルタイアー(Saltire):斜め十字の線です。

⑦シェブロン(Chevron):山形の線です。

図1 オーディナリー

基本のオーディナリーは、チーフの例のように一本の線です。しかし、境界をフェスの例のように波形にしたり、ペイルの例のようにギザギザにしたり、サルタイアーの例のように二重線にすることもあります。クロスの例では、途中で途切れさせた上で、装飾的な形にしていますが、これでもオーディナリーです。

ベンドの例では、線ですらなく、他の紋様（この例では剣）を並べることで、オーディナリーとしています。

サブオーディナリー

オーディナリーではありませんが、比較的よく使われる図形は**サブオーディナリー**（Subordinary）と呼ばれます。数多くあるので、重要な3つを図2に紹介しておきます。

レイブルは、ケイデンシー・マーク（Cadency mark、当主の紋章に追加で付けられる図形）として、子供や分家の盾に、元の紋章に追加して付けて、一族であることを示すものです。

⑧ボーデュア（Bordure）：シールドの周囲を縁取っています。

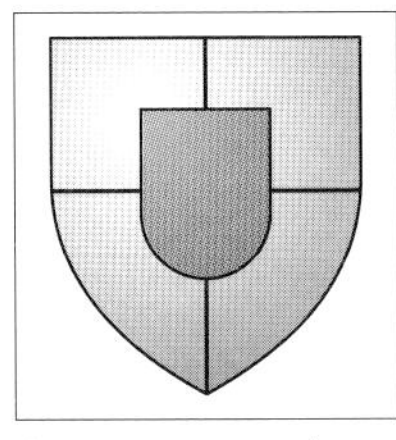

⑨インエスカシャン（Inescutcheon）：盾の中央に盾の形に置きます。

⑩レイブル（label）：盾の上部に置かれ、横線の下に短い縦線が3本あります。

図2 サブオーディナリー

チャージ

チャージ（Charge）は盾の上に置かれた紋様のことで、オーディナリーもチャージの一種です。ですが、オーディナリーのような単純な図形の他に、具体的な絵柄を盾に描くこともできます。これも、チャージの一種です。

多いのは、勇猛な動物です。獅子や鷲などは定番です。また、強い幻想生物も好まれます。ドラゴンやワイバーンなども見かけます。また植物では、図3のフルール・ド・リス（百合の花）が、フランス王家のチャージとして有名です。

船や飛行機などの乗り物を描いたものもあります。

図3 フランス王家のチャージ

パーティションとマーシャリング

パーティション（Partitions）とは、盾をいくつかに分割することをいいます。

2分割、3分割、4分割がよく行われます。

2分割には、縦・横・斜・シェブロン（山形）の分割があります。

3分割は、縦・横がほとんどです。縦や横の3分割は、国旗でもよく見かけます。

4分割は、縦横の分割と、2本の斜め線による分割がありますが、前者がほとんどです。

分割した場合、上にあるものが優位にあり、次に左にあるものが優位です。

そして、この分割は、複数の紋章を**マーシャリング**（Marshalling、統合）するのにもよく使われます。

030

紋章と大紋章

時代 12世紀〜現代

場所 イギリスから全ヨーロッパへ

盾の紋章にプラスして大紋章を作ると、いかにも豪華で、王家の立派さや威厳を見せることができます。

王や貴族は自らを誇るために、エスカッシャンの周囲に様々な装飾を付けた紋章を作るようになりました。それが、ヘルメットやクレストを追加した**紋章**（コート・オブ・アームズ）、さらにサポーターやモットーなどを付けた**大紋章**（アチーブメント）です。紋章の定義は文章で書かれており、その文章に則って描かれた紋章は、すべて正式のものと見なされます。

ただし、大紋章を持てるのは国家や王、大貴族であって、騎士程度では持つことができませんでした。

紋章の構成をイギリスの大紋章（図1）で解説します。多くの紋章は、①〜⑨のパーツからなりますが、一部省略されている紋章もあります。

中央にあるイギリス国王の盾の紋章は、029 で解説したパーティションになっていて4分割です。赤に3頭のライオンがイングランドの紋章（左上、右下。紋章が3種類なので、イングランドの紋章が2回使われている）、金色に赤いライオンがスコットランドの紋章（右上）、青に金色のハープがアイルランドの紋章（左下）で、イギリス国王はそれらすべてを持っていることが表現されています。

このように紋章を統合した場合、原色と原色は隣り合わないといった紋章のルールが崩れることになります。例えば、イギリスの紋章では、左上の赤地と左下の青地が隣り合っています。

①ヘルメット：紋章の上に載せる頭部を守る鎧です。

②マント：ヘルメットおよび盾の周囲を飾る布です。元は、鎧を着たときに上から羽織るマントをイメージしたものだったのですが、派手にするために、だんだんと裂けて広がった形になりました。

③ガーター：普通の紋章にはありませんが、イギリスはガーター勲章（勲章を下げるリボンが青いことから、ブルーリボンともいわれる）にちなんで、青いリボンが付けられています。そこには、“HONI SOIT QUI MAL Y PENSE”（思い邪なるものに災いあれ）と、古いフランス語でガーター勲章のモットーが書かれています（当時のイギリスでは王室の言語はフランス語）。

④コンパートメント：エスカッシャンの下に置かれた台座です。イギリスでは草原ですが、岩盤・海・大地など風景が描かれることが多いようです。

⑤モットー：座右の銘が描かれます。イギリスでは、“DIEU ET MON DROIT”（神と我が権利）と古いフランス語で書かれています。通常、ここに使われるのは、自国の言語かラテン語です。

⑥サポーター：エスカッシャンの左右にあって、盾を支えるものです。基本的には、動物か人間（幻想動物や天使などもあり）ですが、ごくまれに植物や建築物なども使われます。イギリスでは、イングランドを意味するライオンと、スコットランドを意味するユニコーンがサポーターです。ユニコーンは危険な動物なので鎖を付けられていますが、これはスコットランドの叛乱にたびたび悩まされた国王のスコットランドに鎖を付けたいという願望だったのかも知れません。

⑦クラウン：紋章の所持者の位階を表すもので、王や貴族にだけ使用が許されます。イギリスでも、王太子や他の王子はクラウンの形を変えて区別しています。

⑧リース：クレストの台座としてヘルメットの上に載せられる布です。イギリスの紋章では、クラウンがあるので、クラウンの下にあります。

⑨クレスト：紋章の一番上に置かれるもので、兜飾りから発達しました。イギリスでは、王冠をかぶったライオンです。

図1 大紋章

031

クレスト

時代 16〜17世紀

場所 全ヨーロッパ

ヨーロッパでも、騎士は目立つために鎧に派手な飾りを付けました。その中で最も重要なのがクレストです。

頭を飾り、高い位置で目立たせる

日本では、戦国武将たちは自らの鎧兜を派手にして、戦場で自らを目立たせようとしていました。直江兼続の「愛」の前立てや、加藤清正の長烏帽子形兜などが有名です。ヨーロッパでも同様に、ヘルメットの上に飾りを付けて目立たせようとしました（図1）。

この飾りが**クレスト**（Crest、**甲冑紋**）です。

クレストには、人間・動物・幻想動物・植物・建築物・工芸品などありとあらゆるモチーフが使われています。勇猛さを表すために凶暴な生物を使うことが多いのですが、他にも出自を表すもの、領地の産物を表すもの、土地の伝説を表すもの、富貴を誇るものなど、様々なモチーフが使われています。

クレストで使ったモチーフは、ヘルメット以外のところでも使われます。愛用品に描いたり、謁見室の飾りにしたりしました。

クレストにはどのようなものがあるのか、例をあげておきます。

図2は勇猛さを表すモチーフのクレストです。同じライオンでも、ポーズ・持ち物・顔の向き・全身像か半身像か首だけかなど、千差万別です。さらには、マーライオンのような、怪物もあります。

図3は土地の産物などをモチーフにしたクレストです。豊かな土地で麦がよく採れることを表す麦のクレストや、錠前作りを表す鍵前のクレストなどが、その例です。

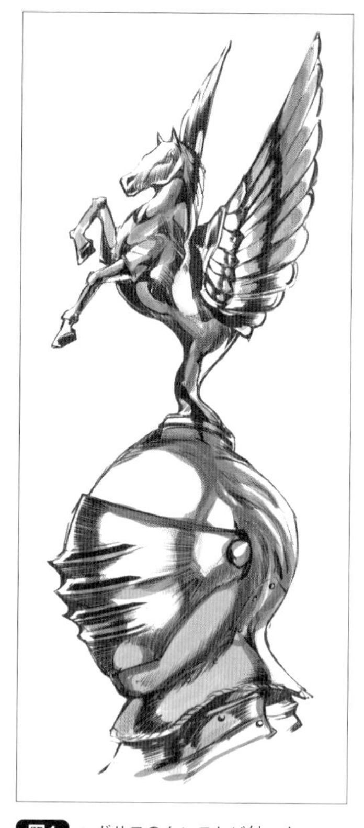

図1 ペガサスのクレストが付いたヘルメット

ライオン

マーライオン

狼

ドラゴン

図2 勇猛さを表すモチーフのクレスト

麦

錠前

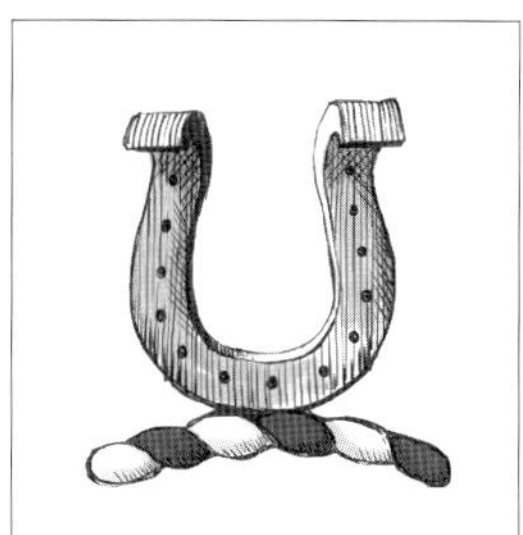
蹄鉄

城

脚

図3 土地の産物などをモチーフにしたクレスト

Column 華麗な中世ヨーロッパなどなかった

ファンタジーものといえば、中世ヨーロッパ風が定番ですが、実際の中世ヨーロッパはとても貧しく、ファンタジーの背景に使うには貧弱でした。貴族といっても文字も読めない人がけっこういて、食事は板の上に出された焼いた肉の塊を、ナイフで切って手でつまんで食べるという優雅にはほど遠いもの。フォークなども一般的ではなく、優雅な会食風景などまったくありません。城も、実用一点張りの暮らしにくいものでした。

では、華やかなドレスに素晴らしい食事、豪華な城といった我々が中世ヨーロッパ風と理解するものは一体何なのでしょうか。実は、多くのファンタジーの衣装や文化は、近世ヨーロッパがベースとなっているのです。マリー・アントワネットも、彼女が住んでいたベルサイユ宮殿も、そこで行われていた舞踏会も、中世のものではありません。彼女は、18世紀末、すでに産業革命すら起こった後の近世の人物なのです。

この時代になって、ようやく個人個人にナイフとフォークが与えられ、食事マナーの基本ができてきます。中世の貴族には、そんなマナーなどなかったのです。

とはいえ、彼らもずっと同じような服装をしていたのではありません。彼らの衣装も時代によって変化します。それは、中世から近世にかけての時代でも同じです。

現代のように数年で流行が入れ替わるほど早くはありませんが、数百年もの期間、同じファッションが流行していたと考えるほうがおかしいのです。

近世では、ファッションの流行は数十年ごとに入れ替わり、貴族たちはそれ以前とは違うスタイルの服を着ていました。

中世では、そのサイクルがさらに長く、100年単位で流行が続くこともありました。しかし、それでも少しずつファッションは変化し、流行の衣装というものはあったのです。

第2章

近代ヨーロッパ

ナポレオン帝国から ヴィクトリア朝の時代

世界征服のための服装

032

世界征服のための服装

Cloth for world domination

近代ヨーロッパ（18世紀末～20世紀初頭）は、**帝国主義**の時代です。ヨーロッパの国々は植民地を増やすために世界を侵略していました。世界征服を狙う悪の帝国というイメージは、この強欲なヨーロッパ諸国の行動（帝国主義）がもとになっています。

帝国主義の時代は、人々が多数海外に出かける時代でもあります。このため、あまりに華美で動きにくい服装は好まれません。動きにくい服装で、世界を移動するわけにはいかないからです。

綿織物の一般化

ヨーロッパは木綿の栽培には適さない寒冷な地域です。そのため、中世の木綿は、絹に次ぐ高級素材でした。しかし、この事情は近代になって大きく変化します。それは、植民地と産業革命です。

17世紀、イギリスがインドを半植民地にしてからは、インドの綿織物が輸入されるようになりました。これによって、木綿はヨーロッパでもかなり一般化します。

これがさらに進むのは18世紀イギリスで始まった産業革命です。織機・紡績機の発明によって、人力の時代よりも遥かに速く安く綿織物が作られるようになり、イギリスは綿織物の輸送仲介国から、綿花を輸入し綿織物を輸出する加工貿易国へと転換します。同時にヨーロッパ人にとって、木綿が身近な生地に変わりました。

逆に、ヨーロッパの毛織物産業が、綿織物に押されて衰退するほどです。

革命期（18世紀末）

18世紀末のフランス革命の時代は、すべての人々の服装が一気に活動的になる時代です。革命か反革命に参加するため、女性も戦えるような服装が好まれます。また、その後は、ナポレオンが起こした戦争によって、ヨーロッパ中が戦争の季節に入ります。このため、貴族も庶民も軍服を着慣れるようになり、後に軍服由来の服装が広まるきっかけになります。

女性の服装も、**エンパイアスタイル**と呼ばれる、硬い枠の入っていない、すらりとしたスカートが一般的になります。

ロマン主義（19世紀前半）

男女の服装が、大きく乖離しているのが、19世紀前半のロマン主義時代の特徴です。戦争の時代が終わり、ヨーロッパが比較的平和で落ち着いていた時代です。

女性の服装は、革命期の反動もあるのか、再びごてごてとした大げさな衣装が流行します。特に、スカートは、もはや一人では着脱不能なまでに大きくなりました。これを**クリノリンスタイル**といいます。

しかし、男性には**ダンディズム**という美意識が流行します。地味だが隙のない身だしなみが、この時代の男性を律しています。女性の美しさを引き立てる衣装が、この時代の男性の着るべき服装です。

ヴィクトリア朝（19世紀後半）

19世紀後半のヴィクトリア朝時代は、再び女性の服装が活動的になる時期です。現代の目から見ると動きにくくて困ってしまう**バッスルスタイル**も、それ以前のクリノリンから見れば、遥かに活動的といえます。今では、家事労働をするのにどうかと思われるメイド服も、当時としては画期的に活動的な服装だったのです。

長い歴史の中で変遷していったファッションが、一応の完成を見せるのが、この時期です。未来にはさらなる変化があるかもしれませんが、ここ100年ほど衣服の基本は安定しています。

男性ファッションは、ロマン主義の時代からあまり変化していません。その中で最も大きな変化は、クラヴァットが、はっきりとネクタイになったことでしょう。

女性ファッションは、19世紀末から20世紀初めのフランスファッションが基本となっています（女性ファッションの本場は、フランスなのです）。19世紀の末には、女性のスカートからも骨組みが消えて、現代と変わらなくなります。

また、本書では取り上げていませんが、アメリカでは1870年に世界初のジーンズが登場しています。このように19世紀末には、現代のファッションで存在しないものはほとんどないといえるのです。

033

ナポレオン時代の上流男性

トップハット
Top hat

日本ではシルクハット（Silk hat）と呼びますが、これはトップハットのうちで、材質がシルクで作られているものの名前です。トップハットの登場は18世紀末で、当初は毛皮で作られていましたが、後にシルクで作るものが主流になりました。

クラヴァット
Cravat

フランス王政時代のようにレースではありませんが、それでも首のあたりでスカーフを結んで、飾りにしています。これが時代とともに、ネクタイへと変化していきます。

フロック
Frock

フランス王政時代までのものと異なり、襟が付いています。現代の燕尾服の先祖にあたり、背中の布が伸びています。

パンタロン
Pantaloon

パンタロンといっても、現代のパンタロンのように裾の広がったズボンではありません。パンタロンとはフランス語で、長ズボンのことをいいます。また、ズボンの裾は現代よりも短く、くるぶしが丸見えになっています。

時代

18世紀末〜19世紀前半

場所

フランスから全ヨーロッパへ

ルネサンス期までの服が貴族のための服だったのに対し、ナポレオン時代の服は民衆のための服です。派手で無駄に豪華な貴族趣味を否定して、質実な服装をしてみせることで、民衆の味方であり時代の主役であることを主張しています。

派手な貴族趣味の否定

ナポレオン時代から19世紀初めにかけて、華美な貴族ファッションに対する反発から、簡素なスタイルが流行します。市民の台頭によって、実用的なイギリス風の服装が好まれるようになります。

イギリス風のスタイルでは、衣服に型を入れて無理に広げたり、大きな鬘(かつら)をかぶったりするのは、紳士の振る舞いではないと考えます。それまでの男性の服装は明るく派手な色遣いをしていましたが、この頃から現代のスーツのように黒・紺・グレーといった地味な色合いのものを着るほうがセンスがよいとされました。

特に貴族の象徴である、キュロットと白の絹靴下を廃し、下層民の服であった**パンタロン**（長ズボン）をはきました。このため、彼らを**サン・キュロット**（キュロット無し）と呼びます。

そして、上着には、**フロック**という、今でいう燕尾服に似たものを着ていました。

しかし、まだネクタイは登場していません。**クラヴァット**と呼ばれるスカーフは存在して、首回りを飾る人もいました。

この時代、衣服は政治主張でもあったのです。フランス革命に反対する**王党派**（図1）は、前時代の衣服であるアビの襟（この時代には付いていました）を立て、クラヴァットを顎まで高く巻き付けるというファッションで、革命派に対抗していました。もちろん、下はキュロットです。

図1 王党派の服装

ただ、ナポレオン皇帝の時代は、再びキュロットと白絹靴下が宮廷服とされ、貴族風衣装が流行します。元は市民だった人間が、偉くなると、自分たちが倒した貴族の真似をするようになる。度し難い話ですが、よくあることです。

帽子はなんといっても**トップハット**です。しかし、脱いだときには大きくて邪魔なので、観劇などのために畳めるトップハット（図2）が作られました。これを、**オペラハット**（Opera hat）、もしくはギブス（Gibus）といいます。

図2 オペラハット

034

ヴィクトリア朝前期の上流男性の正装

モノクル
Monocle

片眼鏡。眼窩にはめ込むのが一般的な装着の仕方ですが、彫りの浅い日本人には困難です。紳士のシンボルとして、多用されました。

トップハット
Top hat

ヴィクトリア朝時代には、最も正式な帽子とされていました。

イブニングコート
Evening coat

フロックコートの夜会服です。黒か紺でダブルブレスト（ボタンが2列のもの）が正式とされます。夜のパーティーに出るときに着る上着です。後に、イブニングコートとは燕尾服のことになりますが、当時はこのように前後とも長いものでした。
フロックコートは、防寒具としてのコートではありません。背広などと同じ上着です。ですから、このすぐ下に、ウェストコートを着ています。

ドレスグローブ
Dress gloves

白か灰色の手袋。布のものが多いですが、革製もあります。昼間の正装のときには、使いません。

時代

19世紀前半

場所

イギリスから全ヨーロッパへ

ヴィクトリア朝は、建前の世界です。人間なら当然持っている性欲などの欲望を、まるでないように見せかけている時代なのです。そんな時代の正装は、見栄っ張りな人物、無駄に堅苦しい人物、腹立たしいほど偉そうな人物に着せると似合います。

男性の正装

19世紀前半はメインイラストのような**フロックコート**（イブニングコート）が、最も正式な夜会服と考えられていました。ただ、19世紀末になるとテイルコートが、1920年代にはタキシードも完全な正装として市民権を得ます。そして、フロックコート自身は、20世紀になると、大仰すぎるために廃れてしまいます（図1）。

1870年代くらいから、タキシードも、パーティーに着ていく服として認知されていましたが、若者のおしゃれ着だったり、わざと着崩して見せる服装と理解されていました。

現代まで通じる男性の正装ルール（表1）は、19世紀末から20世紀初めにかけて決まりました。このルールは、現代でもそのまま通用します。

表1 正装のルール

	昼間	夜間	夜間
上着	モーニングコート	テイルコート	タキシード
上着の下	ベスト	ベスト	カマーベルト
ズボン	コールズボン	サイドストライプパンツ	サイドストライプパンツ
ネクタイ	ホワイトタイ	ホワイトタイ	ブラックタイ
帽子	トップハット	トップハット	ホンブルグ
手袋	白革手袋	灰色のスエード手袋	不要
靴	ストレートチップ	コートシューズ	コートシューズ

モーニングコート

テイルコート

タキシード

図1 男性の正装

035

ヴィクトリア朝の上流男性の正装

ネクタイ
Necktie

19世紀半ばになると、クラヴァットはネクタイへと進化しています。地味な色合いの服装の中で、ネクタイだけがきれいな色を使うことが許されます。このため、上流男性たちがネクタイにかける情熱は、とても強いものでした。

テイルコート
Tailcoat

燕尾服ともいい、後ろ側だけが伸びた上着です。元は、ナポレオン時代の乗馬服から進化したもので、当時はフロック（Frock）とも呼ばれていました。フロックコート（Frock coat）とは別物です。

スマート
Smart

脚の形にぴったりと合ったズボンをスマートといい、おしゃれな紳士の必需品です。細く伸びた脚と、それにぴったりフィットするズボンは、上流紳士の自慢でした。逆に、直線的に作られた下層階級のズボンをトラウザーズ（Trousers）といって、馬鹿にしていました。ちなみに、現在ではトラウザーズがズボンの主流であり、スマートをはく人はいません。

スティラップ
Stirrup

足の細さを強調するために、ズボンの下に平紐を取り付け、靴の下に回してズボンをきちんと伸ばしておくものです。

時代

19世紀後半〜20世紀初頭

場所

イギリスから全ヨーロッパへ

この時代の上流には、2パターンあります。昔ながらの貴族と、成り上がりのジェントリです。どちらも、教養ある紳士であるように見せたいのです。もちろん、本当に教養ある紳士もいるのですが。

ダンディズムの時代

19世紀は、華麗な貴族ファッションが捨て去られ、現代の紳士服の基本ができた時代です。地味だがセンスのよい服装として、男性ファッションの美意識を作ったのが**ダンディズム**です。

まず、衣服は肉体にぴったりフィットしていなくてはいけません。服と身体がずれていて、皺ができたりしてはいけないのです。このような服を作るためには、計算された裁断と縫製が必要です。一見地味であるものの見る人が見れば手間と贅を尽くした衣服、これがダンディズムです。

ズボンも、脚のサイズをきっちり測って作るので、タイツなどと違って伸び縮みしない通常の布地で作っているにもかかわらず、脚の筋肉の付き方がわかるほどに脚にぴったりしています。

服の色は、黒・茶・紺のように地味なものを選びますが、服には糊を付け、ネクタイも左右対称に美しく締めるなど、服装はきちんとしていなければいけません。

現代のスーツ（背広）はまだ正式な服としては存在せず、上着とズボンは別の布で作っていました。上着・ベスト・ズボンを共布で作ったスーツ（ひとそろいという意味で、同じ布で作ったそろいだからこう呼ばれる）は、19世紀も終わり頃になって登場し、20世紀にビジネスなどの席で正式なものとして使われるようになります。ちなみに、ジャケットとズボンが別布の場合、スーツとはいいません。

19世紀末における正式な上着は**テイルコート**です。次いで**フロックコート**（Frock coat、図1）、別名プリンス・アルバート・コート（Prince Albert coat）も、よく使われていましたが、どちらかというと大袈裟で古臭いものとされました。

図1 フロックコート

036

ヴィクトリア朝の上流男性の普段着

ボーラーハット
Bowler hat

山高帽ともいう硬いフェルトで半球状になった乗馬用帽子で、1850年にイギリスで作られました。シルクハットほど堅苦しくなく、普段使う帽子として人気がありました。

ベスト
Vest

カジュアルな服装でも、ベストを着けるのは当然のたしなみとされます。

ステッキ
Cane

杖は、紳士のたしなみです。本来は、モーニングやテイルコートのような正装に伴うものですが、この時代の紳士は、普段からステッキを持ち歩くのが普通です。後には、ステッキの代わりにこうもり傘を持ち歩く人も増えます。ロンドンは雨が多いからです。

シングル
Single breasted

前のボタンが縦1列になったスーツです。

ノーベント
Ventless

裾に切れ目が入っていない服のことです。元が部屋着・寝巻きなので、服の背後の切れ目（センターベント）や脇の切れ目（サイドベント）は入っていません。

時代

19世紀後半～20世紀初頭

場所

イギリスから全ヨーロッパへ

ヴィクトリア朝の時代、男性のほとんどがスーツを着ています。そのスーツの着方によって、彼らの気分や立場、その場の雰囲気といったTPOを表現できるのです。

最初は寝巻きだったスーツ

現在は、男性にとって最も一般的な仕事着であり、また公的な場に出る服であるスーツですが、元々は19世紀半ば頃に部屋着・寝巻きとして作られました。元々の名称は**ラウンジスーツ**（Lounge suit）といい、寝椅子や安楽椅子に座ってぶらぶらするときの服だったのです。着やすくて便利だったので、19世紀末には、散歩やレジャーなど、格好をつけないでよいときの服装として広まりました。現代でいうなら、Tシャツかトレーナーくらいの、カジュアルなイメージです。

初期のラウンジスーツは上着とズボンが別布でしたが、19世紀末には共布のスーツが登場して、共布であることが標準になります。

中流階級以下でも、このようなスーツはよく使われます。

ただ、庶民はオーダーメイドのスーツを買うだけの金がありません。そこで既製服を着ますが、既製服のズボンは誰でもはけるように太めに作られています。ジャケットも、ちょっと大きめで胴回りの多少の差など気にしないで着られるようになっています。

このため、現代の背広のようなスーツを着ているのが貧乏人で、ズボンもジャケットもぴったりなのが金持ちと区別できます。

ヴィクトリア朝時代イギリスの最大の有名人といえば、実在の人物ではなく、架空の人物である名探偵シャーロック・ホームズでしょう。現在でも、ホームズや相棒のワトソンを描いた数多くの作品が作られ、また他の作品にゲスト出演するほどの影響力を持っています。連載当時の挿絵などを見てみると、彼らも、自宅でくつろぐときには、ラウンジスーツを着ていますが、外に出るときにはフロックコートなどを着ています。

イギリス紳士たちは、スーツに合わせて、ステッキ、山高帽、黒の革靴といったアクセサリーを身につけます。元は剣を身につけていたのですが、剣を持ち歩く時代ではなくなったのでステッキになったといわれています。

図1 シャーロック・ホームズ（左）とワトソン（右）

037

ヴィクトリア朝の上流男性のスポーツウェア

トップハット
Top hat

テイルコートには、トップハットを合わせるのが基本です。

蝶ネクタイ
Bow tie

正装としてテイルコートを着る場合、白い蝶ネクタイを着けます。それ以外の色を選ぶ場合、遊びであると解釈されます。

ベスト
Vest

紳士たるもの、ベストの着用は当然の義務です。

テイルコート
Tailcoat

日本語では燕尾服と呼ばれます。その名の通り、上着の前を切り取って、後ろだけを尻尾のようにのばしています。

センターベント
Center vent

テイルコートのテイルには、中央部に切れ目が入っています。こうすることで、乗馬のときに布が左右に美しく垂れ下がります。

時代

19世紀後半～20世紀初頭

場所

イギリスから全ヨーロッパへ

テイルコートは、紳士・貴族が馬に乗って現れるときに、ぴったりです。同様に、バイクで登場する場合にもよいでしょう。

乗馬服だったテイルコート

現在、最上位の正装とされる**テイルコート**（燕尾服）ですが、元々は乗馬用のスポーツウェアとして作られました。

18～19世紀前半の正装であるフロックコートは、身頃が長すぎて乗馬のときに邪魔でたくし上げられて格好良くありません。そこで、後ろにセンターベント（真ん中の切れ目）を入れたフロックコートが作られました。こうすることで、馬体の左右に布が垂れ下がって、布がたくし上がることがありません。

図1 現代の馬場馬術競技の服装

けれども、膝を曲げたときにコートの前身頃（胴体を覆う布の前の部分）が邪魔です。そこで、前をカットし、後ろにセンターベントを入れた乗馬服が作られ、テイルコートと呼ばれるようになりました。こうすると、馬に乗っていても膝回りに上着が掛からないので見た目もすっきりします。このテイルコートは、服としてもフロックコートよりも見た目がよく、そのためか19世紀末には、スポーツウェアから正装へとランクアップします。

現在でも、馬場馬術競技の上級大会では、テイルコートにトップハットの着用が義務づけられています（図1）。これは女性の競技者も同じで、コスプレではないテイルコートの女性が見られるのは、馬場馬術とオーケストラの指揮者くらいです。

乗馬時とそうでないときの違いとしては、靴が乗馬靴かオペラパンプスかという違いくらいです。

テイルコートの尻尾は、図2のように四角、丸、三角と色々あります。いずれも、テイルコートと認められています。

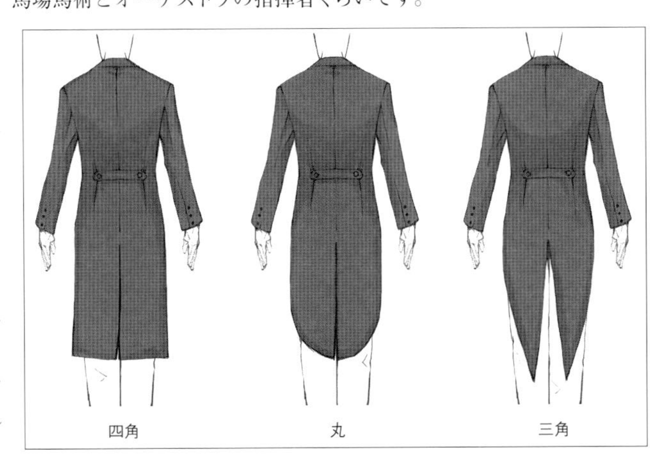

図2 テイルコートの尻尾

038

ナポレオン時代の上流女性

ストローハット
Straw hat

麦わら帽子は、女性の帽子として上流階級の人にも使われています。

ジゴ袖
Gigot sleeve

ジゴとは、羊の脚を意味します。袖を肩から上腕にかけてふくらませたものを、その形が羊の脚に似ているところから、ジゴ袖といい、19世紀初め頃から流行しました。この絵の袖は半袖のジゴ袖で、そこから手首まで伸びている袖は、取り外しのできる付け袖です。

シュミーズドレス
Chemise dress

綿モスリンという薄手の生地のドレスです。コルセットも使わず、薄手の衣服を着ているだけなので、女性の肉体のラインがよくわかります。

時代

18世紀末～19世紀前半

場所

フランスから全ヨーロッパへ

ナポレオン時代は、男性は軍服で雄々しく、女性は柔らかな服装でフェミニンに見せる時代です。優しげな女性に着せるべき衣装です。

女性用靴
Slippers

この時代になると、ようやく男性用靴と女性用靴のデザインが分かれてきます。

コルセットの消滅

革命時期には、女性の服装も解放されます。不自然なコルセットとパニエは消え、現代と同じように、素肌の上に衣服を着ているだけになりました。

過去に囚われない自由な女性たちのことを、当時**メルベイユーズ**（Merveilleuses、凄い女）と呼びました。

彼女たちが着たのは、綿モスリンという非常に薄手（といっても、現代でいう普通の分厚さ）の布で作った**シュミーズドレス**です。このモスリンは、イギリスからの輸入物だったので、フランスは貿易赤字になってしまうほどでした。さらに、寒い冬にもかかわらず薄手のモスリンで過ごした女性が多数肺炎で死んでしまい、ナポレオンがモスリン禁止令を出したほどです（でも、奥さんのジョセフィーヌは、暖房をガンガン焚いてモスリンを着ていたのですが）。

この時代の女性美は、ギリシャ・ローマの女神を至上のものとしています。コルセットやパニエといった造形ではなく、女性の本来の体型の美しさを鑑賞するようになります。

この時代の女性服の特徴として、非常に高いウエストラインがあります。バストのすぐ下をウエストとしてそこからスカートとなっているので、上半身がとても小さく見えます。

また、**ジゴ袖**という、肩から肘までがふくらんだ袖が流行します。袖のふくらみは、その後19世紀末まで流行し続けます。

ナポレオン時代のジゴ袖は、それほど大きなものではありませんが、100年ほどかけてだんだんと大きくなり、ヴィクトリア朝時代には腕の太さの何倍もあるものになります。

他には、モスリンの寒さをカバーするために、装飾と防寒を兼ねて**ショール**（図1）や、**ルダンゴート**（仏 Redingote、図2）と呼ばれるコートが流行します。

図1 ショール

図2 ルダンゴート

039

ヴィクトリア朝の上流女性

細いウエスト

Small waist

ウエストは細ければ細いほどよいとされていました。女性たちの理想のウエストは42センチでした。直径だとわずか13.5センチです。これは、CDの直径より1.5センチほど大きいだけです。もちろん、このようなウエストは自然には不可能なので、コルセットなどで思いっきり締め付けます。

バッスル

Bustle

お尻の方向にだけ広がったスカートです。それまでの全方向に広がるクリノリンよりも活動しやすく、女性たちにも好評でした。

オーバースカート

Over skirt

別名、タブリエ（仏Tablier）ともいいます。本来のスカートの上に、中のスカートが見えるようにして着る衣装です。きれいなドレープ（ゆったりとした、折り目の付いていない襞）を付けて、スカート部分にボリュームを持たせるものです。

時代

19世紀後半〜20世紀初頭

場所

イギリスから全ヨーロッパへ

ヴィクトリア朝の女性は、大変お堅いイメージがあります。そのため、色恋に興味ありませんといった堅物に着せると似合いますが、そういう女性がふと恋心に頬を赤く染めているところに萌えるユーザーもいるでしょう。

日傘

Parasol

貴婦人は、手にアクセサリーを持つのが普通です。パーティーなどでは扇を持ちますが、外では日傘などもよく使われます。

細い腰が美しさの決め手

男性ファッションの中心がイギリスに移った後も、女性ファッションの中心地はフランスであり続けました。

19世紀半ば、**クリノリンスタイル**（Crinoline style、図1）と呼ばれる広がったスカートが流行します。この時代、スカートは広がっていれば広がっているほどよいという風潮があり、とんでもないスカートが作られました。

通常のクリノリン（現在のウェディングドレスくらい）なら、なんとか椅子に座ることもできましたが、極端に広がったものでは、座ることすら困難でした。スカートの中に背もたれのない椅子を入れて、座るくらいしかできません。

このような巨大なスカートを着るためには、周囲から数人がかりで枠をかぶせ、その上からスカートをかぶせるという、ばかばかしい手順を踏まなければなりませんでした（図2）。もちろん、運動性などまったくありません。

一時期ばかばかしいほど広がったスカートですが、19世紀も後半になると、前や横の出っ張りは抑え、後ろにだけ広がった**バッスルスタイル**（Bustle style）が流行します。日本の文明開化の時代に鹿鳴館でダンスをした女性たちも、バッスルスタイルでした。

現代の目で見ると動きにくそうなバッスルですが、クリノリンに比べれば遥かに活動しやすく。ヴィクトリア朝後期の女性たちに愛用されました。

図1 クリノリンスタイル

図2 クリノリンの着方

040

ヴィクトリア朝の上流女性のスポーツウェア

ジゴ袖
Gigot sleeve

ジゴ袖とは、ヒジのあたりから下がほっそりしている袖です。『赤毛のアン』で、主人公のアンが「ふくらんだ袖」と呼んで憧れている袖で、19世紀初め頃から広まって、19世紀後半には大流行しました。

自転車
Bicycle

自転車は19世紀前半にその原型が作られます。1961年に前輪に直接ペダルの付いた自転車が作られ、1979年に現在のようなチェーンによる後輪駆動の自転車が発明されました。

白と紺
Color coordinate

自転車に乗るときの衣装は、上着やブルマーは暗色（紺・黒・濃灰色など）で、中のブラウスやストッキングは白が定番の色でした。ストッキングは、暗色の場合もありました。

ブルマー
Bloomer

19世紀後半に流行した、袋のように広がって足首のところですぼまったズボンです。これが、スポーツにも使われるようになり、脛の部分まですぼまったものになります。日本のブルマーと違い、当初のブルマーは、このようにだぶだぶです。これでも、当時は女性らしくないと、大きな非難を受けたそうです。

19世紀後半～20世紀初頭

場所

イギリスから全ヨーロッパへ

ヴィクトリア朝で日常的にスポーツウェアを着ることはありません。スポーツのときにのみ着ます。しかし、活動的な女性に、スポーツウェアを着せるとよく似合うので、スポーツをしているシーンを作って着せるとよいでしょう。

活動的になった女性たち

ヴィクトリア朝も後期になると、女性たちは活動的になります。

自転車に乗る若い女性も増えており、彼女たちはジゴ袖の服を着て、自転車に乗りました。また、スポーツをたしなむ女性も増えており、女子学生のバスケットチームなども、19世紀には誕生しています。彼女たちは、運動をするためにスカートを止め、代わりにブルマーをはくようになります。

ブルマーは、19世紀半ばにアメリカの女性解放運動家アメリア・ブルーマーが広めたことから、こう呼ばれます。つまり、ブルマーは女性解放のための活動的服装として生まれました。

当初は、短いスカートの下に着るもので、足首まであるものでした（図1）。しかし、スカートは省かれ、ブルマー自体もだんだんと短くなって、膝丈くらいになります。こうして、スポーツウェアとしてのブルマーは、受け入れられました。

しかし、ファッションアイテムとして広まったのは、20世紀になってからです（図2）。女性がファッションとしてスカート以外をはくというのは、20世紀になるまで認められることはありませんでした。20世紀の前半でも、どちらかというとはすっぱな行為と考えられていました。

図1 初期のブルマー

海水浴は18世紀末くらいから広まります。最初は、健康のために海水に浸かりに行くというものでした。ですから、現在と違って、水着といっても身体のほとんどを隠すものでした（図3）。ですが、水着ですから、その下に下着やコルセットを着けているわけではありません。海岸でこの服に着がえるために、専用の更衣室馬車で海岸ぎりぎりまで移動し、その中で着がえて、外から見えないように海に浸かりました。19世紀半ばには、そこまで大がかりではなくなり、海岸で水着に着がえて、砂浜を歩いて海に浸かっています。

図2 ファッションアイテムとしてのブルマー

図3 19世紀の女性の水着

041

ヴィクトリア朝の男性防寒具

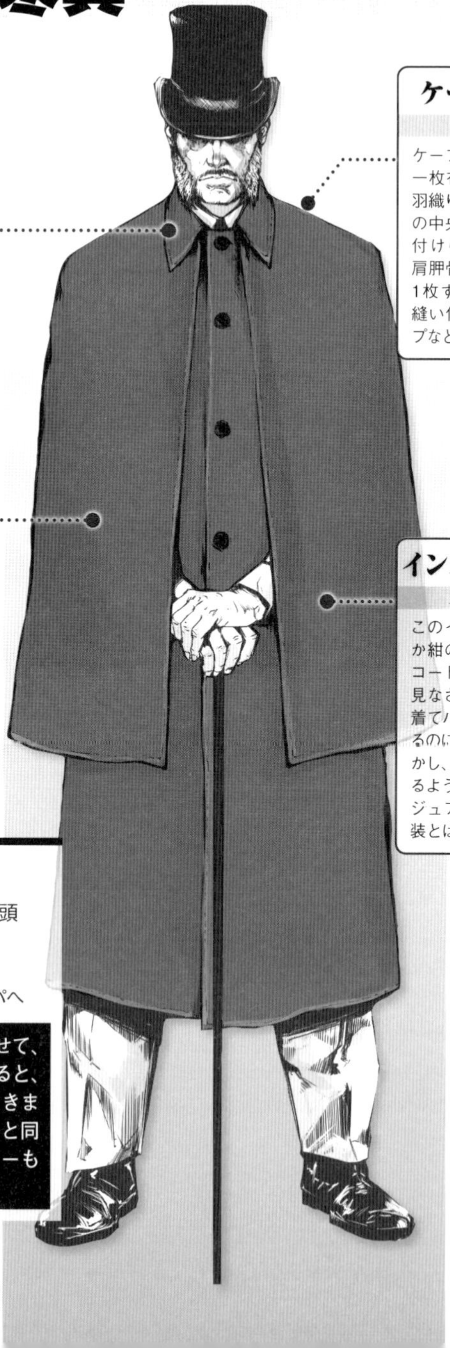

襟
Lapels

インバネスコートには、このイラストのように小さな襟のもの、もしくは襟のないものと、ケープそのものに大きめの襟が付いたものがあります。後者のほうが、フォーマルとされます。

ケープ
Cape

短いマントで、肩や背中までを覆います。現在では主に女性の着るものですが、中世からヴィクトリア朝までは、男性の服装でした。ケープ部分は、取り外しできるものと、できないものがあります。

ケープの背中
Back body

ケープの形状は、通常は一枚布で、コートの上に羽織ります。しかし、背中の中央部でコートに縫い付けられているケープ、肩胛骨のあたりで左右の1枚ずつの布がコートに縫い付けられているケープなどもあります。

インバネスコート
Inverness coat

このイラストのような黒か紺の無地のインバネスコートは、正装の一種と見なされ、夜会服の上に着てパーティーに出席するのにもぴったりです。しかし、ホームズの着ているようなチェック柄はカジュアルなコートで、正装とは見なされません。

時代

19世紀後半～20世紀初頭

場所

イギリスから全ヨーロッパへ

寒いヨーロッパに合わせて、冬場のコートも用意すると、季節感を出すことができます。雪のシーンで、夏場と同じ服装では、キャラクターも寒そうです。

現代のコートの登場

ヴィクトリア朝の頃のオーバーコートで最も有名なのは、シャーロック・ホームズの使っていた**インバネスコート**（図1）でしょう。ドイルの原作にはインバネスコートの記述はないのですが、初期の挿絵でインバネスコートを着ていたことから、現代までのホームズの挿絵、映画の衣装などでも、ほとんどはインバネスコートになっています。

インバネスコートとは、コートの上にケープを重ねたものです。下のコートは、袖有りのものも袖無しのものもあります。

ホームズの着ているインバネスコートは、コートに、ヒジまでくらいの短いケープを重ねたもので、下に着るコートには袖があります。メインイラストのインバネスコートのように、腕が全部隠れるような長いケープを使ったものもあります。こちらは、下に着るコートに袖がありません。

日本では「とんび」などと呼ばれることもあります。ちなみに、袖無しのインバネスコートは、和服を着るときに袖が邪魔にならないので、明治から大正にかけての日本でも流行しました。

もちろん、現在でも使われるようなケープのないコートもヴィクトリア朝の頃には存在しています。フロックコートの上に着ることが多かったため、**オーバーフロック**（Overfrock、図2）と呼びます。下に着るフロックコート同様に、シングルブレスト（Single breasted、ボタンが1列のもの）でノッチドラペル（Notched lapel）の襟です（「サラリーマン」110）。

もちろん、ダブルブレスト（Double breasted、ボタンが2列のもの）のコートもあります。

トレンチコート（Trench coat）は、19世紀末に存在しましたが一般的ではありませんでした。第一次世界大戦（1914～18）でイギリス軍が防寒具に使って実用的だったため、退役軍人から広まりました。

図1 ホームズが着ていたインバネスコート

図2 オーバーフロック

042

ヴィクトリア朝の女性防寒具

ボンネット
Bonnet

柔らかい布でできたかぶり物で、あごの下で紐を結んで留めます。現在ではゴスロリ衣装ですが、18世紀には既婚者がかぶる物でした。19世紀には、若い女性も使うようになり、特にきれいなリボンであごに結ぶボンネットは、若い女性にも好まれました。この19世紀の衣装がゴスロリ衣装に流用されています。

布のパターン
Tartan Check

19世紀半ば頃、最もポピュラーなのは、タータンチェックです。その次に多いのがストライプです。ショールなども、同様の模様が使われました。

ハイカットの襟
High cut collar

コートの襟は、防寒のためにハイカットのものが主流です。

ルーズバック
Loose back

当時の女性のスカートは大きくふくらんでおり、しかもそのふくれ具合はスカートごとに異なります。このため、コートの背中の部分にプリーツ（襞）をつけて、スカートの大きさに合わせて広がるようになっています。

時代

19世紀後半～20世紀初頭

場所

イギリスから全ヨーロッパへ

ヴィクトリア朝の時代には、寒い冬場、雪の降る夜にも、外出する女性が増えてきました。そのため、おしゃれな防寒具が必要なのです。雪のシーンなどに、コートやショールはよく似合います。

上流女性も外出が多くなった

ヴィクトリア朝になるまで、上流階級の女性が出かける先は宮廷くらいで、出かけるとしても馬車で目的地まで行くだけです。このため、本格的な防寒具はありませんでした。

19世紀半ばまでの防寒具の代表は、**ショール**（Shawl、図1）です。寒いときには、大きくて分厚いショールを使って、寒さを防ぎます。

19世紀後半になると、メインイラストのように前身頃や袖のあるちゃんとしたコートが使われるようになります。このようなコートを**パルトー**（仏Paletot）といいます。ただ、この時代は、スカートがクリノリンやバッスルによってふくらんでいるので、下半身部分を覆うコートは、大きく広がらなければなりません。このため、上半身は身体にフィットするけれども、下半身は後ろが大きく広がるルーズバックになっているコートが使われるようになりました。

また、袖のまったくない**ケープ**（Cape、図2）も、よく使われました。上半身だけをカバーするショートケープは、手をカバーできないので、**マフ**（Muff）を併用します。ロングケープの場合は、スカートまでカバーできるので、マフは使いません。この衣装では手が出せなくて不便ですが、このような女性が外出する場合は、お付きのメイドがいるので、問題になりませんでした。

図1 ショール

図2 ショートケープとマフ

043

メイド

ワンピース
One-piece dress

形は、農家の女性たちの着る労働着からきています。それを、黒もしくは紺といった暗色にしたものが、メイドのワンピースです。

袖
Sleeves

袖は汚れるので、付け袖を付けて、交換できるようにしています。

素手
Bare hands

手袋を付ける＝家事労働をしていないということです。裕福な家庭の女性は家事をしないので（家の中でも）手袋をしており、家事をするメイドは手袋をしないのです。

ヘッドギア
Headgear

メイドは、頭に白いかぶり物をしています。大きさや形は様々ですが、一般に裏方で汚れやすい部署ほど大きくなります。洗濯担当のランドリーメイドは、モップハット（Mop hat、下図）で髪の毛を完全に覆います。

エプロン
Apron

エプロンはメイドの制服のようなものです。あらゆるメイドがエプロンをしています。ただし、エプロンの大きさはいろいろです。一般に裏方のほうが汚れやすいので、大きめのものを着けています。

時代

19世紀後半～20世紀初頭

場所

イギリスから全ヨーロッパへ

メイドはあまりにも使われすぎたネタですが、きちんとしたメイドを描いた作品はごく少数です。そのため、正しいメイドを描写すれば、新鮮に感じられるでしょう。

階級差のあるメイドの世界

女性の家事労働者は、中世以前からずっと存在しました。けれども、その中でも有名なのが**ヴィクトリアンメイド**です。ヴィクトリア朝のイギリスにたくさんいた家事労働者で、下層階級の女性たちの貴重な仕事でした。

なぜヴィクトリア朝のイギリスにメイドが多いのかというと、1777年に男性使用人にだけ税金がかかるようになったので、メイドを雇うほうが安上がりだったからです。

彼女たちには、上から順に、**ハウスキーパー**（House keeper）、**レディスメイド**（Lady's maid）、**ハウスメイド**（House maid）の区別があります。

ハウスキーパーは、女主人の代理人ともなり得る役職で、既婚・未婚を問わず、「ミセス」と呼ばれます。「メイド長」や「女中頭」と訳されることもあります。また、衣装もメイド服ではなく、通常の服装です。これは、代理として他所の家に出かけることがあるからですし、また彼女が実際に手を動かして家事をすることはないからです。

レディスメイドは、女主人のお付きのメイドです。「侍女」と訳されることもあります。女主人の身の回りの世話をします。あまり汚れない仕事柄か、エプロンは小さめです。

ハウスメイドは、役割ごとに表1のように呼ばれています。ハウスメイドの中では、パーラーメイドは主人や客人の前に出ることが多いため、見目のいいメイドが選ばれることが多く、重んじられていました。ナーサリーメイドも、子供の人格形成に大きな影響があるので、その人格が重要視されていました。

表1 ハウスメイドの役割

名称	英語	役割
パーラーメイド	Parlour maid	客間担当
チェンバーメイド	Chamber maid	私室担当
ナーサリーメイド	Nursery maid	子守担当
スティルルームメイド	Still-room maid	食料庫担当
ランドリーメイド	Laundry maid	洗濯担当

これらとは別系統として、台所で働くメイドがいます。コック（Cook）と、その下のキッチンメイド（Kitchen maid、炊事担当）、スカラリーメイド（Scullery maid、洗い場担当）です。

キッチンとそれ以外との両方で働くメイド（要するにまだ見習い）は、ビトウィーンメイド（Between maid）といいます。

そして、メイドを一人しか雇えないようなところで働く何でもするメイドを、メイド・オブ・オール・ワークス（Maid of all works、雑用担当）といいます。

初期のメイドには特別な衣装はありませんでしたが、女主人とメイドの区別のために、メイド服が作られました。ちなみに、メイド服はメイドが自前で揃えなければいけません。つまり、あまりにも貧しくてメイド服も買えないような階級はメイドにすらなれないのです。

現在メイド喫茶などで使われるレースふりふりのスカートの短い、いわゆる「メイド服」は1980年代に現れた**フレンチメイド**（French maid）といいます。もちろん、本物のフランスのメイドがあんな格好をしているわけではありませんが、性的なことを何でも「フランスの～」と名付ける（偏見に満ちた）イギリス人が、そう名付けました。

044

ガヴァネス

付け襟

Detachable collar

ガヴァネスは貧しいことが多く、また替えの衣装もあまり持っていません。このため、付け襟などで汚れを減らす人も多いのです。エプロンはプライドが許しませんが、付け襟は貴族の衣装にもあるのでOKなのです。

単純な長袖

Simple long sleeves

ガヴァネスは、性的な想像を起こさせてはいけません。このため、肌の露出を少なくするために長袖を愛用します。しかし、ファッショナブルではいけないので、当時流行したジゴ袖などは使わず、単純な細い袖です。

エプロンは無し

No apron

ガヴァネスはあくまでもレディ（上流婦人）です。そのため、メイドのようなエプロンは着けません。

Aラインスカート

A-line skirt

ヴィクトリア朝時代のレディは、クリノリンやバッスルといったふくらんだスカートをはくものでした。しかし、子供の世話をし、時には裁縫までさせられるガヴァネスは、メイドとあまり変わらない、ふくらんでいないスカートをはかざるを得ません。

時代

19世紀後半～20世紀初頭

場所

イギリスから全ヨーロッパへ

ガヴァネスは、本来地味な年配の女性です。しかし、若い男性のいる家庭に現れる美しいガヴァネス。滅多にないからこそ、物語としては面白くなります。また、地味な衣装に身を包んだ美女というのも、ギャップがあってよいのです。

結婚できずに余った女

ガヴァネス（Governess）とは、裕福な家庭に住み込みで働く女性家庭教師のことです。当時のイギリスの上中流家庭では、小さな子供の教育をガヴァネスに任せることが多かったのです。彼女たちは、読み書きや基本的な教養（算数や音楽）を子供に教えるために雇われていました。

当時のイギリスは、三つの要因によって未婚の女性が増えていました。

- **男性の死亡率の高さ**：元々、男性のほうが病気などに弱くて死にやすく、戦争による若者の死亡もありました。
- **海外移住する男性の増加**：植民地経営のためにイギリスを出る男性が増えました。
- **上中流階級における晩婚化**：結婚すると金がかかるので、経済力を蓄えてからの結婚が望まれるようになり、晩婚化が進んでいました。

しかし、当時のモラルでは上中流階級の女性は働いてはいけません。働く女性とは、下流階級を意味したのです。唯一、上中流階級の女性が体面を維持して働ける職が、ガヴァネスでした。このため、当時はガヴァネスの職を求める女性が大量にいたのです。

求職者が多かったため、ガヴァネスの就職環境は悪化し、子守や裁縫など本来メイドの仕事をやらされるガヴァネスもたくさんいました。

彼女たちは、メイドなどの使用人ではなく、家族の一員です。つまり、レディです。しかし、下流階級のように給与を取ります。その意味で、非常に矛盾した存在でした。

このため、ガヴァネスは目立ってはいけませんでした。特に、独身男性のいる家庭の、若く美しいガヴァネスは大問題です。メイドのような下流階級と結婚しようと考える男性はいませんが、ガヴァネスは名目上は同階級です。結婚しようと思えば可能なのです。

そこで、ガヴァネス雇用の密かな条件が、「容姿端麗でないこと」でした。美人は不利なのです。ガヴァネスたちは、黒や紺といった地味なワンピースで、流行遅れの衣服を着て、わざと野暮ったく見せて、求人家庭を安心させようとしました。

表1 ガヴァネスが教えていたこと

科目	解説
英語	基本教科です。英国人にとっては母国語なので必須です。
フランス語	基本教科です。当時の文化はフランス語で表現されていましたから、上流階級にフランス語は必須です。
音楽	基本教科です。音楽は上中流婦人の基礎教養の一つでした。
算数	家庭教師に付く前の小さい男の子に、計算の基礎を教えることもありました。
図画	図画は、音楽に次ぐ基礎教養とされていました。
ラテン語	ラテン語を母国語とする人はいなくなりましたが、教養ある人はラテン語の一つも引用できなくてはいけません。
ダンス	舞踏会などに出席するためには、社交ダンスができなければいけません。

045

ナポレオン時代の兵士

アビ

仏*Habit*

現在のモーニングコートによく似た形をした上着です。ただし、後ろは四角です。それに折り返しを付けて、燕尾服のように先を細く見せています。

ジレ

仏*Gilet*

英語ではウェストコート(Waistcoat)といい、ベストのことです。飾りポケットは、本当に飾りなので、何も入りません。

キュロット

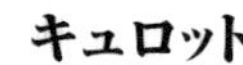

仏*Culotte*

革命期の頃のズボンは裾が足元まであるパンタロンが主流でしたが、皇帝ナポレオンは貴族趣味を復活させたので、キュロットになっています。ただし、ロココ期のキュロットよりは長くて、膝下まであります。

時代

18世紀末〜19世紀前半

場所

フランスから全ヨーロッパへ

最も派手で美しい兵士、それがフランス大陸軍の兵士です。軍隊に見栄えを求めるのなら、彼らを参考にするとよいでしょう。

ゲートル

仏*Guêtre*

脚の脛に巻いて、ズボンの裾が絡まって行動を阻害したりしないようにします。また、汚れを防ぎ、立っているときの脚の鬱血を防ぐ効果もあるとされます。第二次世界大戦頃まで、軍服の脚にはゲートルが基本でした。

華麗なフランス大陸軍

ナポレオンの時代、フランス陸軍兵士の服装はきらびやかで美しいものでした。

騎兵は**ユサール**（仏Hussard）と呼ばれ、**ドルマン**（仏dolman）という肋骨状の飾りの付いた上着を着ていました。

歩兵は、精鋭たる**グルナディエ**（仏Grenadier、擲弾兵）、遊撃戦を行う**ヴォルティゲール**（仏Voltigeur、選抜歩兵）、通常の**フュジリエ**（仏Fusilier、銃兵）などに分けられます。グルナディエは赤、ヴォルティゲールは黄色の飾りが帽子に付いています。赤いと強いというイメージの原典の一つで、これが現代のアニメなどにも影響しています。

将軍は、もっと華麗な格好をしています（図1）。アビも帽子も、金モールで縁取りがなされており、一般の将兵とは一線を画しています。将軍は、目立つ格好で全軍を鼓舞する必要があるのです。

このように、華やかでかつ強力なフランス陸軍は、ヨーロッパ最強を自負し、誇りを持って**グランダルメ**（仏La Grande Armée、大陸軍）と自称していました。最盛期には、同盟国の軍隊を含めて70万人もの規模でした。

フランスの敵国であったイギリスやプロイセンなども、多少地味にはなりますが、やはり似たような軍服に身を包んでいます。

このように軍服が派手なのは、軍とは敵に見せつけるものだったからです。そのような派手な服装の軍隊が一糸乱れず前進してくるのは、恐怖以外の何者でもありません。

そして、前進してきた兵は、わずか100mほど手前で全員が銃を構え射撃してきます。現代の軍人のように物陰に隠れたりといった真似はしません。堂々と、敵の真ん前まで集団で移動してくるのです。

軍服が地味になったのは、射撃武器が発達して、目立つ服装だとあっという間に撃たれて命が無くなる時代になってからのことです。

図1 将軍のアビと帽子

046

王立海軍

時代

18世紀末～19世紀前半

場所

イギリスから全ヨーロッパへ

大海原に乗り出す旅は、冒険ものの定番の一つです。その中で、王立海軍は、主人公ともいえる活躍をしてきました。海の男に着せるには最適の服装です。

栄光の王立海軍

王立海軍（ロイヤルネイビー）は、太陽の沈まぬ国と呼ばれた大英帝国を支える力として、世界各地の植民地を結び、英国に資源を運ぶシーレーンを確保する役目を果たしていました。

海軍は、士官は志願制ですが、水兵は違います。徴募隊が町に現れて、その辺にいる若い男を捕まえて強制的に船に連れて行くのです。

王立海軍では、士官と水兵の制服は大きく違います。士官の上着は後ろが長いテイルコートですが、水兵の上着は前後同じ長さです。

また士官の帽子は18世紀後半までは**トリコーン**（三角帽子）、18世紀末から19世紀初めにかけては**バイコーン**（Bicorne、二角帽子、図1）ですが、水兵の帽子はトップハットです。

さらにズボンは、士官はキュロットにシルクの靴下で、水兵はパンタロン（長ズボン）です。ただ、この点は19世紀初めに変更されて、士官もパンタロンをはくようになっています（図2）。

この当時の習慣で面白いのは、敬礼のしかたです。現在と違って、手のひらを自分に向けて（手の甲を相手に見せるように）敬礼します。これは、オイルで汚れた手のひらを、相手に見せないようにするためだといわれています。

イギリス以外でも、フランスやプロイセンなどの海軍も、多少のデザインの違いこそあれども、似たような服装をしています。

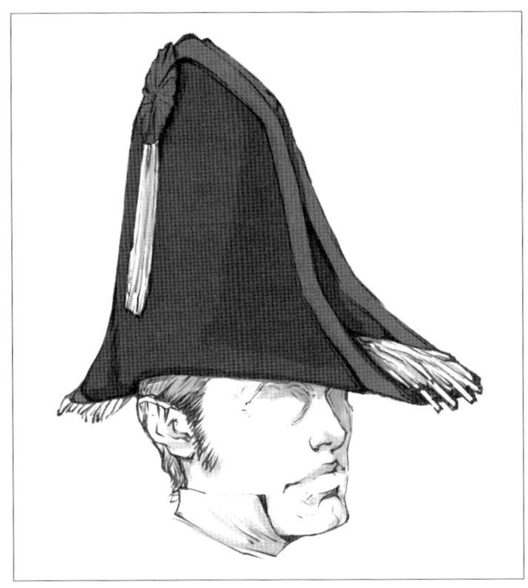

図1 バイコーン

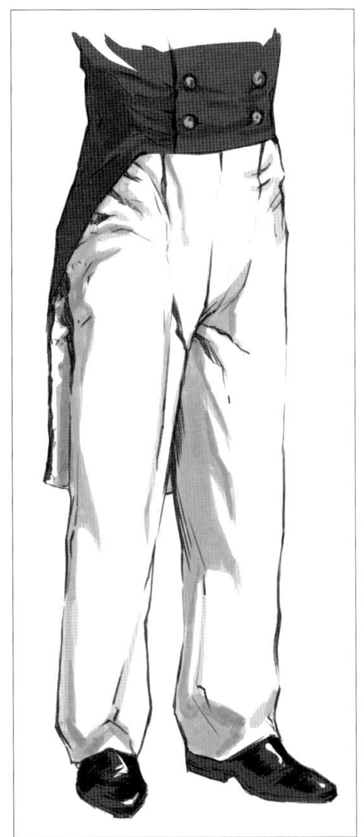

図2 士官のパンタロン

047

ヴィクトリア朝の兵士

ヘルメット
Helmet

布張りのヘルメット。1878年に制定されて、一部部隊を除き、全軍で装備しています。

上着
Tunic

赤が主流ですが、砲兵などは青、外地での戦争中はカーキ色や灰色などの目立ちにくい色にしています。

ズボン
Trousers

ズボンは暗青色です。これも、外地での戦争中はカーキ色などにしています。

サーベル
Saber

サーベルはもはや標準装備ではありません。一般の兵士は銃剣を使用しますが、士官などは指揮用に持っています。

時代

19～20世紀

場所

イギリス

太陽の沈むこと無き大英帝国の尖兵たる兵士たち。彼らはこの軍服を着て、北はカナダから南はアフリカまで世界の半分ほどを植民地にしたのです。

世界中に派兵された兵士たち

ヴィクトリア朝の時代、兵士の服装はきらびやかなものから、実用本位なものへと変化します。前の時代、兵士は敵の目前まで整然と行進し、そこで銃を構えて撃ちました。このため、敵を威圧し、自らの勇気を鼓舞する制服が必要でした。ですが時代は、より遠くから、知らぬうちに撃たれて死ぬ戦争へと変わっていきます。このため、本国兵士は赤や青の派手な服装ですが、植民地や出征先では、グレーやカーキの視認しにくい色になっています。医療関係者は、他と特別を付けやすくするためか、濃紺でした。

図1 ボーア戦争の兵士の帽子

兵服の中で特徴が出るのは帽子です。基本は布張りで縦長の帽子で、医療兵は形は同じですが紺色の帽子に草で囲まれたアスクレピオスの杖のエンブレムが付いています。騎兵は黒いヘルメットの上に大学の学帽のような飾りがあります。砲兵は黒いベレー帽のような帽子に太くて赤い縁がありました。図1はボーア戦争に出征した兵士の帽子です。暑いアフリカでは、縁の大きい帽子が役に立ったのでしょう。

図2 背中の持ち物

図3 フロックコート

靴は革靴です。長距離を歩くことから、ブーツが多かったのですが、短靴に脚絆を脚に巻いている部隊も多くありました。

閲兵時などは付けていませんが、戦時には革製の弾薬帯を斜めにまいています。また、水筒や食料、雑嚢や手榴弾などを腰に付けるベルトも丈夫な革製でした。

図2で背中に背負っているグルグル巻かれている布は厚手の**フロックコート**（Frock coat）で、寝るときには寒さ避けにかぶって寝ます。その上にあるのは、蓋付きの錫製飯盒です。

048

ヴィクトリア朝の娼婦

広い襟ぐり
Low-cut
娼婦は、広い襟ぐりの服を着て、バストを見せて客を引きつけます。

スカート
Skirt
スカートは、長さこそ足首まであるものですが、手でたくし上げて、脛あたりまで見せてくれます。

コルセット
Corset
クリノリンやバッスルは使わなくても、コルセットはウエストを細く見せるために必要でした。

タイツ
Tights
19世紀に舞台衣装として作られたものです。ただし、当時の女優は娼婦と兼業が多かったので、娼婦も使いました。

時代
19世紀後半〜20世紀初頭

場所
イギリスから全ヨーロッパへ

謹厳で堅苦しいヴィクトリア朝だからこそ、色っぽい娼婦の登場は印象的です。魅力ある娼婦は、大人の物語の演出にぴったりです。

脱ぎ着しやすい娼婦の服装

「ガヴァネス」044でも紹介したように、ヴィクトリア朝の時代、80万人近い未婚の女性たちが「余った女」として結婚できませんでした。その中で、上流女性はガヴァネスを目指しました。また、下流女性はメイドを目指しました。それ以外の女性たちは、工場労働者になりました。しかし、工場労働者の賃金は安く、娼婦へと身を落とす女性も多かったのです。資料によっては、ロンドンの15～50歳の独身女性のうち、6分の1が娼婦だったとされています。

ヴィクトリア朝の女性たちは、クリノリンやバッスルといった下着で、自らのプロポーションを誇張していました。しかし、娼婦という仕事の関係上、自分一人で脱ぎ着できる服装が必要です。大き過ぎるクリノリンのような、着脱に何人もの手が必要な衣装は、男の前で服を脱ぎ、終わったら自力で服を着なければならない娼婦たちにとって、とても使い物になる服ではありませんでした。

そのため、娼婦の衣装はそれらの型枠を省いた身体にぴったりと付いた薄手のスカートになりました。クリノリンなどを使うときでも、自分で着脱できるくらいの小さめのものです。

タイツも、脚の形がわかって色っぽく、しかも服を着て肌を隠していると言い張れたので便利でした。ただし、ナイロンストッキングの発明は1937年なので、当時のタイツは絹かウールです。また、パンティストッキング型のものは存在せず、太ももまでの長いタイツは**ガーター**で留めました。ガーターには、ウエストに付けて紐で吊り下げるタイプ（図1）と、タイツの上端の太もも位置でゴムで押さえるタイプ（図2）とがあります。

図1の場合、パンティ（当時はドロワーズ〈Drawers〉というカボチャパンツでしたが）は、ガーターの上にはきます。でないと、トイレや商売のときに、脱ごうとするといちいちガーターの紐を外さなければいけません。

彼女たちは、街頭で客を拾うので、冬には娼婦の衣装のままでは寒すぎます。このため、上着を着たりショールを羽織ったりして、寒さを防ぎました。

図1 ウエストに付けるガーターとタイツ

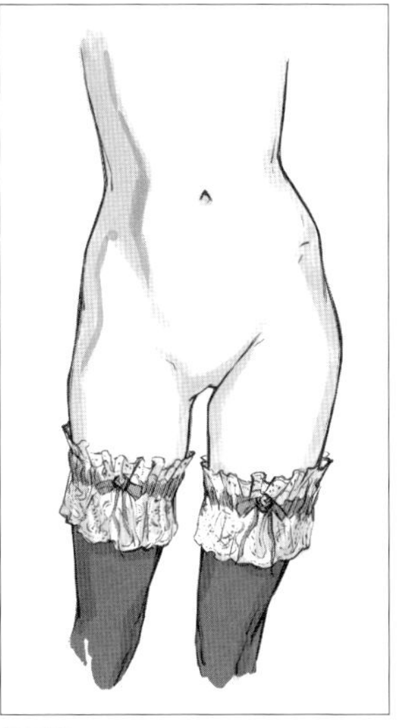

図2 太ももに付けるガーター

049

ナポレオン時代の企業家

柄付きメガネ
Lorgnette

つるの付いたメガネが登場するのは18世紀の初め頃で、それから19世紀の初期までじわじわと浸透していきました。これは、まだつるのない、手持ち式メガネです。

ルダンゴート
仏Redingote

英国の乗馬用コート（Riding coat）がフランス語に取り入れられたもの。18世紀から19世紀初期にかけて、乗馬服だけでなく通常の上着として広く使われました。

ベル
Bell

コートのポケットにはベル付きの蓋が付いていて、ポケットに手を突っ込むと音が鳴ります。これは、スリ避けのためです。

靴下
Hose

貴族の履く白い絹靴下ではなく、ニットのパターン模様のものを履いています。

時代

18世紀末～19世紀前半

場所

フランスから全ヨーロッパへ

新しく勃興してきた産業資本家たちです。自らの経営手腕に自信を持ち、活動的な人物像として、このジェントリを登場させるとよいでしょう。金持ちでもありますから、パトロン役にもぴったりです。

新しい時代の主役

産業革命やそれに伴う交通の発達によって、商業や工業が発達します。また、フランス革命の影響で、貴族が絶対の価値を持つわけではないことが広く知られてしまいました。

これによって、新しい階級が勃興します。商工業を営む地主出身の産業資本家たちです。彼らを、**ジェントリ**（Gentry）といいます。彼らは、15世紀頃から最下層の貴族領主として存在しましたが、貴族のように称号は持っていませんでした。

しかし、18世紀頃から、ジェントリは企業家としての顔を持つようになります。それが新しい時代のジェントリです。

当時のフランスには王党派と共和派がいましたが、だいたいにおいて王党派はメインイラストのような**ブリーチズ**（Breeches, 膝くらいまでのズボン）をはいていました。逆に、共和派は、**トラウザーズ**（Trousers, 七分丈くらいのズボン）をブーツにタックインしてはいています（図１）。

そこまで金持ちではないものの、平民出身の商人や職人もいます。さらに企業で働く技術者や事務員など、現代のサラリーマンの初期の形態もできてきました。

彼らが、貴族が没落していく時代における、新しい主役です。彼らは、貴族に憧れつつも、貴族とは一線を画しています。豪華な邸宅に住み、数多くのメイドを雇い、贅沢な食事をするという点では貴族と変わりません。しかし、彼らは自ら事業を行い、それを経営しています。

貴族は、貴族として存在していることに価値があるので、自ら事業を興したりはしません。するとしても、実際には配下にやらせます。

それに対し、ジェントリはそれ自体としては存在価値がありません。事業を興し、金を稼ぎ、人々を雇用していることに価値がある人々です。

しかし、衰退していく貴族ではなく、彼らジェントリのファッションが、これ以降のスタンダードになっていきます。メインイラストは、ナポレオン時代のジェントリです。当時は、まだ貴族とジェントリの衣装には違いがあります。ヴィクトリア朝になる頃には、貴族とジェントリの衣装には差がなくなり、ジェントリも普通にテイルコートやフロックコートを着るようになります。

これは、ジェントリが貴族の真似をしたのではなく、貴族の服装がジェントリと変わらなくなったのです。

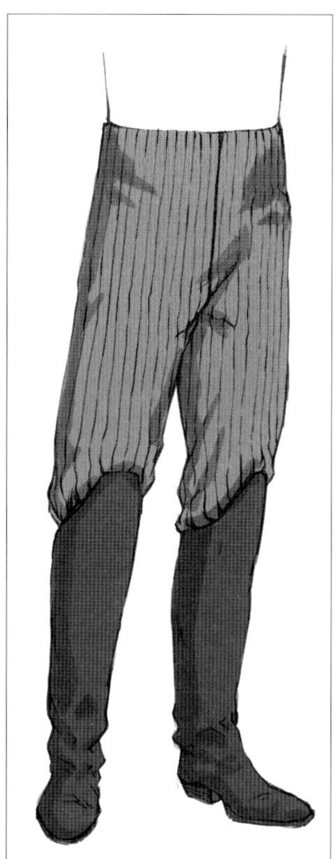

図1 トラウザーズ

050

ナポレオン時代の働く女性

モップハット
Mop hat

髪の毛を覆ってしまうモップハットをつけて、その上に麦わら帽子をかぶっています。これは、帽子を汚さないためもあったようです。

オーバースカート
Overskirt

一番上のスカートをたくし上げて、中のスカートが見えるようにした衣装です。元々は、庶民の着こなしでしたが、ヴィクトリア朝になると上流階級の女性たちにも真似られるようになります。

花かご
Flower basket

道に立って花を売る花売り娘なので、花かごを持っています。

エプロン
Apron

働く女性の目印になっているのが、エプロンです。働く女性は、メイドも含めて、エプロンをしているのが普通です。

ショートスカート
Short skirt

働く女性たちには、地面ぎりぎりの長いスカートは不便でした。このため、足首まで見えるくらいの短いスカート（当時としては、これでも画期的に短かった）をはくようになりました。

時代

17世紀～20世紀初頭

場所

フランスから全ヨーロッパへ

仕事を持った女性を出すには、18世紀くらいまで発展した世界を舞台にしたほうがよいでしょう。18世紀の文明なら、明るく働く陽気な色っぽいお姉さんも、不自然なく出せるのです。

働き始めた女性たち

17世紀頃から、外で働く（家事労働や、家内労働ではなく）女性が、少しずつ増えてきました。お針子をしたり、店員をしたりと、職種は様々です。当時のモラルとして、上流階級の女性が働くということはあり得ませんから、働く女性は明確に下層階級でした。彼女たちのことを、**グリゼット**（仏Grisette）といいます。これは、貧しい彼女たちが灰色（フランス語でGrisといいます）のような安っぽい色の服を着ていたことから、その名が付きました。彼女たちは、ベル・エポック（19世紀末から第一次世界大戦までのパリが繁栄していた時代）まで、そう呼ばれていました。

ただ、17世紀のグリゼットは、単なる下層階級の働く娘という意味しかありませんでしたが、19世紀には「ちょっと色っぽい、働く若い娘」という意味になっています。働く女性が少しずつ増えてきて、中流階級でも働いている女性が現れてきたため、下層という意味が失われ、代わりに「色っぽい」とか「男好きのする」といった意味ができてきたのです。

彼女たちは、服や帽子作りといったお針子の仕事か、さもなければ女店員になるのが普通でした。たまに、花売りのような独立した仕事をする娘もいました。

18世紀頃から、グリゼットは、知識人の興味を引くようになります。美しいグリゼットは、金満家の愛人になったりもします。最も有名なグリゼットは、ルイ15世の公娼（公式な愛人）となったデュ・バリー夫人です。

19世紀には、芸術家のモデルになるグリゼットもたくさんいました。小説やオペラの登場人物になったり、絵画のモデルになったりします。特に、上流女性はヌードモデルなどになってくれないので、美しいグリゼットは、画家のヌードモデルとしても引っ張りだこで、何人もの画家が同じ女性を描いたりしています。

これらグリゼットは、もちろんフランスだけにいたわけではありません。イギリスやアメリカなどにも当然存在していて、英語でも、そのままのグリゼットと呼ばれています。

表1 女性の仕事

仕事	解説
女工	繊維工場での糸紡ぎなど。
ランジェリー作り	下着を作ったり、レースの飾りを扱う。特に他国のレースは禁制品だったが、それらをこっそり扱うのもランジェリー作りだった。
仕立て人	服を仕立てる。
アトゥール作り	女性の帽子やかぶり物を作る。
アイロン女	アイロン掛けをする。
美容師	髪の毛を切りそろえ、縮毛などを行う。
花売り	道で花かごを持って売る。
モード商	服、帽子、アクセサリーなど服飾品全般を扱う商人。
乳母	母親に代わって、赤ん坊に乳を飲ませる。

051

フランス革命派の男性

リバティ・キャップ

Liberty cap

「自由」を表す赤い帽子です。帽子が赤くない場合や、帽子がない場合は、赤い布やリボンを結んでいました。

コケード

Cockade

円形章ともいい、ナポレオン時代のものはリボンを編んで円形にしたものです。フランス革命のときに、革命派が帽子に赤白青のコケードを付けて自派を表したことから、革命派のシンボルとなります。現在のフランス国旗も、この3色からなります。現在のコケードは、軍帽に付けて自国を表すしるしで、刺繍かメダルで作ります。

ルダンゴート

仏*Redingote*

センターベント（背中の下部にある切れ目）の入った乗馬用コート。乗馬時以外でも、よく使われました。

パンタロン

仏*Pantalon*

以前からこのイラストのような普通の人々は長いズボンをはいていました。ですが、フランス革命以降は、革命の影響で上流階級も長いズボンをはくようになります。

時代

18世紀末〜19世紀前半

場所

フランス

フランス革命に参加した都市の普通の住民たちです。彼らは、赤白青の衣装を好んで、革命家を自負しています。理想に燃える革命家の衣装によいでしょう。

ファッションの主役となりはじめた市民たち

フランス革命以前のファッションは貴族が作るものでした。しかし、フランス革命によって貴族は衰え、市民がファッションにおいても主役となる時代が来たのです。

市民の服装の最大の特徴は、キュロットのように短いズボンではなく、長ズボンです。それも、脚にぴったりとフィットするように作られたズボン（正確な測定と裁断が必要なので、上流階級のものでした）ではなく、現在のズボンのように余裕のあるものでした。このような余裕のあるズボンを、**パンタロン**（英語ではトラウザーズ）といいます（ちなみに、現在のズボンは、すべてトラウザーズです）。ただし、長ズボンといっても、現在のようなくるぶしまで覆うものではなく、現代でいう七分丈くらいでした。

靴は、黒や茶の革靴で、現代ではローファーと呼ばれるものです。また、ブーツの人もけっこういます。

上着はルダンゴートなどで、その下にはシャツを着ています。これらの格好は、上流階級の人々にも広まり、より高級な生地や仕立てではあるものの、基本デザインは同じものです。**クラヴァット**（図1）というネクタイの先祖を巻いている人もいました。

けれども、フランス革命は失敗に終わり、ナポレオンがフランス皇帝となります。さらに、ナポレオンが廃位した後は、再びフランスは王政に戻ってしまいます。帝政・王政の時代、上流階級の衣装は、再び革命前の貴族風ファッションに回帰します。

貴族たちは、再びキュロットをはくようになり、長いズボンは貧しい者だけがはくものになってしまいます。また、この時代は戦争の時代でもあり、軍服を着て舞踏会に現れる将軍もいました。さらに、国民軍（傭兵や騎士だけでなく、普通の国民によって軍隊を構成する）の始まりの時代でもあったので、貧しい兵士は、退役のときにもらった軍服をそのまま着続けることもよくありました。そのため軍服をちょっと変えたような衣装を着る貧しい若者がたくさんいました。

図1 クラヴァット

しかし、市民はそれまでと同じように市民の服を着続けます。そして、再度の革命などを経て、市民が真の主役となったとき、ファッションも市民のものとなりました。それが、「ヴィクトリア朝前期の上流男性正装」034、「ヴィクトリア朝の上流男性の正装」035、「ヴィクトリア朝の上流女性」039などで紹介するヴィクトリア朝のファッションです。

052

フランス革命派の女性

ボンネット
Bonnet

外出時に女性の髪を風雨からまもるための帽子です。当時は、最新のおしゃれ帽でした。赤い帽子（革命派のしるし）ではない場合は、赤いリボンなどを巻くことで代用としました。

コケード
Cockade

革命派なので、赤白青のコケードを付けています。

ボディス
Bodice

袖無しの上着で、前身頃は紐で締めて、ぴったりと身体に密着するように着ます。下のシュミーズはぶかぶかなものだったので、このボディスで調整していました。

シュミーズドレス
Chemise dress

シュミーズは元は下着でしたが、この頃には軽快な上着として使われるようになっています。

ショートスカート
Short skirt

向こう脛が見えるくらいのスカートは、この当時としては大変短いものでした。

時代

18世紀末～19世紀前半

場所

フランス

フランス革命のときには、女性たちも暴動に参加しています。革命に参加するぐらいに行動的な女性の衣装にぴったりです。

革命的女性たち

革命期以降は、女性たちの服装も活動的になります。特に、**サン・キュロット**（キュロット無しを意味し、手工業者・職人・小店主・雇われ労働者などの、中下層市民たちの自然発生的グループで、フランス革命の原動力となった）に参加した女性たちなどは、剣を振り回して戦うほどです。

活動的な女性たちは、地面に引きずるようなスカートははきません。動きやすいように、脛が一部見えるほどの**ショートスカート**をはいています。ちなみに、このショートスカートは、現在なら太腿が丸見えのミニスカートをはいているのと同じくらいのイメージです。脛が見える短いスカートは、それまでは娼婦くらいしかはいていませんでしたから、ショートスカートを見た男性は大胆に脚を見せている女性だと感じたのです。

ショートスカートは、**ペティコート**（Petticoat）ともいいます。本来は、シュミーズドレスは上着の下に、ペティコートはスカートの下にはく下着でしたが、この頃になると見せる衣装として着られています。堅苦しい上着を外して下着が上着になるという現象は、この後も何度も繰り返されます。最近では、キャミソールが上着になったのが、その例です。

上半身に着ている**ボディス**は通常は毛織物ですが、裕福な女性は絹織物のボディスを着ていることもあります。

ちなみに、一般的なボディスは、メインイラストのようにバストを強調するものではなく、図1のようにバストも押さえてしまうものです。ボディスで胸を強調するのは、かなりコケティッシュな着方です。

フランス革命が失敗に終わると、女性のスカート丈も長くなります。デザインも女らしいおとなしいものに変化します。また、スカートの位置が高くなり、バストのすぐ下でスカートに切り替えるようになります。このため、足がとても長く見え、スタイルがよく見えるのです。

図1 一般的なボディス

053

ナポレオン時代～ヴィクトリア朝の農民男性

フリジア帽
Phrygian cap

赤い三角帽子です。古代ローマでは解放奴隷がかぶるものでしたが、フランス革命のときに奴隷状態からの解放を意味して革命派がかぶりました。その後、一般にも広まり、農民なども普通にかぶるようになります。

フロック
Frock

フロックコートとは、別物です。17世紀頃から、農民や羊飼いが使っていた上着のことです。公的な場に出られるような服ではありません。

ボタン
Button

19世紀にもなると、ボタンも安価になったので、農民でもボタンの付いた服を作れるようになっています。

ゲートル
Gaiter

脛に巻いて、足元をすっきりさせ、疲労を減らす役目もあります。布や革など、材質は様々です。

時代

18世紀末～19世紀

場所

全ヨーロッパ

この時代になると、裕福とまではいかないものの生活に余裕のある農民も登場します。衣装にも継ぎが当たっていないまともな服です。自作農のようにある程度裕福な農民を出すなら、このくらいの姿はさせてください。

少し豊かになった農民たち

18世紀になると、農業革命と呼ばれる栽培技術の進歩が起こって、以前よりたくさんの収穫が得られるようになり、農民たちも多少ですが豊かになりました。しかし、相変わらずボタンを使うような衣服はほとんどなく、紐で縛る服ばかりです。

19世紀になると、さすがにボタンは一般的になり、たくさんボタンを使った服装が多くなります。また、靴も中世のような靴底のない革袋でしかない靴ではなく、きちんと靴底のある革靴が使えるようになります。

しかし、それでも農作業中に着る服まで、そんな贅沢をするわけにはいきません。作業服は、ボタンなどなく、紐で縛ります。ズボンも、ベルトやボタンではなく、紐で縛っています。けれども、靴だけは、きちんとした革靴を履くようになっています（図1）。

この時代、農業を営む人々は、大きく3階級に分かれていました。

大土地所有者である地主、地主から土地を借りて農業を行う借地農民、そして借地農民に雇われて農作業を行う農業労働者です。

このうち地主は、「ジェントリ」と呼ばれる上流階級を構成しており、実際の農作業をすることはありません。

実際の農作業を行うのは、借地農民と農業労働者です。ただし、借地農民にもいろいろありました。小規模な借地農民は、家族で耕せる土地＋α程度の広さの土地を借りて、0～数人の農業労働者を雇って農業を営みます。これに対して、広大な土地を一括で借り受け、大きな農場を作りたくさんの農業労働者を雇って大規模農業を営む借地農民もいました。こちらの借地農民は、実質農作業を行わずに、農場経営だけを行っています。

メインイラストは小規模な借地農民、図1は農場労働者です。

※上着の胸の四角い布は、左胸で上着に縫い付けてあり、右胸のところで、紐でくくってあります。

図1 農作業中の服装

054

ナポレオン時代～ヴィクトリア朝の農民女性

モップハット
Mop hat

頭を覆って巾着袋のように絞った帽子です。農家の女性がよく使っていましたが、後にはメイド（汚れやすい部署の）もよくかぶっていました。

ショール
Shawl

ショールは、簡単に作れ、しかも暖かいので、農家の女性たちにもよく使われました。もちろん、カシミアなどの高級品は無理ですが、羊毛のショールは寒いときの必需品ともいえます。落とさないように、身体に巻き付け、背中でくくっています。こうすると、胴体のほとんどが覆われて暖かいのです。

長いスカート
Long skirt

長いスカートは、泥汚れが付きやすく畑での作業には不向きです。しかし、保守的な農村の女性たちは、都市で短い（といっても脛が少し見えるくらいですが）スカートが流行しても、足元まで隠す長いスカートを止めませんでした。

エプロン
Apron

エプロンは、働く女性のシンボルです。もちろん、農家の女性たちも、エプロンを着けています。

時代

18世紀末～19世紀

場所

全ヨーロッパ

農家のお母さんといった、働く女性の着る服です。汚れを防ぎつつ、動きやすくなっています。素朴で温かい人物像のキャラクターに着せると似合う衣装です。

元祖働く女性たち

農家は、中世の時代から、家族総出で農業を営んでいました。女子供も例外ではありません。このため、彼女たちは農作業しやすい服装をしていました。

18〜19世紀になっても、それは変わりません。相変わらず、長いスカートで脚を隠しているものの、上流階級の女性たちのようなコルセットやクリノリンなどの無駄な下着は使わず、ボディスとその下のブラウス、スカートとその下のペティコート（省略される場合もある）、さらに下の膝丈の**ドロワーズ**（Drawers、図1）か、足首まであるパ**ンタレット**（Pantalets、図2）といった単純な構成になっています。ちなみに、パンタレットは、そのフリルの付いた裾をスカートから覗かせるおしゃれにも使いました。特に、若い女性が、ちらちら見える下着で男性の気を引いたようです。

18世紀前半はワンピースが主流でしたが、後半になると、ブラウスとスカートを分けることも普通になりました。

メインイラストは、防寒のためにショールを羽織って、背中にまで回しています。それではその下はというと、ボディスの下にシュミーズドレスとなっていて、「フランス革命派の女性」052のメインイラストと同じです。

19世紀頃の農民たちの服装の参考になるのは、ミレーの絵画『晩鐘』や『落穂拾い』などです。教科書にもしばしば掲載されていますから、見たことのある人も多いと思います。

メインイラストに似た長いスカートをはき、エプロンを着けた女性の姿が写実的に描かれているので、農民女性のイメージ作りの参考になるでしょう。

図1 ドロワーズ

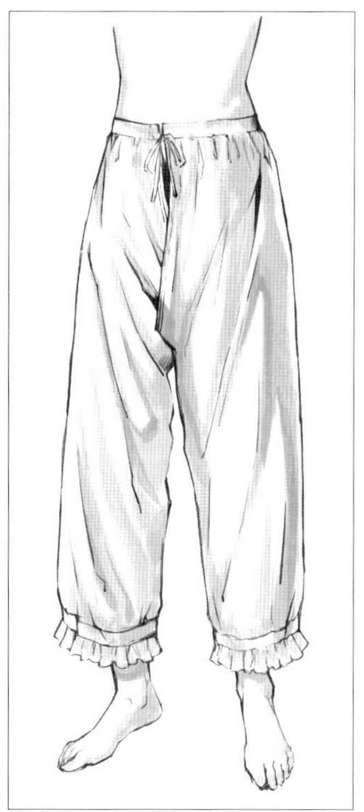

図2 パンタレット

055

ヴィクトリア朝の子供

ショートドレス
Short dress

10歳以下の小さい子供は、走り回ったりするので、足首まであるスカートをはかせられません。そのため、ショートドレスを着せます。ワンピースの一種で、現在では普通の長さですが、当時としては脛が出るスカートはとても短いのです。

時代

19世紀後半～20世紀初頭

場所

イギリスから全ヨーロッパへ

19世紀の子供は、小さな紳士、小さなレディとして登場させたほうが、似合います。大人と違う衣装を着せたいのなら、5歳以下の幼い子供にしてください。

エプロン
Apron

エプロンは本来は労働者のしるしですが、子供服に限っては服を汚さないためにエプロンを着けることもあります。これが、後にはエプロンドレスになります。

スカート
Skirt

小さい男の子のはくスカートです。上着とは別になっています。男の子用のワンピースもありますが、たいていは上下のデザインが違って、ツーピースに見えます。

スカートをはく男の子

ヴィクトリア朝時代までの子供は、「小さな大人」か、さもなければ「まだ人間になる前」かのいずれかです。子供の死亡率が非常に高かったことから、ある程度の年令になって大人に成長できるだろうと見極めて、初めて洗礼などを行い、ちゃんとした人間として認めます。中世の頃は10歳くらいまで、ヴィクトリア朝の頃でも5歳くらいまでは、死んでも諦めるしかないものと見なされていました。

小さな大人となった子供は、大人と同じように行動することを要求されます。もちろん、衣服も同じようなものになります。小さな大人としての少年は、ラウンジスーツにボーラーといった、大人の室内着か散歩着くらいの服装です。少女も、女性の室内着とあまり変わりません。せいぜいコルセットを使わないなど、下着の差でしかありません。

ですが、もっと小さいときは、大人と違いがあります。5歳くらいまでの女の子は、スカートが短く、膝下くらいまでしかありません。本来労働者の着るべきエプロンから、**エプロンドレス**（図1）が作られ、女の子の衣装として使われました。

また、男の子は、なんとスカートスーツを着せられていることもありました。その理由ははっきりとはわかっていませんが、もしかしたら男の子のほうの死亡率が高かったことが影響しているのかも知れません。

子供の育て方は、階級ごとに違いました。

上層階級は、乳母を雇って子供を育てます。子供がある程度大きくなったなら、男の子の場合はチューター（男の家庭教師）を、女の子の場合はガヴァネスを雇って家庭教育を施します。

中層階級では、子供は家の手伝いをして育ちます。都市部などでは学校に通うこともできました。

下層階級では、少し年上の子供が面倒を見ます。そして、ほとんど何の教育も受けることなく、10歳くらいにはすでに働き始めています。

図1 エプロンドレス

056

ドルマンとペリース

時代　12～15世紀

場所　イギリスを含むヨーロッパ

中世末期から近世にかけての軍服は、見栄えがよく強そうです。これは、当時の軍が、敵の目前まで進軍し（敵の白目が見えるまでと言われています）、そこで銃を撃つ必要があったからです。このため、敵を威圧し、自らを鼓舞する服が必要だったのです。

ドルマン

ドルマン（Dolman）とは、トルコ語のドラマンに由来する言葉で、袖があって、ゆったりと上半身を覆う服のことでした。しかし、ヨーロッパに移入され、軍隊で使われるようになって、ドルマンの意味は変化しました。胸に横に並ぶ糸飾りのついた上着のことを、ドルマン（日本では肋骨服）と呼ぶようになります（図1）。

19世紀ハンガリーの、ユサール（騎兵）の正装軍服が、ドルマンとして最も有名ですが、フランス大陸軍の騎兵など多くの騎兵科で使われています。敵歩兵は、ドルマンの肋骨が見分けられるようになる（つまりそこまで近づく）と、もうお終いだと恐怖しました。

ただ、これとは異なり、女性ファッションとしてのドルマンも存在します。女性ファッションとしてのドルマンは、19世紀に流行した女性の上着です（図2）。その特徴として、大きく広がった袖があります。これによって、下に着る衣装の袖が見えるので、新しい服を見せびらかすことができます。また、当時流行のバッスルスカートに合わせて、腰の後ろ身頃が大きく広がるように縫製されています。襟はありませんが、中には装飾と防寒のため毛皮などで首回りを作っていることもあります。

図1 ドルマン

ペリース

ペリース（Pelisse、図3）は、17世紀ハンガリー騎兵がドルマンの上に着た毛皮の縁取りのある上着です。ですが、彼らは面倒がってか、左肩だけにルーズに羽織ったり、左腕だけ袖を通していました（名目上は剣による斬撃を防ぐためです）。現実には、刃を防ぐのに大して役に立たなかったと言われており、一種の格好付けだったのだと考えられています。しかし、これが多いに受けてしまい、各国の騎兵が真似をするようになります。ついには、ヨーロッパの騎兵から、アメリカ大陸にまで広がりました。

初期のペリースは、下に着ているドルマンと同じく肋骨が付いていましたが、後には簡略化されました。後になると、右袖は見た目だけで、実際には腕が入らないペリースも作られます。右袖部分は、単なる布でひらひらと風で舞うだけだったり、最初から本体部分に縫い付けてある飾り布だったりするものです。現代に近くなると、右袖すら無く、左前から背中に垂らしたマント型のものが作られ、これもペリースと呼ばれています。

図2 女性服のドルマン

図3 ペリース

057

ヴィクトリア朝の男性帽子

時代 19世紀後半～20世紀初頭

場所 イギリスから全ヨーロッパへ

ヴィクトリア朝の男性は必ず帽子をかぶっています。ロンドンでは、路上生活者ですら帽子をかぶっていました。ただし、社会身分によってかぶる帽子が違っているので、偉い人、偉くない人を、帽子で区別させることもできます。

帽子は紳士の証し

ヴィクトリア朝の男性は、外出時にはほとんどの場合、帽子をかぶります。帽子には、格があって、服装と合わせなければいけません。服装に合わない帽子をかぶっていると、TPOをわきまえない人と見なされ、馬鹿にされます。

貴族の時代には、帽子に羽を飾るといった派手さがありました。しかし、それもヴィクトリア朝の初期までです。19世紀も後半になると、そのようなこれ見よがしな派手さは流行しなくなります。抑制された地味な衣装にこそ紳士の格好良さを見出すのが、ヴィクトリア朝の男性ファッションなのです。

①トップハット（Top hat）：日本では、シルクハットと呼ばれていますが、シルクハットはトップハットの中で、材質が絹でできた帽子をいいます。トップハットは、この形をした帽子の総称で、材質は絹以外に革製などもありました。最も正式な帽子で、フロックコート、テイルコート、モーニングコートなどと合わせて、公式の場に出ることができます。

②ホンブルグ（Homburg）：トップハットに次ぐ正式な帽子です。これは1889年に当時のイギリスのエドワード王太子がドイツに療養に行ったときにドイツで流行していたのを持ち帰りイギリスでも流行らせたものです。やはり、フロックコート、テイルコート、モーニングコートなどと合わせて、公式の場に出ることができます。

③ボーラー（Bowler hat）：アメリカではダービー（Derby hat）といいます。カジュアルな帽子で、正式な場に出ることはできません。しかし、紳士が散歩したり友人の家に遊びに行くなど、私的な場ではよく使われました。シャーロック・ホームズものでも、本編の文章に記述されているわけではありませんが、ワトソン博士が、ボーラーをかぶった姿で挿し絵に描かれます。また、喜劇王チャップリンがかぶっていることでも有名です。

④ハンチング（Hunting cap）：狩猟帽です。紳士が、紳士のスポーツである狩りをするときにかぶります。スポーツウェアなので、正式な場に出ることはできません。また、中下層階級の人々も、よくかぶっていました。

⑤鳥打ち帽（Deerstalker）：狩猟帽の一種です。日本では鳥打ち帽といいますが、英語では鹿追い帽という意味があります。名探偵ホームズの帽子としても有名です。ただし、ハンチングや鳥打ち帽を都市部でかぶる人はまれでした。

⑥ベレー（Beret）：フランスの農夫がかぶる平らな帽子が、19世紀にその他の労働者にも広まったものです。上流階級がかぶることはあまりありません。現在のベレーはスペインのバスク地方のベレーが広まったものなので、当時のベレーとは多少違います。当時のベレーは、全体的に薄く、頭の外まで広がっています。

⑦探検帽（Pith helmet）：ヘルメット型の防暑帽子で、南方の植民地など、暑い土地で頭を熱気から守るために風通しのよい帽子として作られたものです。紳士もかぶりますが、どちらかというと、海外に出かける山師的な冒険家がかぶる帽子です。

⑧カウボーイハット（Cowboy hat）：アメリカのカウボーイがかぶった帽子で、縁が大きく、頭頂部の高い帽子です。縁が広いので、直射日光を避けるのに適していました。カウボーイハットは、1865年にJ.B.ステットソンが作ったといわれ、当初はステットソンハット（Stetson hat）ともいわれました。ただし、西部で最もかぶられた帽子は、ボーラーであって、カウボーイハットではないことがわかっています。

058

ヴィクトリア朝の女性帽子

時代 19世紀後半～20世紀初頭

場所 イギリスから全ヨーロッパへ

時代性を出すには、帽子が便利です。というのは、20世紀初頭までは、あらゆる人が帽子かかぶり物をつけていました。このため、登場人物のかぶる帽子で、その時代らしさを表すことができます。ヴィクトリア朝では、女性のボンネットが特徴的です。

高く結った髪に似合った帽子

ヴィクトリア朝の上流階級の女性たちは、基本的に髪を高く結い上げています。といっても、17世紀のような馬鹿馬鹿しい大きさではありません。常識的な範囲で結い上げています。そして、その髪に帽子なりボンネットなり、何らかの髪飾りなりを付けていました。何も無しという選択はありません。

ボンネットは、18世紀頃から19世紀にかけてよく用いられます。本来は、既婚者が付けるものです。麦わら帽子は、若い女性に好まれましたが、既婚者もかぶります。高く結い上げた髪を押しつぶさないように、縦長になっています。

幼い女の子は、スイスキャップとよばれるかぶり物をかぶっています。飛んでいかないように、顎のところで紐で縛って使います。もう少しお姉さんになると、サンハットという浅い帽子をかぶります。まだ、髪を結い上げていないので、このくらいの高さで問題ないのです。もちろん、おしゃれな子は、親やお姉さんと同じように、縦長の帽子を使うこともあります。幼児用のスイスキャップよりはおしゃれな、ドレスキャップもありますが、子供としては幼児扱いされたような気がして、気に入らないということもあったようです。

①ボンネット（Bonnet）：黒のレースの襞飾りを上に載せたボンネットです。

②麦わら帽子（Straw hat）：ビロードのリボンで飾った麦わら帽子です。髪を盛り上げている女性が多いため、縦長になっています。

③モーニングハット(Mourning hat):葬儀のときにかぶる帽子です。礼装の一種なので、麦わらなどではなく、布製です。この絵の帽子はちりめんで作られています。

④コックスコーム(Cockscomb):鶏のトサカのような形に絹織物を仕立てた頭飾りです。

⑥スイスキャップ(Swiss cap):小さな女の子のかぶる帽子で、紐で顎の下でくくって飛ばないようにしています。

⑤トップハット(Top hat):男性と同じく、女性もトップハットを乗馬用帽子として使いました。

⑦サンハット(Sun hat):髪を高く結わない子供がかぶる麦わら帽子で、浅いものです。

⑧ドレスキャップ(Dress cap):スイスキャップがそのまま大人用になったもので、おしゃれではなくおとなしめな感じです。

059

ヴィクトリア朝の下着

時代 19世紀後半～20世紀初頭

場所 イギリスから全ヨーロッパへ

19世紀、女性の腰は細いほどよいとされました。そのため、ヴィクトリア朝の女性を美しく描写するためには、現代では信じられないほど細い腰に描く必要があります。そして、その細い腰を実現するためには、とんでもない下着が必要だったのです。

腰を細くするための努力

ヴィクトリア朝の時代には、再びコルセットが流行します。上流階級の女性は、一切労働を行わず、夫を家庭で癒すことが役目とされていました。

そして女性の姿は、胸は大きく前に出て、ウエストは細く、ヒップは後ろに大きいというものが好まれました。その姿を横から見た形から、**Sシェイプ**といいます。当時の理想的なウエストは、17インチ（43cm）だとされます（ただし、ギネスに載っている世界で最もウエストの細い女性が18インチ〈46cm〉なので、あくまで理想です）。このようなSシェイプを演出するためにはコルセットが必須でした。

娼婦もコルセットを着けており、商売のときも外しませんでした。その代わり、彼女たちのコルセットは、上下が短いもので、胸を覆いません（男性が触れられるように）。

コルセットは、その構成からしてそうそう洗濯することができません。このため、まず肌着としてシュミーズを着て、その上にコルセットを付け、その上にコルセットカバーを着ます。こうすることで、身体の垢も、外からの汚れも直接付かないので、コルセットの洗濯を滅多にしなくてよくなります。

スカートを広げるクリノリンやバッスルも、シュミーズの上に付けることで、汚れを防ぎました。

①シュミーズ（Chemise）：肌の上に直接着る下着です。襟が広く開いていて、首の周りを開けてあるドレスを着られるようになっています。

②シュミーズ：このシュミーズは、胸の周りと、裾に飾りがありますが、他は布1枚です。一般的に、胸の周りは布を寄せて襞にしてあります。

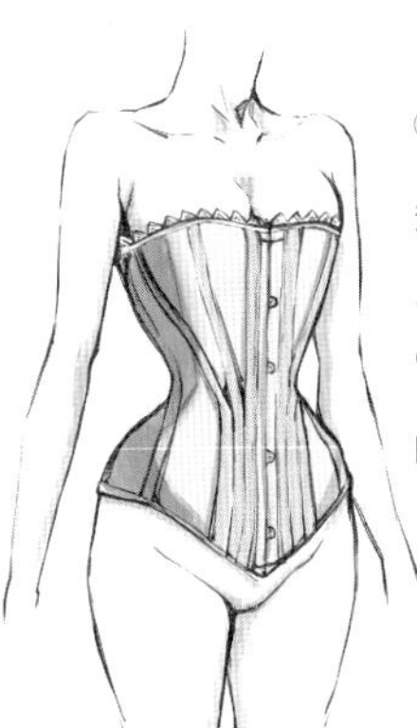

③コルセット(Corset):シュミーズの上に着る下着です。思いっきり胴を締め上げて、ウエストを細くする役目があります。当時の女性は、コルセットを締めているので、腰を抱くと固かったりします。

④コルセット:少ないですが、このコルセットのように肩紐のあるタイプもあります。コルセットのシルエットは通常の人間としては不自然ですが、当時の女性は、不自然なほどにウエストを締め上げていたのです。

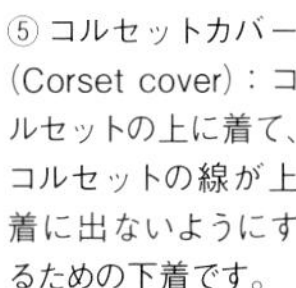

⑤コルセットカバー(Corset cover):コルセットの上に着て、コルセットの線が上着に出ないようにするための下着です。

⑥コルセットカバー:首回りが大きく開いている服を着るときのために、首回りの開いたタイプのコルセットカバーもありました。

⑦クリノリン(Crinoline):スカートの下に付けて、スカートを釣り鐘形にふくらませるための型枠で、鯨のひげや針金で作られました(「ヴィクトリア朝の上流女性」039 参照)。

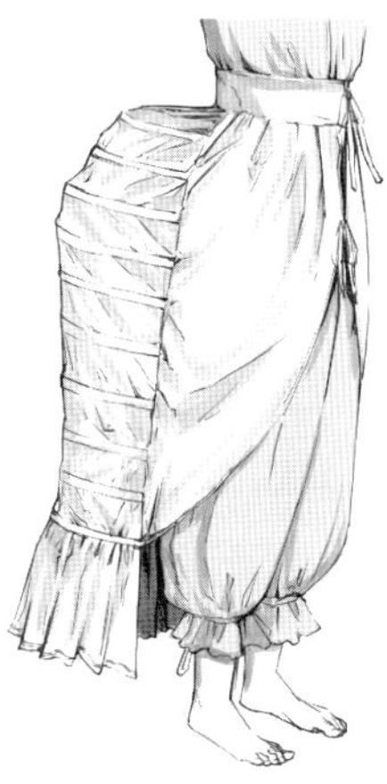

⑧バッスル(Bustle):スカートの下に付けて、ヒップラインを持ち上げて、女性の胴体をS字に見せるための下着です(「ヴィクトリア朝の上流女性」039 参照)。

060

ヴィクトリア朝の靴

時代　19世紀後半〜20世紀初頭

場所　イギリスから全ヨーロッパへ

この時代になると、現代の革靴はほとんど登場しています。ただ、スニーカーを履かせると、一気に現代風になってしまうので注意してください。

革靴の完成

ヴィクトリア朝時代には、もはや革靴製造の方法はほとんど発明されており、現代と遜色ない革靴が作られています。

男性は、基本的に公式の場に出る場合、紐のある革靴です（オペラパンプスのような例外はあります）。ローファーは、カジュアルな靴として使われていました。しかし、女性の靴にはそのようなルールはなく、様々なバリエーションのある靴を履くことができます。

ただし、この時代にはまだ存在しない靴が2つだけあります。

一つは、スニーカーです。上がキャンバス地でラバーソールの運動靴は、ヴィクトリア朝末期には発明されています。当時盛んだったボート競技のために発明されたのです。水に濡れる船上で、革靴はすぐ傷みますし、革底は滑って危険です。しかし、それらが日常の靴になるのは、20世紀になってからのことです。いわゆるコンバースのオールスターが発売されたのが、1917年のことです。そして、運動のためではなく日常的に使用されるようになったのは、1950年代になってからのことです。

もう一つ存在しなかった靴がハイヒールです。もちろん、かかとの高い靴は遥か昔からありました。しかし、現代のハイヒールのように、前は地面に付いており、かかとが細くて高い靴が作られるようになったのは、20世紀になってからのことです。

特に、ヴィクトリア朝時代には、かかとの高すぎる靴が流行りません。ただし、ローヒールといっても、少し高めのローヒールは、おしゃれ用として使われています。

正装のときには、女性の靴には明確なルールがありませんでしたが、男性の靴にははっきりしたルールがあります。

テイルコート、タキシードの場合、オペラパンプスを履きます。モーニングの場合は、ストレートチップオックスフォードシューズを履きます。ただ、現在ではオペラパンプスはほとんど履かれなくなっており、オックスフォードが主流です。

① オペラパンプス（Opera pumps）：コートシューズ（Court shoes）ともいいます。黒のエナメルの、男性の正装用靴です。テイルコートやタキシードに合わせて履きます。ただし、20世紀後半になると、あまり使われなくなります。

②ストレートチップオックスフォードシューズ（Straight tip Oxford shoes）：つま先の革部分に横1本の線が入った革靴で、紐で締めます。男性の正装用で、モーニングに合わせて履きます。20世紀後半になると、テイルコートやタキシードでも、こちらを履くことが多くなっています。

③ハンティングシューズ（Hunting shoes）：紳士の趣味の一つとして狩猟があります。この靴は、狩猟のときに履く靴で、くるぶしまであって、水や泥が入りにくくなっています。

④乗馬靴（Riding boots）：乗馬は、上流階級のたしなみです。紳士なら、乗馬靴の一つくらい持っているのは当然でした。

⑤ドレスブーツ（Dress boots）：男性用のショートブーツで、フォーマルな革靴と同じ形で、くるぶしまで覆う靴のことです。公式の場に出ることもでき、また乗馬にも使え、車の運転のときにもよいと、万能に使えました。

⑥ルイヒールブーツ（Louis heels boots）：18世紀には男性用でしたが、この時代には女性靴に使われるヒールです。ルイヒールは、中程がくびれている、曲線にかたどられた優美なヒールです。まだピンヒール（かかとの先の細く尖ったハイヒール）はありませんが、ヴィクトリア朝時代は、少しずつヒールが高くなっていきます。

⑦オペラスリッパ（Opera slippers）：現在のパンプスの先祖に当たる靴です。18世紀には男性用の靴でしたが、ヴィクトリア朝では女性用の靴となっています。

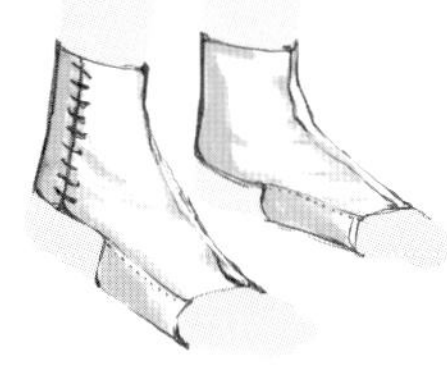

⑧ゲートル（Gaiter）：ゲートルとは、脛もしくは膝までの脚に巻く衣類です。これは、女性用の足首を他人の目に触れさせないためのゲートルです。

⑨イブニングスリッパ（Evening slippers）：女性用の夜の正装に合わせる靴です。現代でも使われているようなローヒールのパンプスは、19世紀に登場します。

⑩乗馬靴：女性用の乗馬靴です。ヴィクトリア朝時代、女性も乗馬を行います。しかし、男性用に比べて飾りが付いていたりと、装飾性のあるブーツになっています。

061

ヴィクトリア朝のアクセサリー

時代　19世紀後半～20世紀初頭

場所　イギリスから全ヨーロッパへ

英国紳士の持ち物といえば、傘とステッキです。このため、傘やステッキを持つことで、その人が紳士であるという演出ができます。

紳士淑女のたしなみ

ヴィクトリア朝の紳士淑女の持ち歩く小物類は、現代とは微妙に違います。デザインが異なるものだったり、そもそも現代では使われなくなったものもあります。しかし、彼らにとって、それらを持ち歩くことは非常に重要なステータスでした。

特に、ステッキと傘は、英国紳士のたしなみです。ステッキは、剣を持ち歩かなくなった英国紳士が、剣の代わりの武器として持ち歩いたのが始まりともいわれます。またイギリスに雨が多かったためもあって、ステッキは傘に持ち替えられることが多くなります。

しかし、腕っ節に自信のある人は、ステッキ術（Stick fighting）も選択肢の内に入ります。ステッキ術では、ステッキ同士で戦っている場合などを除いて、ステッキをレイピアのように突く武器として使用します。ステッキは、籐（とう）など硬い植物で作ってあることが多く、石畳にぶつかったり、ナイフと斬り合えば、壊れてしまうからです。当時を扱った映画などでは、ステッキで戦っているシーンをよく見かけます。

また、ステッキは、握りの形によって、いくつかに分類されます。

男性は傘ですが、女性が日傘なのは、上流階級の女性はそもそも雨の日に外出しないし、外出したとしても馬車で玄関から玄関まで送ってもらえるからです。女性が外を歩くのは、晴れた日の散歩くらいなので、日傘があれば十分なのです。

表1 ヴィクトリア朝で普通に使われていた道具類

道具	解説
ベルト	ベルトは中下層階級の使うもので、紳士はサスペンダーを使う。
ハンカチ	普通に使われている。高級なハンカチは、縁がレースになっている。
靴下	紳士の靴下（ホーズ）は、膝まであった。現在のような足首のちょっと上までしかない靴下は、ハーフ・ホーズという。
イヤリング	イヤリングはあったが、ピアスはなかった。
櫛	現代と同じ、歯のたくさん並んだ櫛が使われていた。
パフ	現在のような、ファンデーション入れに入る小さなものではなく、大きくて柄が付いていた。

①傘（Umbrella）：ヴィクトリア朝初期の傘は、フレームが木製もしくは鯨のひげで作られていました。しかし、それらは高価で、金持ちの紳士くらいしか持てませんでした。しかし、1852年に鉄のフレームが発明され、だんだんと鉄製フレームの傘に置き換わっていきました。

②日傘（Parasol）：主に女性の使う、太陽を遮るための傘です。雨の日には使わないので、傘布にレースを飾ったりと装飾性が高いものです。

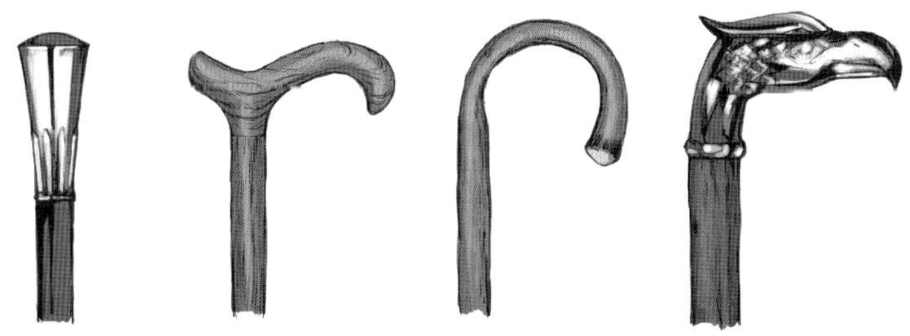

③ステッキ（Stick）と握り（Handle）：ステッキは、堅い木で作られます。その握りは様々ですが、代表的なものとして、左から「トップハット（Top hat）」「ダービー（Derby）」「ツーリスト（Tourist）」「アニマルヘッド（Animal head）」などがあります。

④パイプ（Pipe）：イメージとは異なり、パイプは庶民のタバコです。紙巻きタバコ（現在のタバコと同様に紙で巻いたタバコ）や嗅ぎタバコ（細かなタバコ粉末を鼻から吸入するもの）のような、加工に手間のかかる高価なタバコを上流階級は好みました。

⑤タバコ入れ（Cigarette case）：紙巻きタバコを入れておくケースです。紳士は、売っているタバコの箱そのままで持ち歩くなどという不作法はしません。

⑥嗅ぎタバコ入れ（Snuff box）：嗅ぎタバコを入れておく小さなケースです。上流階級のタバコ愛好家の中には、この嗅ぎタバコ入れに、宝石を付けたり細かな象嵌を施したりして、美術品のようなタバコ入れを持ち歩く者もいました。

⑦懐中時計（Pocket watch）：ヴィクトリア朝時代は、まだ腕時計がほとんど普及していません。腕時計が普及するのは20世紀になってからです。このため、紳士は懐中時計をベストのポケットに入れて、チェーンをベストのボタンホールに留めて使いました。

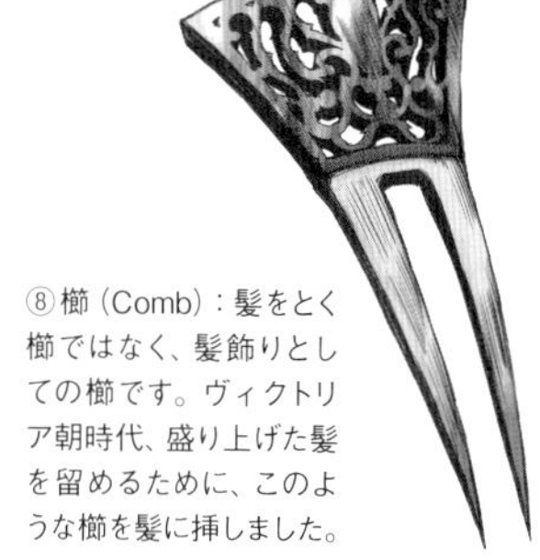

⑧櫛（Comb）：髪をとく櫛ではなく、髪飾りとしての櫛です。ヴィクトリア朝時代、盛り上げた髪を留めるために、このような櫛を髪に挿しました。

⑨ハンドバッグ（Hand bag）：現代では古典的な四角い革のハンドバッグがおしゃれでした。持ち手の部分は、木などの型に革を巻いて作ったもので、固くて変形しません。

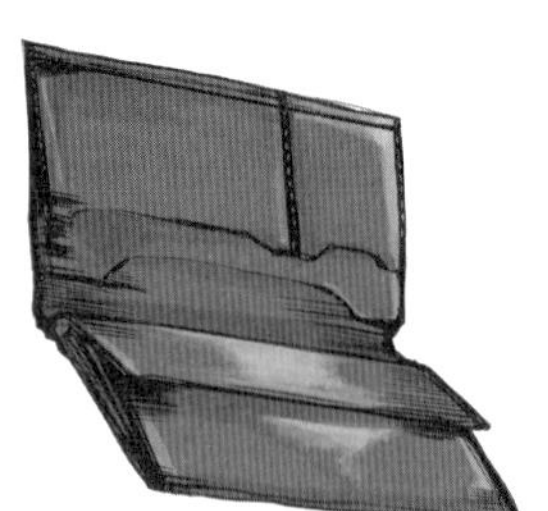

⑩財布（Pocket book）：男性用の長財布（お札を折らないで入れておける長い財布）です。こちらは、現代の長財布とあまり変化がありませんが、クレジットカードを入れる部分はありません。

⑪財布：女性用の財布です。この当時の財布はバッグに入れるもので、ポケットには入れませんので、大きくてごつい革製です。

第3章

日本の公家

平安から明治の時代

長く変わらなかった公家の装束

062

長く変わらなかった公家の装束

Immovable noble costume

公家のための儀礼の服

奈良時代から平安時代前期の公家の服装は、中国の官服に倣ったものでした。しかし、遣唐使を取りやめ国風文化の流行と共に、公家の服装も変化していきます。そして、現在まで残る衣冠束帯(いかんそくたい)などの正装が定められたのは、平安時代後期のことです。

ここで定められた儀式や服装、その他の様々な規定を、**有職故実**(ゆうそくこじつ)といいます。その中で武家の有職故実を**武官故実**(ぶかんこじつ)といいますが、公家に比べて格下のものだったので武士の台頭により一旦衰えます。鎌倉時代以降になって、武士が権力を握るようになると、**武家故実**(ぶけこじつ)として結実します。有職故実は、公家故実も武家故実も、非常に複雑で細かい規定が多いので、これらを専門に司る家系が存在します。

日本には、ずっと天皇家を最高位とした、権威と地位の序列が存在してきました。鎌倉時代以降に権力を握った武士も、天皇家や公家を排除しようとはせず、その権威を自らの支配に利用し、天皇家や公家に権力は持たせないものの地位だけは高く保たせていました。このため、平安時代の儀式や儀礼も、形骸化はしたものの有職故実としてそのまま残りました。そして、そのときに使われる公家たちの正装も、ずっと使い続けられました。

公家の服装は平安時代に定まり、基本的には変化がありません。鎌倉・室町時代になると、だんだん簡略化していきますが、それでも服装の基本ルールが変化したわけではありません。しかし、さすがに戦国時代になると戦乱のせいで公家が没落して貧乏になってしまい、衣装が省略されます。

江戸時代になり平和になって、再び天皇家や公家の権威が必要とされる時代が来ると、過去の大袈裟な衣装が思い出されて、再び使用されるようになります。特に、大きな公式行事などでは、数百年も前の正装の規定が、そのまま使われていたりします。

ただし、公家とはいえ、江戸時代くらいになると、普段はかなり簡略化された服装になっています。

儀礼の服として残った

公家の服装は、儀礼の服装、神事の服装として残ることになりました。あまりにも大袈裟なために儀礼でしか使われない服装になりましたが、逆に伝統儀礼というのは故事来歴を頑なに踏襲するものです。そのため、儀礼専用の服装は、平安時代から続く公家の服装が、そのまま利用されてきたのです。

明治になってさえ、大嘗祭などの重要な天皇家の儀式では、平安時代から続く公家の装束に準ずる服装を着ます。そして、それは現代でも変わりません。それ以外に現在でも、公家の服を使うのは、神道の神官や能楽師、相撲の行司など特殊な職業の人々だけです。

公家の服は、公家および特殊な職業だけの服にとどまり、武家や庶民に広まることはありませんでした。

絹はやはり高価

日本では、先史時代から絹織物が生産されていたので、**絹**を使った衣服は、ヨーロッパに比べれば一般的でした。しかし、中国産の絹のほうが良質だったので、輸入物の絹織物は、貴族や上級武家の間で珍重されました。

このような輸入物の絹は高価なため、貴族や上級武士などしか使うことができません。日本産の絹は、比較的安価な服や真綿（まわた）（絹で作ったわた）などに使われていました。もちろん、そのような日本産ですら、一般庶民には高嶺の花です。

綿は、戦国時代以前の日本では栽培されておらず、輸入物の綿織物は高級品でした。しかし、戦国時代末期に国内での栽培に成功し、一気に綿織物が普及します。そして、江戸時代になると、大坂などを中心に大々的に栽培されるようになり、一般庶民でも買える安価な布地になりました。

江戸時代以前の庶民が最も使用した繊維は、**麻**です。日本では、麻は少なくとも先史時代から栽培されており、1年ですくすく伸びるので繊維を取るのがかんたんでした。また、できた布は綿の数倍の強度を持ち大変丈夫です。このため、貧乏な庶民のための繊維として、長く地位を保ちました。

063

公家男性の最正装（束帯）

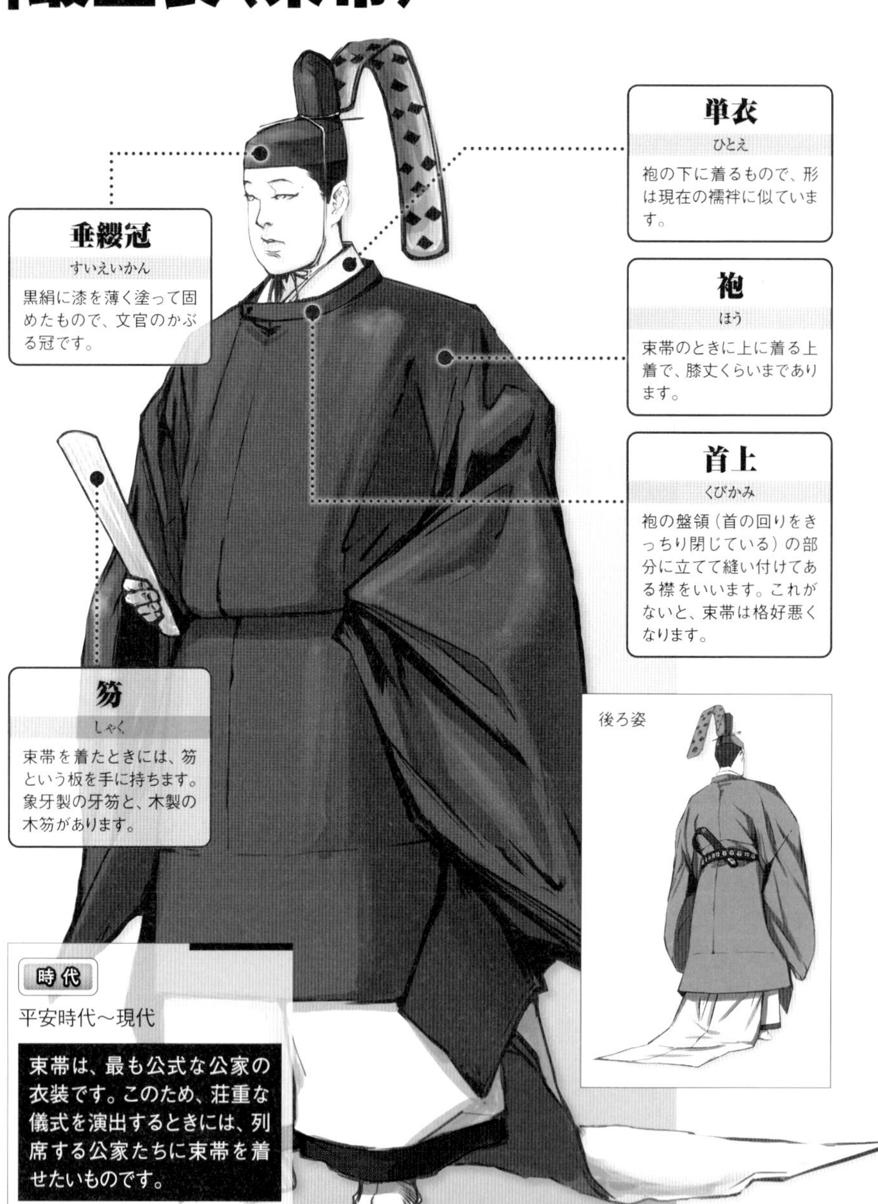

時代

平安時代～現代

束帯は、最も公式な公家の衣装です。このため、荘重な儀式を演出するときには、列席する公家たちに束帯を着せたいものです。

荘重だが重々しすぎる束帯

公家の装束は、平安時代に定められ現代まで使われている大変歴史ある装束です。とはいえ、平安から現代までまったく変化がなかったわけではありません。応仁の乱から戦国時代にかけて、朝廷の権威の衰亡によって典礼（朝廷の行う儀礼や儀式）が大きな打撃を受け、装束のルールなども一時期忘れられてしまいます。しかし、江戸時代になると、往事の有職故実（儀式や制度、およびそれらを行うときの動作や衣装などの決まり）を復興させようと研究が進み、平安時代の装束をかなり再現できました。現在、有職故実といわれているものは、ほとんどが江戸時代に再興されたものです。このため、平安から江戸時代まで、あまり変化がないように見えます。ただし、明治以前は朝廷で着る人も存在した束帯ですが、現在では即位大礼とご成婚くらいにしか使われることはありません。

公家の衣装には、ランクがあります。最上位から、束帯、衣冠（「公家男性の正装」064）、直衣（「公家男性の普段着」065）、狩衣（「下級公家男性の仕事着」066）です。ランクが下がるにつれて、衣装は簡素になっていきます。

束帯は平安時代に決まった貴族の公式服で、その基本は、冠、袍、袴、石帯です。しかし、あまりにも着るものが多くて大変な束帯は、だんだんと着られなくなっていきます。とはいえ、現代でも儀式のときなどには、束帯が用いられています。

冠は、垂纓冠（図1）と呼ばれるものです。水に弱く、雨に濡れると簡単に型くずれしてしまったと、『枕草子』にもあります。鎌倉時代以降になると、漆を厚く塗るようになったので、型くずれしなくなりました。

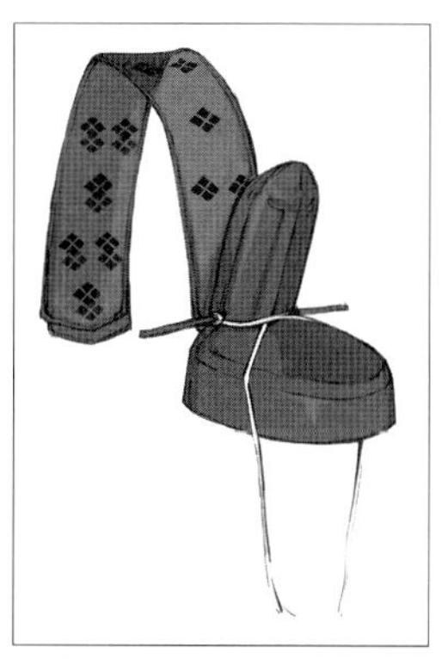

図1 垂纓冠

衣服は、まず単衣（上半身だけの着物で下着に使う、図2）を着て、大口袴（紅色の絹織物で作る、図3）と表袴（元々は白だが、大口袴を省略して着るようになると、裏地を紅にして少し見えるように縫った、図4）をはきます。さらに、下襲（図5）を着て、長い裾（図6）を腰にくくりつけて後ろに引きずります。こうしたあとに、よ

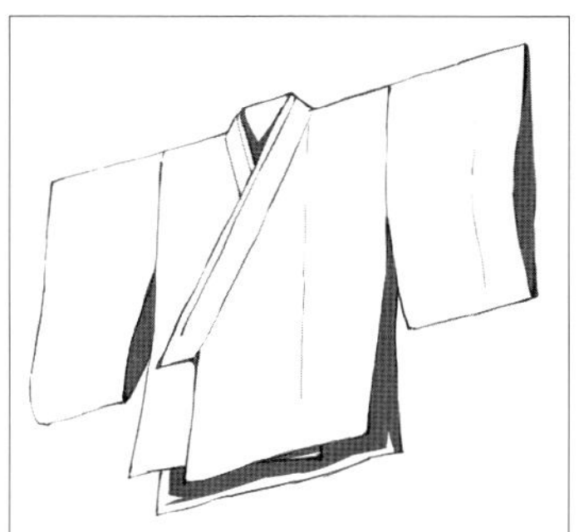

図2 単衣

図3 大口袴

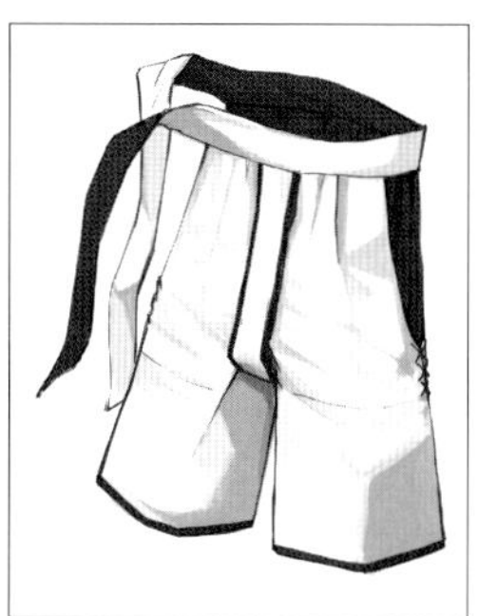

図4 表袴

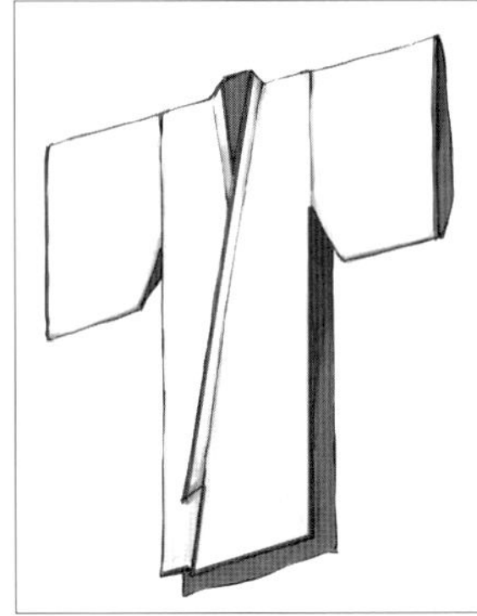

図5 下襲

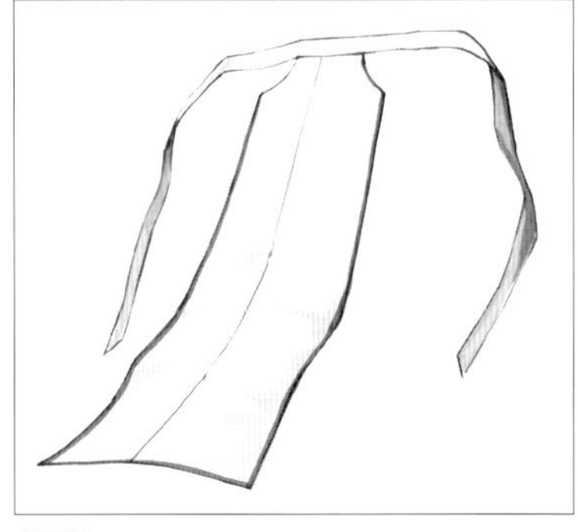

図6 裾

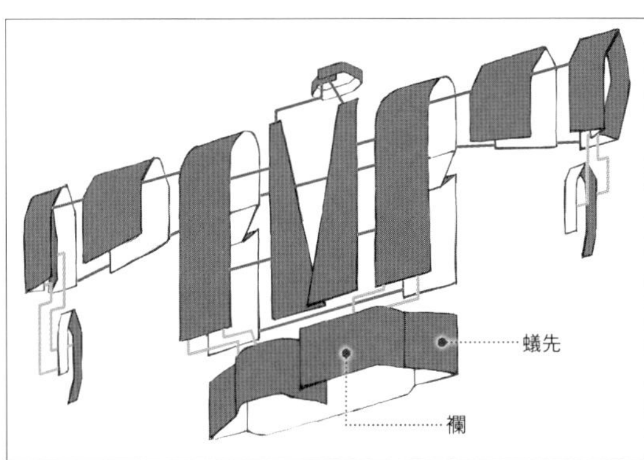

図7 袍の分解図

図8 袍の背中側

うやく袍を着ます。

袍は、反物を、図7のように縫い合わせて作成します。このため、基本的には反物は縦に使われますが、袍の襴（らん）と呼ばれる部分だけは反物が横に使われます。布の模様も他の部分と違ってきますので、注意が必要です。また、襴は、足の動きを阻害しないように、蟻先という遊びを左右に作ります。

袍の襟は、襟紙（えりがみ）という丸くて細長い芯を入れた筒状の襟になっています。紙の芯が入っているので、洗濯などはできません（現代では、洗濯できる芯を入れています）。

袍は大きめに作られているので、長すぎる場合、着物と同じように短く折って着ます。図8のように、背中側には、格袋（かくぶくろ）というへこみが作られており、そこに長すぎる部分を折り込んで長さを調整します。

公式な服である袍は、その位によって、色も定められていました。表1は、摂関時代以降、現在までのルールです。特に、天皇の黄櫨染（こうろぜん）と東宮の黄丹（おうだん）は、禁色（使ってはいけない色）であり、他の人が使うと罰せられました。ただし例外があり、大嘗祭の儀式を行う六位の官は、古式に則り柚葉色（濃い黒みを帯びた緑）の袍を着ます。また、検非違使や弾正台といった法を取り締まる五位の官人は律令通りの浅緋色を着ます。

表1 袍の色

位	色
天皇	黄櫨染（黄土色に近い）
東宮	黄丹（橙色に近い）
親王、王一〜五位	黒色
臣下一〜四位	
臣下五位	深緋色
臣下それ以下	深縹（濃い藍色）
無位	黄色

袍の上には、**石帯**（図9）というベルトを締めます（メインイラストでも着けていますが前からは見えていません）。本帯と呼ばれる部分に、10個の石が付いているので、石帯と呼ばれます。図9で斜めで石の付いてない部分は、上手といって、石帯を締めた後で、丸めて帯と背中の間に差し込んでおきます（メインイラストの後ろ姿）。

石にもルールがあって、公卿（三位以上の貴族）は、公事のときには巡方（四角形）の石を10個並べた石帯を使い、私事のときには丸鞆（丸形）の石を10個並べた石帯を使います。四位以下は、常に丸鞆が10個です。しかし、後になると、公卿用には、図9のように丸鞆を6個中央に並べ、端に2個ずつ巡方を並べて、公私ともに使える通用帯が作られました。

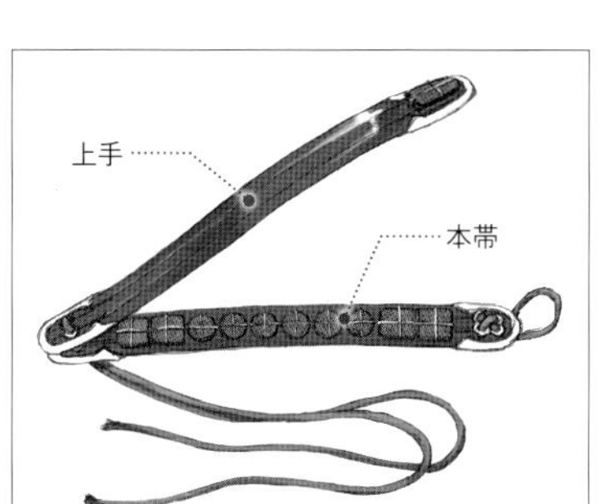

図9 石帯

石の材質は、公卿以上は白玉、五位以上は瑪瑙（石英の一種で、美しい縞模様がある鉱物）・鼈甲（ウミガメの甲羅）・斑犀（サイの角だが、実際には牛の角で代用された）・紫檀、地下（六位以下）は黒く塗った牛角とされますが、時代によって変化します。

ちなみに、裾が長いと屋外では引きずってしまいます。このため、屋外では、裾を石帯にはさんで持ち上げていました。

足には**襪**（図10）という絹の靴下（足袋の原型とされるが、足先が分かれていない点が異なる）を、靴下代わりに履いています。そして、外に出るときは、その上に**鞾**（図11）という和靴を履きます。

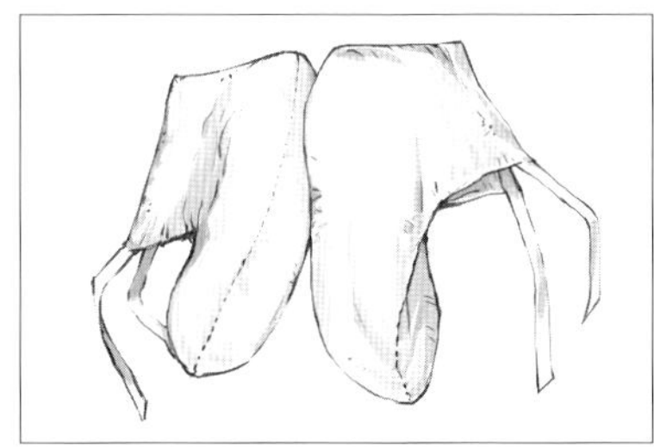
図10 襪

図11 鞾

064

公家男性の正装(衣冠)

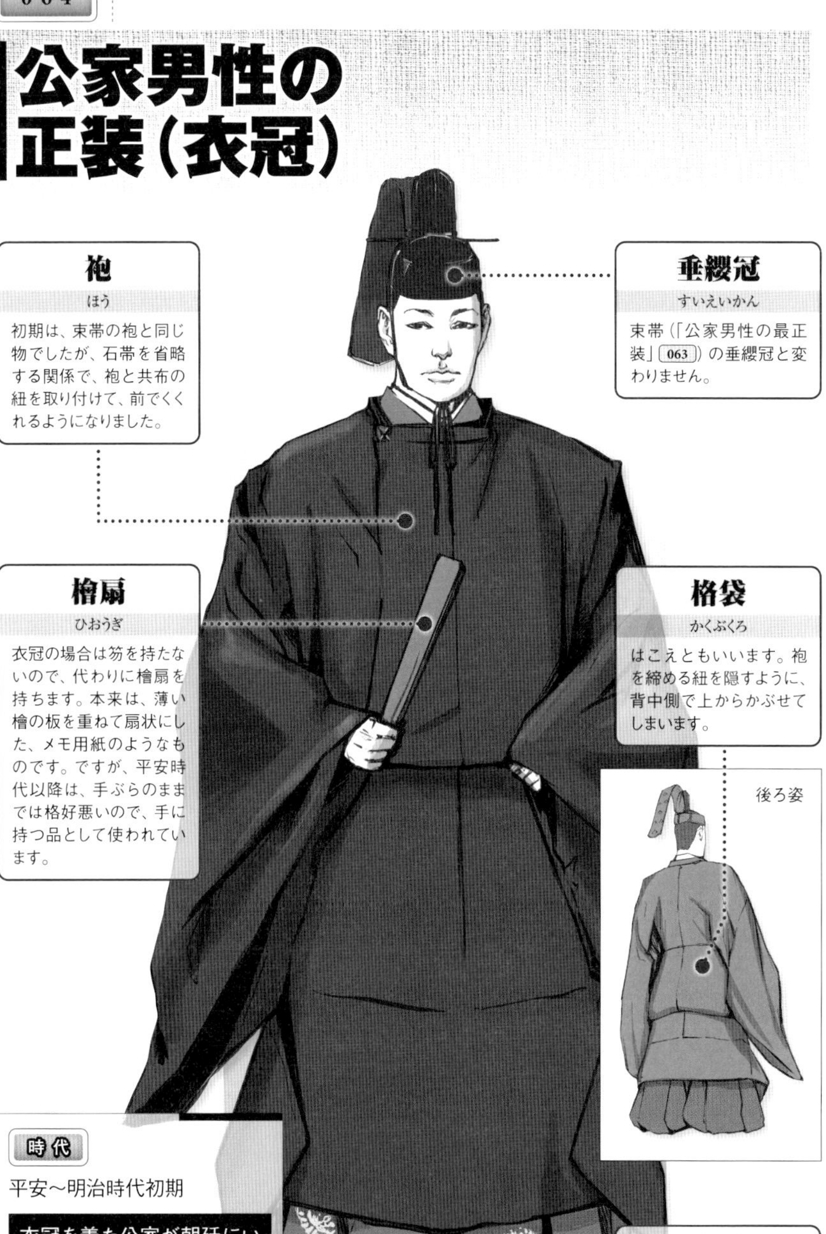

袍
ほう
初期は、束帯の袍と同じ物でしたが、石帯を省略する関係で、袍と共布の紐を取り付けて、前でくくれるようになりました。

垂纓冠
すいえいかん
束帯(「公家男性の最正装」063)の垂纓冠と変わりません。

檜扇
ひおうぎ
衣冠の場合は笏を持たないので、代わりに檜扇を持ちます。本来は、薄い檜の板を重ねて扇状にした、メモ用紙のようなものです。ですが、平安時代以降は、手ぶらのままでは格好悪いので、手に持つ品として使われています。

格袋
かくぶくろ
はこえともいいます。袍を締める紐を隠すように、背中側で上からかぶせてしまいます。

時代
平安〜明治時代初期

衣冠を着た公家が朝廷にいるなら、それは鎌倉時代(13世紀)以降のことだとわかります。場所と衣装によって、時代がわかるのです。

指貫
さしぬき
ズボンのように二股に分かれ、足首までの長さなので動きやすい袴です。

最初は宿直用だった衣冠

束帯は参内する（宮廷に参上する）ときの正式な装束ですが、あまりにも窮屈なために、特に宿直（宮廷に泊まり込む役目）のときなど大変です。このため、宿直装束として、**衣冠**という束帯を簡略化した衣装が作られました。これが、鎌倉時代には参内の服装としても認められるようになります。

衣冠の構成は、冠、袍、指貫です。そして、束帯の中に着ている下着類を大幅に省略しているので、動きやすくなっています。衣冠と束帯の差は、使っている服の違いも多少ありますが、着方の違いや省略の差のほうが大きいのです。

冠は、束帯と同じ垂纓冠です。

袍は、石帯を使わない代わりに、小紐という腰でくくる紐が付いています。また、背中側の格袋の使い方が、束帯と衣冠とでは違います。衣冠では、格袋を引き出して、お端折り部分を覆い隠します（図1）。

参内の服装となった衣冠は、位によって袍の色を束帯と同じにすることが定められます。

指貫とは、別名奴袴とも呼ばれる、二股になっていて動きやすい袴です。袴の前腰、後腰それぞれについている紐は、前腰の紐は後ろで、後腰の紐は前でくくります。外からは見えませんが、足下はくくってあって、動きやすくなっています。くくり方には、くるぶしにくくる下括り、膝下でくくる上括り、裾を紐で引っ張り上げて腰にくくる引上式があります（図2）。下括りがもっとも古式で、平安時代はこちらだったとされます。近代には、引上式が流行しました。

図1 袍の背中側

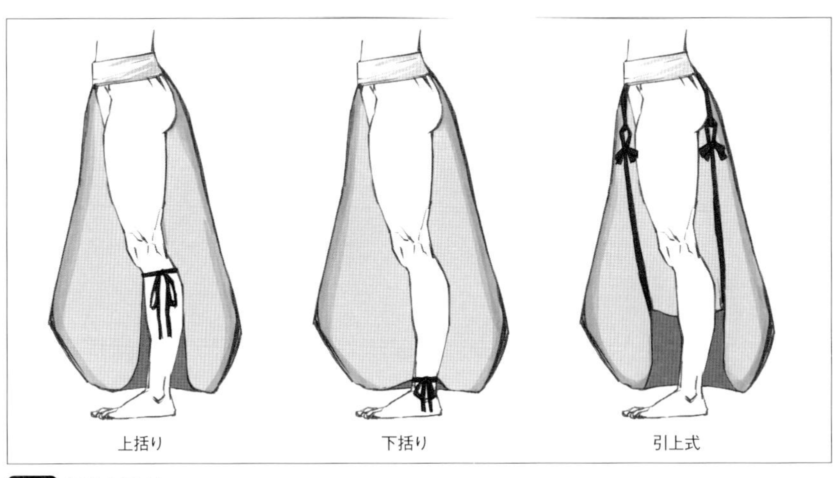

図2 指貫の括り方

065

公家男性の普段着（直衣）

烏帽子
えぼし

冠のような正式な装束ではなく、貴族の普段着としてかぶられたものです。平安時代の烏帽子は軽いので、烏帽子の内側に付いている紐で髻（頭の上で髪を束ねたもの。後に髷へと変化した）に結びつけただけでしたが、後に重くなると紐で顎にくくるようになりました。

蝙蝠扇
かわほり

直衣や狩衣を着たときに手に持った扇です。現代の扇子と構造は同じですが、骨が5本くらいと少なく、紙は片面しか張っていません。

出衣
いだしぎぬ

下着の単衣を、袍の下からちらりと見えるように着ます。この着方を出衣といいます。わざと下着を見せる、しゃれた着方として流行しました。

指貫
さしぬき

衣冠と同じ指貫を着ています。当時の公家の袴の中で、指貫が最も歩きやすいのです。

時代

平安〜江戸時代

公家の普段着ですが、だからこそ華やかであり、力ある公家の権勢を見せつけるものです。主人公的キャラか、主人公のライバル的美形などに着せて参内させると、絵的にきれいです。

着ている人のセンスが問われる直衣

直衣は、公家の普段着として使われた衣装です。

直衣も束帯と同じように袍を着ますが、束帯の袍が位によって色が定められていることから**位袍**と呼ばれるのに対し、色の規定のない直衣の袍は**雑袍**と呼ばれます。

普段着なので、本来は参内などの公的な場では着てはならない衣装ですが、「雑袍宣旨」という天皇の勅許があれば、直衣での参内も許されました。つまり、私服で天皇と会えるエリートのみが、直衣で参内できるのです。

直衣は、烏帽子、袍、指貫の構成で、頭以外の形は衣冠と変わりません。もちろん、袍の下には下着として、単衣を着ています。

直衣には、束帯や参内用の衣冠のような、色のルールはありません。そのため、袍に華やかな色や模様の生地を使うことが可能でした。地味な黒の束帯・衣冠姿が並ぶ中で、鮮やかな色の直衣を着た公卿は、いかにも目立ち、きらびやかに見えるはずです。『源氏物語』の主役である光源氏も、このような姿で朝廷に現れたのです。彼が、派手で格好良く見えて、もてるのも当然といえるでしょう。

頭は、立烏帽子です。烏帽子は、初期には薄絹で作りましたが、平安時代以降は紙に漆を塗って作りました。現代では、紐を顎にかけて固定することもありますが、本来は頭の髷にくくりつけるもので、紐は外から見えません。

直衣で参内する場合、さすがに頭は冠をかぶります。この状態を、**冠直衣**といいます。衣冠との違いは、冠直衣は色鮮やかな雑袍を、衣冠は地味な位袍を着ていることです。

現代では、儀礼のための服ではなく、かといって日常着るには不便すぎる直衣は、ほとんど使われていません。天皇が、ランクの低い一部の儀式で着るくらいです。

出衣とは、袍の下に着る下着であった単衣を長めにして、人に見せる着方です。単衣は下着ですから、本来は指貫の下に入れるべきものです。しかし、これを指貫の外に出して、袍の下の端からちらりと見えているのが、おしゃれとされました。もちろん、出衣に使う単衣に高価でセンスのよい布を使って、目立とうとするわけです。現代のシャツの裾出し（タックアウト）と同じような着方で、ちょっとだらしないのが、野性的でかっこいいわけです。

また、直衣ではあるが、多少かしこまって参内する場合、下襲をつけて裾を引きずるという、一部束帯姿を取り入れた衣装にすることもありました。これを、**大君姿**といいます。

表1 直衣の着こなしのバリエーション

名称	冠	上着	単衣	袴	飾り
直衣	烏帽子	雑袍	中入れ	指貫	なし
冠直衣	冠	雑袍	中入れ	指貫	なし
大君姿	冠	雑袍	中入れ	指貫	下襲
出衣	烏帽子	雑袍	外出し	指貫	なし

下級公家男性の仕事着（狩衣）

時代

平安時代～現代

狩衣は、下級貴族の普段着や勤務服によく使われているので、あまり偉くない公家に着せるのに向いています。安倍晴明のような陰陽師に着せるのにもちょうどよいでしょう。

狩猟服からビジネスウェアとなった狩衣

狩衣には、単体の狩衣という服と、狩衣を中心とした着こなしの両方の意味があります。この項では、着こなしのほうは狩衣姿と書いて区別しておきます。

狩衣は、本来はその名の通り、狩猟のためのスポーツウェアです。最初は、麻で作った一般の人々が着る服で、**布衣**と呼ばれていました。これが着やすく動きやすいため、公家の普段着として愛用されるようになりました。貴族が着るようになって、麻だけではなく絹の狩衣なども作られるようになります。

また、だんだんと公事にも使用できるようになり、官吏の勤務服にも用いられるようになりました。ただ、参内のときには、さすがに狩衣姿は許されません。もしも、狩衣姿で昇殿する公卿が現れたならば、それは着替えの時間もないほど一刻を争う国家的緊急事態であるということを意味します。

狩衣姿の構成は、立烏帽子、狩衣、指貫です。立烏帽子と指貫は、直衣と同じです。狩衣の色は、普段着なのでまったくの自由です（ただし、禁色だけは使えません）。また、真っ白の狩衣は、神事に使われました（現在でも、神事によく使われます）。

狩衣の背中の身頃（胴体部分の布）は、袍のように反物を2反並べる（背中の真ん中に縫い目がある）のではなく、1反だけしか使っておらず（1枚の布なので縫い目がない）、狭い物でした。代わりに、袖を後ろ身頃（背中側の布のこと）にだけ縫い付けてあり、他は開いたままです。このため、腕を動かしやすく、弓を射たりするのにも向いていました。

また、袖口には袖括りの緒が通してあり、袖口が邪魔になるときは、絞って縮めることができます。また、帯は**当帯**という共布（同じ反物から切り分けた布）の帯を使い、前でくくりますが、前身頃をたるませてくくった部分は隠してしまいます。

胴体の布（身頃）は、肩の後ろ側で縫われているだけで、他は開いたままです（これを闕腋という）。袖も、身頃に後ろでしかつながっていないので、前から見ると袖と胴体の隙間、脇の下から裾までが開いています。そこから、下に着ている単衣の布地が見えるようになっています。

通常の狩衣よりも短い狩衣もありました。これを**半尻**（図1）といいます。通常の狩衣よりも、さらに動きやすいもので、主に下級の者が着ました。半尻の袖括りの緒は、袖に通す途中でいくつも結び目を作ります。これを、**置括**といいます。通常の緒と違い、引っ張っても袖が一気にすぼまらないのが特徴です。

図1 半尻

067

公家女性の正装（女房装束）

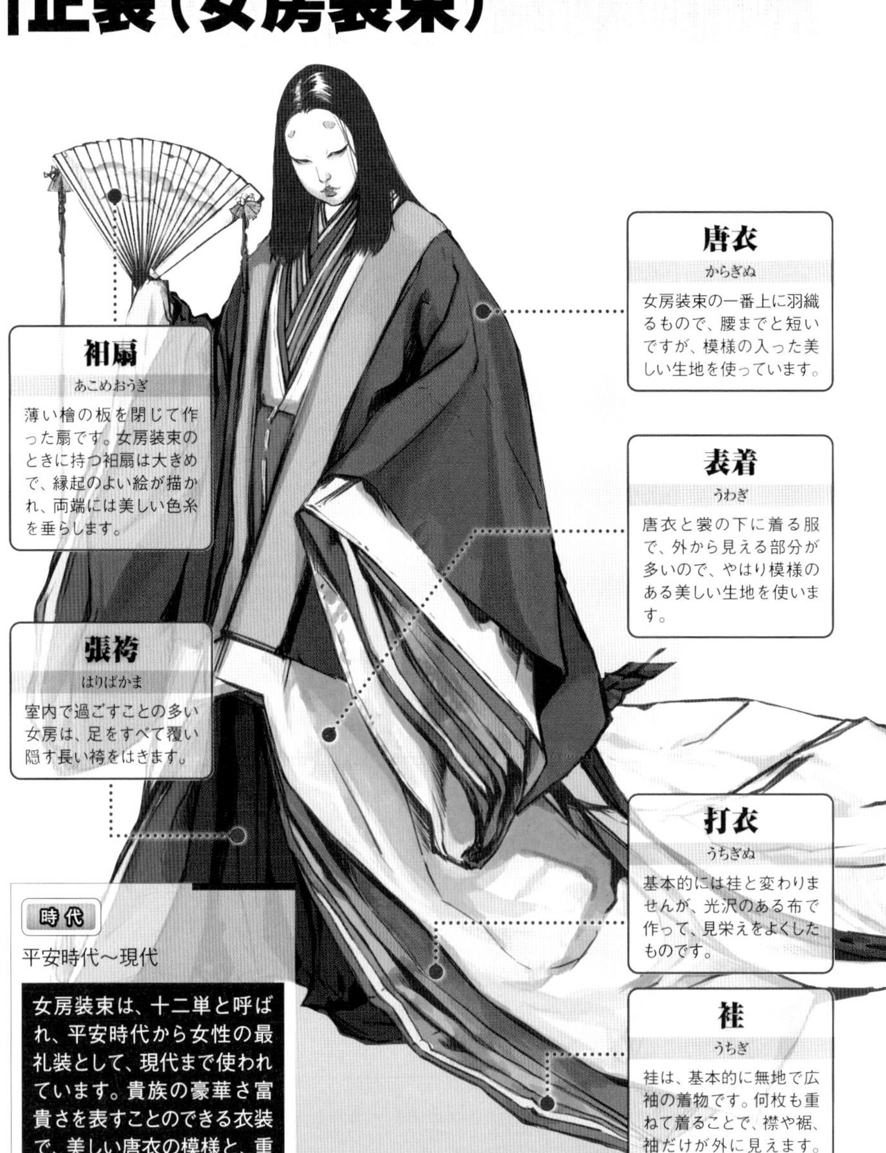

時代

平安時代～現代

女房装束は、十二単と呼ばれ、平安時代から女性の最礼装として、現代まで使われています。貴族の豪華さ富貴さを表すことのできる衣装で、美しい唐衣の模様と、重ね着のグラデーションで、見栄えのある絵になります。

重ね着の魅力

女房装束は、平安時代に確立した朝廷に出仕する女官たちの正装で、多くの袿を重ねる着方です。別名**十二単**ともいいますが、単衣は基本的に1枚で、袿を重ね着します。ただし、12枚と決まっているわけではありません。一部を省略したり、逆に単衣の数を増やして豪華に見せたりと、同じ女房装束でもバリエーションは豊富です。

女房装束に使う衣類は、基本的に絹で作られています。しかし、絹にも生糸（取れたばかりの絹糸で丈夫だが硬い）と練糸（生糸を揉んで柔らかくした細い糸で、現在の絹織物はほぼこちら）があり、手触りなどがかなり違います。生糸で作った生絹はごわごわした生地ですし、練糸で作った練絹は柔らかい手触りです。縦糸が練糸で柔らかく、横糸が生糸で張りが強い、精好という生地もあります。

図1 張袴

女房装束とはいくつもの服の重ね着で、その着る順序は、以下のようになっています。

まず、素肌に小袖（絹の下着）を着て、**張袴**（図1）をはきます。袴の色は紅です。袴には、足が出る切袴と、足が隠れる長袴がありますが、女房装束は長袴を使います。夏場は空気が通りやすいようにごわごわした生絹の袴を、冬場は精好の袴をはきます。

その上に、**単衣**を着ます。単衣は、その名の通り裏地のない服です。裄丈（首のつけねから、袖の先までの長さ）は、一番長く作り、袖や裾からちらりと見えるようにします。

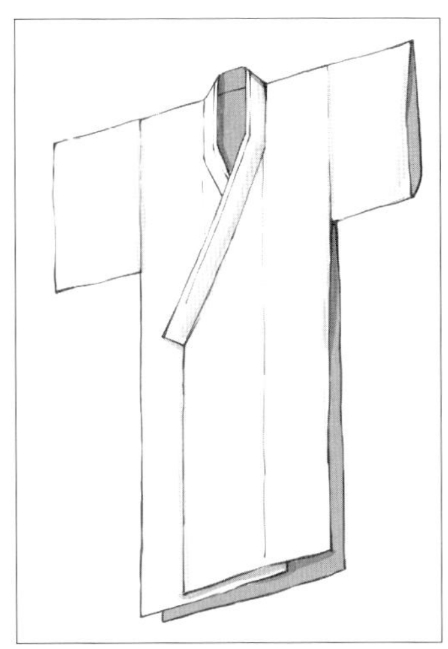
図2 表着

単衣の上には、**袿**（単衣に似た形だが、裏地がある）を何枚も重ねます。5枚が標準（五衣）ですが、もっとたくさん（20枚も着たという記録まである）重ねることも可能です。このとき、襟や袖に袿の重なりが見えるように、外に着るものほど、少しずつ丈は短く、袖幅は狭くなっています。この襟や袖から見える、衣の色の濃淡や対比が、十二単の美しさの基本です。

この色の重ねのルールを**襲色目**と呼びます。同系色で下の衣ほど色が薄く（または濃く）なる「匂い」、同色のグラデーションの「薄様」、わざと色の変化にむらを作った「斑濃」、単衣を重ねて下の生地が透けるのを楽しむ「単重」などのルールがあり、TPOに合わせて着ていました。代表的な色目には、春の薄様の「梅重」や冬場の「櫨紅葉」、祝いごとに使う「紅梅の匂」(『源氏物語』の「玉鬘」の段で紫の上が着ていたことでも有名)などがあります(表1)。

表1 色目の例

襲色目	上着から中への袿の重ね合わせの色の並び
梅重	より淡い紅梅(ほとんど白)、淡紅梅、紅梅、紅、濃蘇芳(黒みを帯びた赤で茶色にも近い)、濃紫
紅梅の匂	より淡い紅梅、淡紅梅、紅梅、紅梅、濃紅梅、青(緑色のこと)
松重	蘇芳(黒みを帯びた赤)、淡蘇芳、萌黄(黄緑)、淡萌黄、より淡い萌黄、紅
紅紅葉	紅、淡朽葉、黄、濃青(濃い緑)、淡青(薄緑)、紅
藤	淡紫、淡紫、より淡い紫、白、白、白
紫の匂	濃い紫、紫、紫、淡い紫、より淡い紫、紅
櫨紅葉	黄色、より淡い朽葉、淡い朽葉(少し赤の入った黄色)、紅、蘇芳、紅
色々	薄色(薄い紫)、萌黄、紅梅、黄、蘇芳、紅
卯花	表地は全部白にして、裏地を白、白、黄、青、淡い青

袿の上には、**打衣**を着ます。光沢のある柔らかな絹で作った着物で、11世紀頃から使われるようになりました。

打衣の上が**表着**です。単衣から表着まで、すべて垂領(襟のところがV字型に開いている)の広袖で同じ形をしていますが、下の着物を見せるために、上の着物ほど袖も丈も少しずつ短くなっていきます。

表着の腰には、**裳**(図3)をくくりつけます。裳は、8反分の布を横につなげた広い幅の布を、襞を作って畳んだものです。両端には、引腰という幅の広い紐を取り付けてあります。引腰は、裳とは別生地で作ります。裳には、単衣・袿・打衣・表着を締める紐の役割があります。高貴な女性の場合、金銀泥(金や銀を膠で溶いて泥状にした顔料)の模様を着けた地摺(地面にまで伸びて引きずる)の裳を使います。

図3 裳

一番上に着るのが、**唐衣**(図4)です。唐衣は丈が短く、せいぜい腰までしかありません。後身頃は裳を見せるために、さらに短くなっています。襟は、まっすぐ降りており、外側に折り返されています。このため、襟の部分は、裏地が見えています（もちろん、見せるための生地を使っています）。

ただし、江戸時代あたりで裳の着方が変わり、現代では唐衣の上に裳をくくるのが正式とされます。

女房装束には、絵扇と襪、鞾がセットです。

絵扇とは、絵が描かれた扇で、特に衵扇と呼ばれる檜扇（木製の扇）が使われます。

襪（図5）とは、靴下のことです。図では、美しい錦の襪ですが、貧乏な公家は、単なる布の襪を使いました。足袋に似ていますが、2枚の布を縫い合わせて作る構造と、指先が分かれていないことの二点が違います。この形では、縫い目が足の裏を通ることになり、あまり履き心地はよくありません。現在の襪は、通常の足袋と同じく底布と2枚の布の3枚で作られています。

鞾は、そのまま革靴です。ただ、現在の靴のように足にぴったりではなく、長靴のようにぶかぶかでした。

女房は、本来は女官の控え室（局）のことですが、すぐに局をもらえる地位の高い女官のことを表す言葉になりました。女房は、実際の家事労働をするのではなく、主人の話し相手となったり、子供の世話をしたりします。時には、字が下手な主人の代筆をしたり、和歌が苦手な主人の代わりに恋の和歌を作ったりもします（当時の男女は、和歌をやりとりして結婚相手を探した）。かなり高い教養を必要とする仕事なので、主として中級公家の娘が就きます。

有名な女房には、一条天皇の中宮定子に仕えた清少納言、同じく一条天皇の中宮彰子に仕えた紫式部や赤染衛門などがいます。

時には、主人の愛人となる女房もいて、正妻の女房が主人の愛人になってしまい、大変緊張した関係になってしまうことすらあったようです。

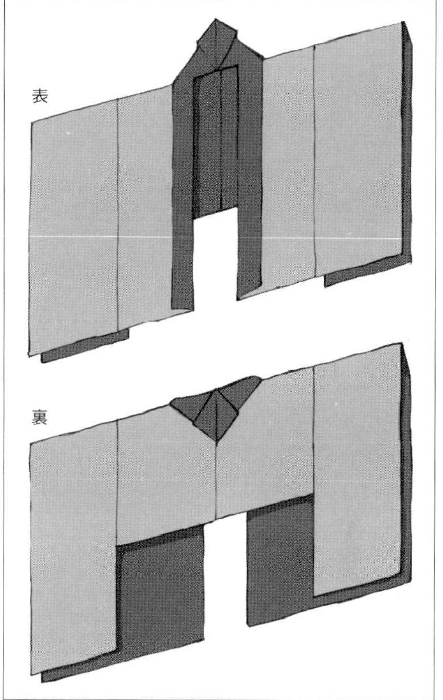

図4 唐衣

図5 襪

068

公家女性の普段着（小袿）

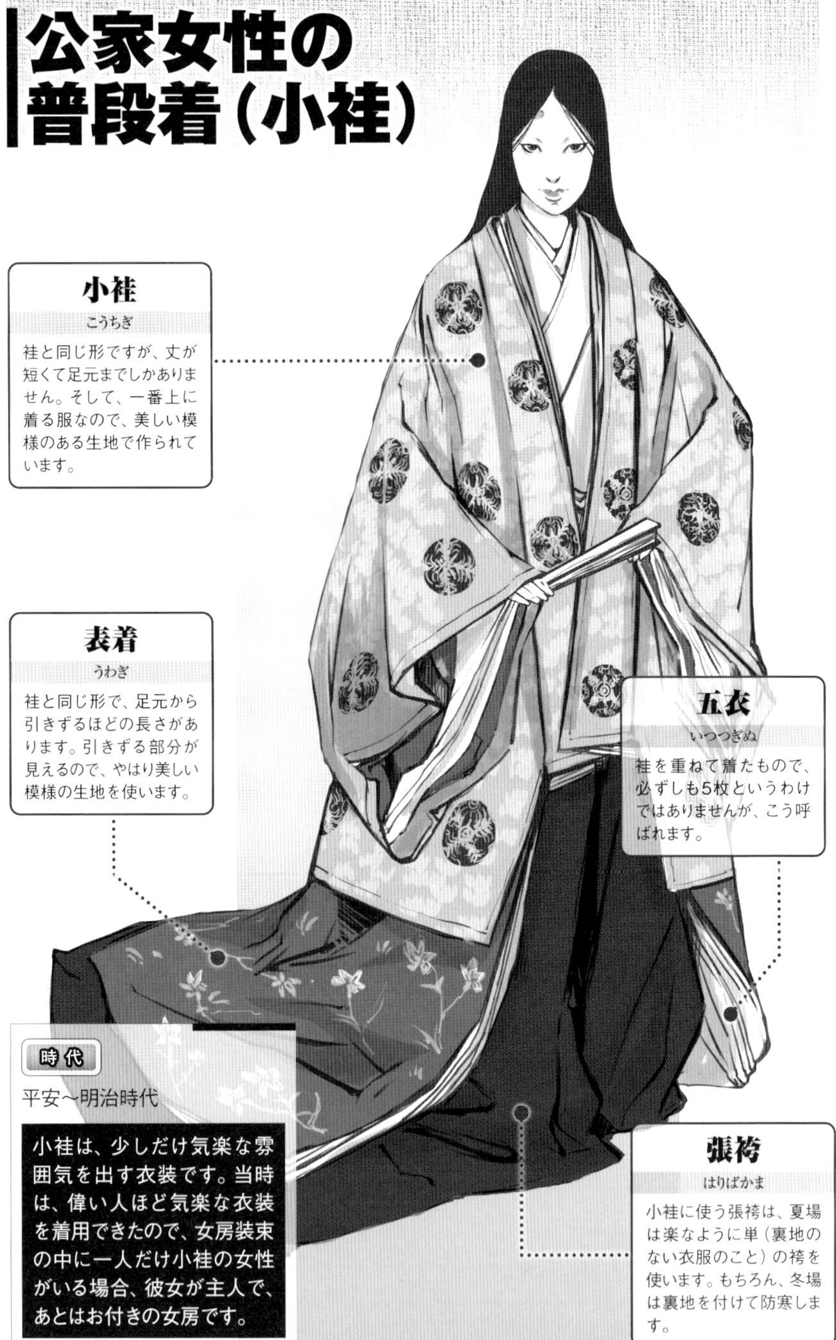

時代

平安〜明治時代

小袿は、少しだけ気楽な雰囲気を出す衣装です。当時は、偉い人ほど気楽な衣装を着用できたので、女房装束の中に一人だけ小袿の女性がいる場合、彼女が主人で、あとはお付きの女房です。

偉いからこそ気楽な姿でいられます

小袿（こうちぎ）は、公家女性たちの準正装として使われました。女房装束を着るほどではないが、威儀は正したいという場合です。また、后妃（こうひ）などの略礼装にも使われます。というのも、中世の日本においては、同じ場所に現れるとき、偉い人ほど気楽な格好をしてもよいというルールがあったからです。このため、后妃は小袿、お付きの女房たちが女房装束という状況がしばしば発生します。

しかし、鎌倉時代以降は、この着方は衰退しました。復活するのは、明治になってからです。

小袿には、袿（うちぎ）の丈が少し短くなった服という意味と、その小袿を着た衣装全体という二つの意味があります。

前者の小袿は、袿や表着（うわぎ）よりも丈の短い着物です。およそ、身長すれすれの小袖くらいの長さしかありません。一番上に着る服ですから、高価な織物で作られていました。

後者の小袿は、女房装束から、裳（も）と唐衣（からぎぬ）を省略して、前者の小袿を羽織ったものです。つまり、小袖（こそで）・張袴（はりばかま）（紅色が一般的で、そのために紅（あか）の袴と呼ばれることもある）・単衣（ひとえ）・袿（何着も重ねて着るため、まとめて五衣（いつつぎぬ）ということもある）・打衣（うちぎぬ）・表着・小袿という順序で、着ていくのです（打衣などが省略されることもある）。服の寸法は、裾や襟の色の変化を見せるために、下の衣服ほど幅も丈も少し大きくなるようにしてあります。

江戸時代になると、小袿の丈が長くなり、袿と同じ長さになります。さらに、表地と裏地のおめり（裏地をわざと表に折り返して見えるようにした仕立てのこと）の間に、中倍（なかべ）という別の布をはさんで、小袿だけで「表地」「中倍」「おめりに仕立てた裏地」の3色の布を見せられるような仕立てになっています（図1）。

図1 江戸時代以降の小袿

069

公家女性の外出着（壺装束）

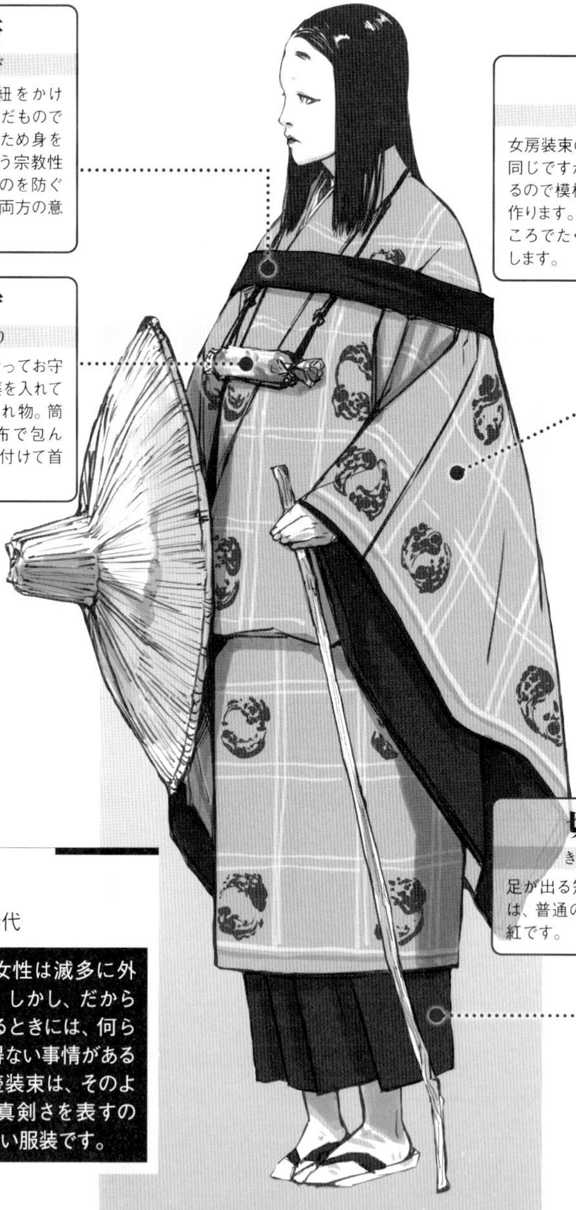

懸帯
かけおび

胸の前で赤い紐をかけて、後ろで結んだものです。寺社に参るため身を慎んでいるという宗教性と、襟が乱れるのを防ぐという実用性の両方の意味がありました。

懸守
かけまもり

道中の無事を祈ってお守りを入れたり、薬を入れておいたりする入れ物。筒型容器を錦の布で包んで、両端に紐を付けて首から下げます。

袿
うちぎ

女房装束の下に着る袿と同じですが、一番上に着るので模様のある生地で作ります。長さは、腰のところでたくし上げて調整します。

切袴
きりばかま

足が出る短い袴です。色は、普通の張袴と同じく紅です。

時代

平安〜江戸時代

平安時代、女性は滅多に外出しません。しかし、だからこそ出かけるときには、何らかのやむを得ない事情があるはずです。壺装束は、そのような女性の真剣さを表すのにちょうどよい服装です。

旅行着が節約衣装に

壺装束は、女房装束などに比べ簡素で動きやすいので、旅行着や外出着としても使われました。

小袖の上に袴をはき、その上に単衣を着て、さらに上に袿を1枚着ます。現代の目で見ると厚着に見えますが、室内で着る女房装束に比べれば非常に簡素で動きやすい衣装でした。

外に出るのですから、袿が地面に擦ってはいけません。このため、袿は絎紐という布を縫って作った紐を使ってくるぶしまで隠すくらいにたくし上げます。

また、**懸帯**という赤い絹紐を胸にかけます。これは、本来は物詣（寺社へ参拝すること）のときに使うものですが、女性が出かける場合はほとんどが物詣なので、だんだんと外出時には必ず付けるようになりました。懸帯は、背中側で片鉤（蝶結びの丸が片方だけの結び方）にくくります（図1）。懸帯は、動き回っても襟元がはだけないようにする意味もありました。

図1 片鉤にくくった懸帯

かぶり物は、**市女笠**（図2）という菅の笠です。本来は、市女（市場で物を売る女性）がかぶる笠でしたが、便利なので貴族にまで使われるようになったものです。顔が見えないように、笠のふちから虫の垂衣という薄い布を垂らしてあります。

この壺装束とほとんど同じ構成の衣装が**袿単**（図3）です。袿単は、鎌倉時代以降になって実権が武士に移り、公家が貧しくなってからの公家女性たちの正装です。

小袖の上に袴をはき、その上に単衣を着て、さらに上に袿を着るという構成は、壺装束とほとんど同じです。季節・気温によって、袿の枚数は調節します。ただ、絎紐や懸帯、市女笠といった外出用の小物は使いません。

武家では単衣を省略して、小袖の上に袴、その上に数枚の袿を着て、正装としています。

図2 市女笠

図3 袿単

070

笠

時代 戦国〜江戸時代

ときには、顔を隠して行動することもありますが、そんなときにありがたいのが笠です。特に、深い笠で顔を隠す隠密は、様々な作品でよく登場します。

笠で中身がわかる

時代劇などでよく出てくる笠ですが、かぶっている笠によってその人の身分や地位がわかります。着ている服装と、笠が合っていないと、とても奇妙に見えます。ここでは、公家から一般の人まで、特徴のある様々な笠について紹介します。

①深編笠：浪人笠ともいいます。浪人が、世間に顔を見せたくないときなどに使われたので、この別名があります。隠密や刺客、お尋ね者の武士などが、よくかぶっています。

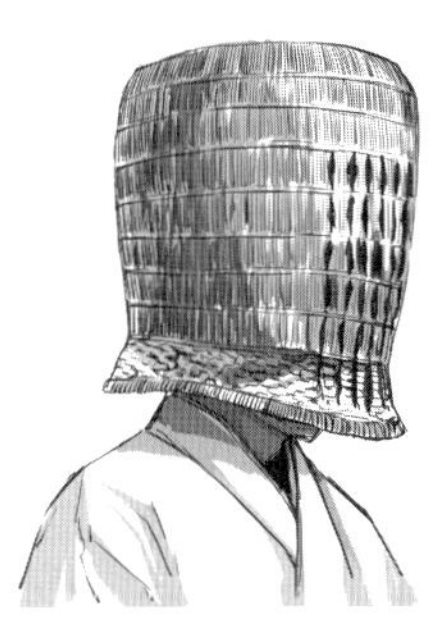

②天蓋：禅宗の一種である普化宗の僧侶は虚無僧と呼ばれ、剃髪していません。尺八を吹きつつ喜捨を願いながら諸国を行脚するのが修行です。このため、隠密などの変装の一つとしてもよく使われました。

③三度笠：元々は、三度飛脚（江戸と大坂の間を月に三度往復する飛脚）がかぶっていたことから、三度笠と呼ばれますが、後には、無宿人の使う笠となりました。

④妻折笠：三度笠に似ていますが、縁の折れ具合がより浅くなっています。こちらは、女性の道中笠として使われました。

⑤鳥追笠（とりおいがさ）：畑を荒らす鳥獣を追い払う鳥追いという作業時にかぶったことから鳥追笠といいます。

⑥ばっちょう笠：竹の骨組みに竹の皮を張って作った笠です。貧しい農民が農作業のときに使いました。

⑦網代笠（あじろがさ）：托鉢笠（たくはつがさ）ともいいます。読経しつつ喜捨を受けて行脚する托鉢僧や乞食僧が、この笠をかぶっていました。

⑧菅笠（すげがさ）：ばっちょう笠と同じ形ですが、こちらは菅で編んでいます。こちらも、農民がよくかぶっていますが、戦国時代は足軽もよくかぶっていました。

⑨市女笠（いちめがさ）：てっぺんに高い巾子（笠や冠の突き出た部分）を作っています。元は市女（物売り女）のかぶる笠でしたが、江戸時代には上流婦人の使う笠になっています。

⑩一文字笠（いちもんじがさ）：その名の通り、横から見るとまっすぐに見えます。武士が旅行のときや、大名行列のお供のときなどに、頭に載せました。

071

履物

時代 平安〜江戸時代

明治以前の日本の履物は、草履や下駄のような足がむき出しのものばかりが目立ちますが、沓のように脚を包み込む履物もあります。TPOに合わない履物では、せっかくの衣装が台無しになります。

日本の履物

ここでは、公家から一般の人までが履いた主な履物を紹介します。

日本の履物といえば、草履や下駄のように鼻緒があって、足の指にはさんで履くものですが、古くは靴のような形の履物がありました。

平安時代には、深沓（ふかぐつ）や浅沓（あさぐつ）のように、靴の形をしている履物のほうが一般的でした。十二単（じゅうにひとえ）の姫君も、出かけるときにはこれらを履いたのです。現在では、神職くらいしか履く人はいません。

①深沓：革に漆を塗った長靴で、公家が外出（特に雨の日）に用いました。武家も浅沓ではなくこちらを使いました。

日本を代表する履物は、下駄（げた）・草履（ぞうり）・草鞋（わらじ）です。

下駄は、元々は雨のときには草履では脚が汚れてしまうため、足を高い位置にするために平安時代の頃に作られたものです。最初は男性の履くものでしたが、次第に女性も履くようになりました。はじめの頃は足駄（あしだ）と呼ばれていました。庶民の履物として作られたものなので、正装には似合いません。

②浅沓：革に漆を塗った短靴で、文官は深沓よりもこちらを好みました。

草履は、正装にも用いられる履物です。江戸時代までは、い草を編んだ畳表を表面に張った草履が主流でしたが、現在では革や布の草履が主流になっています。

草鞋は、藁を編んで作った履物です。つま先から出ている長い緒と、脇に出ている「乳（ち）」という輪を使って、足に結びつけます。脱着は面倒ですが、足に密着して歩きやすいので、長距離を移動するときの旅装の必需品でもありました。使い捨てにするものなので（その辺に放っておけば、藁なので土に還ります）、予備の草鞋を持ち歩く人も多くいましたし、街道筋の町には必ず売っていました。

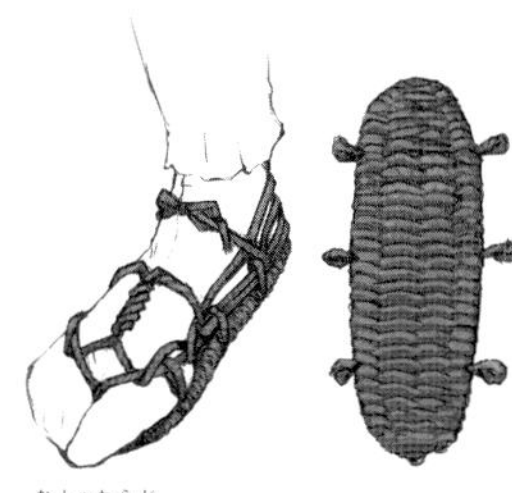

③武者草鞋：乳が6カ所あり、動きやすく武士が好んだ草鞋です。

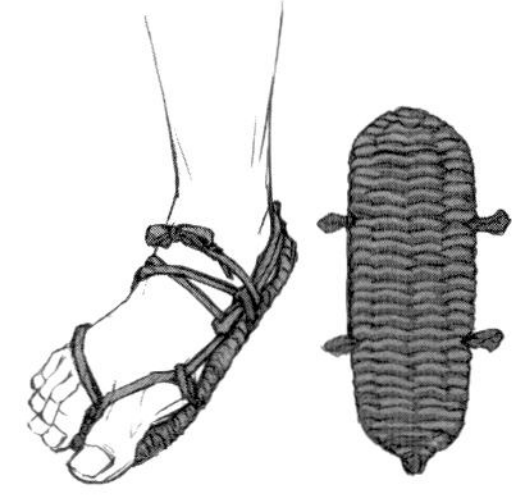

④四乳草鞋：乳が4カ所で、日本で最も多く使われている草鞋です。

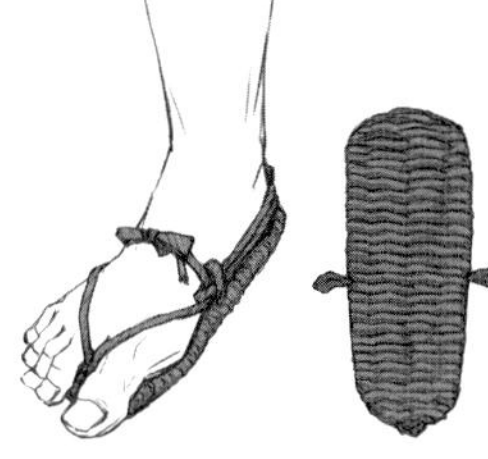

⑤二乳草鞋：東北地方で使われた、乳が2カ所の草鞋です。

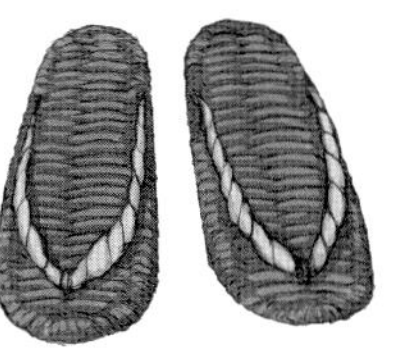

⑥緒太：草履の一種で、鼻緒が特に太いものです。

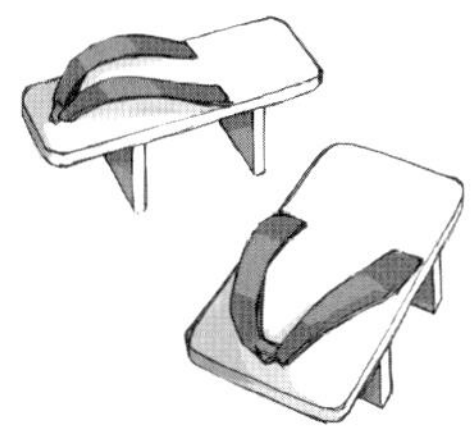

⑦日和下駄：雨の日以外でも履かれるようになった下駄です。

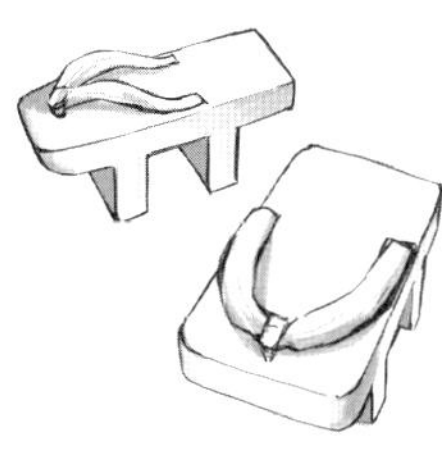

⑧薩摩下駄：幅が広く、四角い下駄です。

⑨堂島：畳表を貼り付けた下駄です。

⑩麻裏草履：草履の表に、編んだ麻の組紐を縫い付けた草履です。

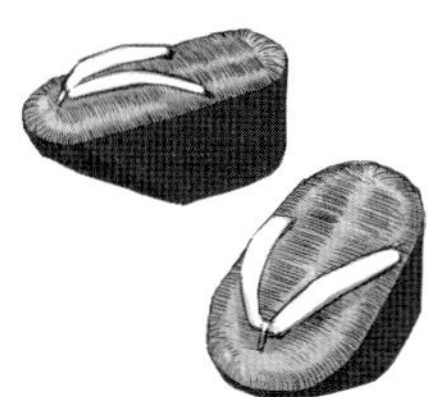

⑪ぽっくり：女性に好まれた下駄で、歯がなく全体でひとかたまりになっています。

⑫花魁下駄：花魁が道中に履いた三本歯の下駄です。

072

公家の髪型

時代　平安～江戸時代

公家（特に女性）の髪型は、基本的に実用から遠いものです。実用に不便だからこそ、その富貴と豪奢を見せつけることができるのです。

古くから髷が存在していた

まっすぐ垂らした髪が美しいとされた女性に対し、政務や戦争などに関わることが多かった男性は、どうしても実用を意識した髪型をせざるを得ません。また、冠や兜などをかぶらなければならないという事情も、髪型を定めます。最初の髷は、平安時代に、冠や烏帽子をかぶるときに、烏帽子などを髪に留めるために作られました。当時は、髷とは言わず、髻と言っていました。

平安時代以降でも、公家の男性は冠や烏帽子をかぶりましたから、あまり髪型に変化はありません。江戸時代には、多少後頭部をゆったりさせた髪型になりますが、その程度の変化でしかありません。

江戸時代にもなると、さすがに女性たちは髷を結うようになりますが、それでも公式行事では、せいぜい⑤のように後ろで結ぶくらいでした。

平安時代以降の日本女性は、髪を結うということをしませんでした。せいぜい後ろで束ねるくらいです。垂髪が長ければ長いほど美しいとされ、まっすぐな美しい髪を手に入れるために、多くの女性が努力を重ねたのです。公家の姫たちなら身長くらいあるのは当然です。

髪を結うのは、何かの作業のために一時的に行うものでした。平安時代でも、姫の入浴の世話などをする女房が、長い髪が邪魔なので笄で巻いて一時的に結ったりしました。

①冠下一髻：冠や烏帽子をかぶる人が、その下でしている髷です。髪を全部引き上げて、頭の上で、根本から紐を巻き付けて棒のようにして、先を房にして出したものです。

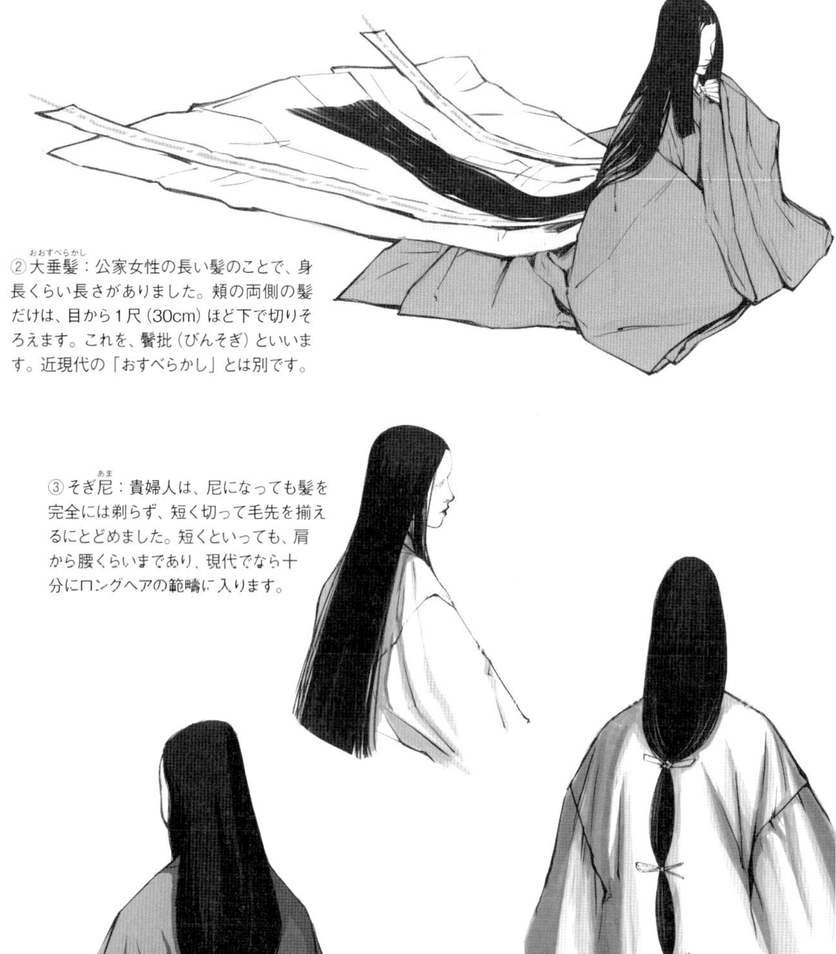

②大垂髪（おおすべらかし）：公家女性の長い髪のことで、身長くらい長さがありました。頬の両側の髪だけは、目から1尺（30cm）ほど下で切りそろえます。これを、鬢批（びんそぎ）といいます。近現代の「おすべらかし」とは別です。

③そぎ尼（あま）：貴婦人は、尼になっても髪を完全には剃らず、短く切って毛先を揃えるにとどめました。短くといっても、肩から腰くらいまであり、現代でなら十分にロングヘアの範疇に入ります。

④元結掛垂髪（もとゆいかけすべらかし）：若い女性の場合、大垂髪を後ろで元結で一束にします。元結には、白い麻糸などが使われました。

⑤大垂髪：室町時代になると、同じ大垂髪でも、元の髪の長さは短くなり、髢（付髪）が使われるようになります。継ぎ目を元結で結んでごまかしていました。

Column 有職故実と衣紋道

有職故実(ゆうそくこじつ)とは、「知識が有る」という意味の有職(昔は有識と書いた)と、「過去の事実」という意味の故実が合体して、「過去の事実(先例)について規範となる知識がある」ことを表す言葉です。これらに通じている人を、**有職者**(ゆうそくしゃ)といいます。古くは有識者(ゆうそくしゃ)(現代の有識者(ゆうしきしゃ)とは異なる)と書きましたが、いつの間にか字が変わりました。

過去の先例とは、この本で扱ったような衣装についての知識だけではありません。つまり、有職故実は、大変幅広い知識の体系なのです。

儀式一つにしても、どのような条件が成立したときにいつどこで儀式を行うべきか。また、実際に儀式を実施する際に、何をどのような順序で行うのか。さらには、儀式において誰をどこに座らせるべきか。そして、もちろん出席者は、どのような装束を着るべきなのか。様々な約束事があります。これらを間違えると無礼となり、軽蔑されてしまいます。

このため、平安貴族の多くは詳細な日記を書いて、子孫のためにこれらの情報を残しました。また、子孫も、それらの日記を参照して、儀式に備えました。千年も昔の平安貴族の日記が今も残っているのは、こういった事情もあるのです。

有力公家は、それぞれ家伝の有職故実を持っていました。最も成功したのは、藤原道長の御堂流(みどうりゅう)です。それまで、小野宮流(おののみやりゅう)や九条流など、藤原家の故実はいくつもありました。しかし、九条流の始祖の孫ではあるものの、道長は始祖である師輔(もろすけ)の三男の五男でしかなく、とうてい継承者とはいえませんでした。そこで、道長は九条流とともに妻・明子の父から醍醐源氏(だいごげんじ)の故実を加え、御堂流を起こしました。さらに道長の息子の教通(のりみち)は、小野宮流の娘婿になって、その故実も取り入れることに成功します。そして、この戦略は成功し、御堂流の子孫だけが摂政関白に就けるようになったのです。

有職故実は、あまりにも情報量が多すぎるため、次第にいくつかに分かれます。その中で、衣装についての故実を司ったのが、**衣紋道**(えもんどう)です。衣紋道は、平安時代に高倉流と山科流が成立しました。そして、鎌倉時代に最も栄えます。ただし、江戸時代には公家は経済的に困窮してしまい、衣紋どころではなかったようです。公卿ですら、正統な装束を作ることができず、貸衣装(公卿に貸すための黒の束帯などを扱った店が京都にあったとされる)ですませるほどでした。明治になると、西洋化によってますます衣冠束帯などの出番が減ってしまいます。

しかし、それでも衣紋道は現代まで残っています。今でも、天皇即位の儀式など宮中行事において、どちらかの衣紋道に則って衣装を作成し、着こなしています。

第4章

日本の武家

鎌倉から幕末の時代

公家の服を脱して日本の標準に

武家男性の正装（水干）
武家男性の普段着（直垂）
武家男性の正装（裃）
大奥女性の正装
武家女性の普段着（小袖）
武家女性の普段着（振袖、留袖）
武家女性の婚礼衣装（白無垢）
かぶき者
忍び
切支丹侍
新選組
官軍
武家男性の髪型
武家女性の髪型

073

公家の服を脱して日本の標準に

 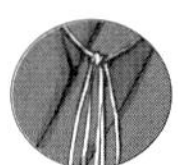   

Japanese standard dress code

戦う人の衣装

日本の衣装の変化に最も大きな影響があったのは、鎌倉時代から始まる武士の台頭です。武士という、身体を使って戦う人々が高い地位に就いたとき、刀を振って戦わなければならないという縛りが、衣装にも大きな影響を与えます。

動きやすく刀や槍や弓を使える衣装が、武士の衣装でなければいけません。その武士が高い地位に就いたことで、高位の人々の衣装も刀を振るえる衣装でなければならなくなっていったのです。

このため、武家の正装は、公家のそれとは異なるものになります。もちろん、武家も公家の儀礼につきあうときには、公家の衣装を身につけることもあります。しかし武家は武家で、独自の正装と仕事着と普段着の文化を創りました。

洋装を真似た和装

江戸時代には、長崎にオランダ人がいて洋服を着ていました。しかし、彼らに接触した日本人の数は幕末が近づくまであまりに少ないものでした。そのため、江戸時代の日本人の服装に洋装の影響はほとんどありませんでした。

しかし江戸時代末期になると、ロシアなどの接触があり、また長崎に来ていたオランダ人からも世界の情勢を聞き、幕府は進んだヨーロッパの軍事技術を取り入れようと考えます。そして、軍服も洋式化しようと考えます。しかし、急に大量の洋服を用意できるはずもなく、和服の中で最も洋服に近い、筒袖筒袴（つつそでつつはかま）を着用することにしました。

ペリーが来航した後には、幕府の軍服として、筒袖に伊賀袴（いがばかま）もしくは股引（ももひき）を定めるまでになりました。それどころか、筒袖と陣股引（じんももひき）（図1）の上に羽織（はおり）を羽織れば、登城の服装としても許可されるまでになりました。

和装の名残のある洋装

明治時代になると、本格的に洋装が取り入れられます。政府における礼服も、衣冠束帯などの和装が廃止され、燕尾服などが公式のものとして定められます。

しかし、洋装とはいうものの、どことなく和装の名残が残っていたり、一部和装のままだったりするのは、過渡期特有の現象でしょう。

図2は明治時代の郵便夫ですが、上着は詰め襟なのに、下はズボンではなく黒の小倉袴で草鞋履きです。

一般の人々も、無縁ではありません。この時代、一部でも洋風のものを取り入れることが、最もおしゃれなことだったのです。ですから、図3のように、和装なのにカンカン帽をかぶって、こうもり傘をさしたような人が現れたわけです。

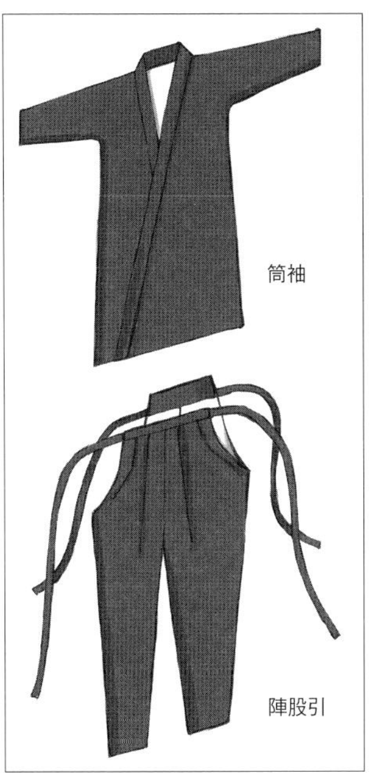

図1 筒袖と陣股引

図2 郵便夫の服装

図3 一般の人々の服装

074

武家男性の正装（水干）

時代

鎌倉～室町時代

水干は、鎌倉武士の礼装でしたが、後には廃れました。そのため、時代遅れの老人や古風な人物に着せると似合います。

古くさい武家装束である水干

鎌倉武士の正装として使われた**水干**（すいかん）ですが、元々は糊を付けずに水で張って干した簡素な布のことをいいました。

水干と狩衣（かりぎぬ）とは、元は同じ衣装で、水干狩衣と呼ばれたこともありました（平安時代）。ただ、狩衣は高位高官に使われるようになり、だんだんと華麗な衣装へと変貌していったのに対し、水干は庶民の衣装であり続けました。

さらに、鎌倉～室町時代には公家の元服前の子供の礼装としても使われました。また、大人の公家でも、鎌倉時代には自宅における略装として着用するようになったようです。

簡素で着やすい服装であったためか、狩衣と併行して、武家の礼装としても使われるようになりました。しかし、室町以降になると、直垂（ひたたれ）が一般化して、水干を着る公家も武家も少なくなりました。

白拍子（しらびょうし）（鎌倉時代に男装で舞った遊女たち）の衣装としても有名です。白拍子の水干は、その名の通り、白い水干に赤い袴を着ていました。

水干も、水干という服単体（図1）を指す場合と、水干を中心とした着こなしのことを指す場合があります。

着こなしとしての水干の構成は、烏帽子（えぼし）、水干（服）、水干袴（すいかんばかま）です。水干は、隙間がいっぱいある服なので、下に小袖を着ます。これが、水干（着こなし）の正式な着方です。けれども、庶民は、水干袴でなく、小袴を着ていることも多かったといいます。

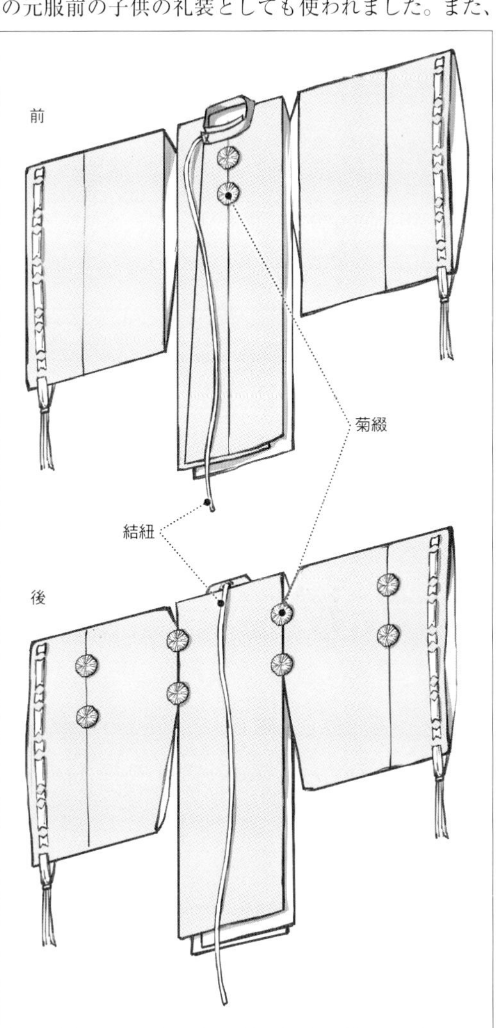

図1 服単体の水干

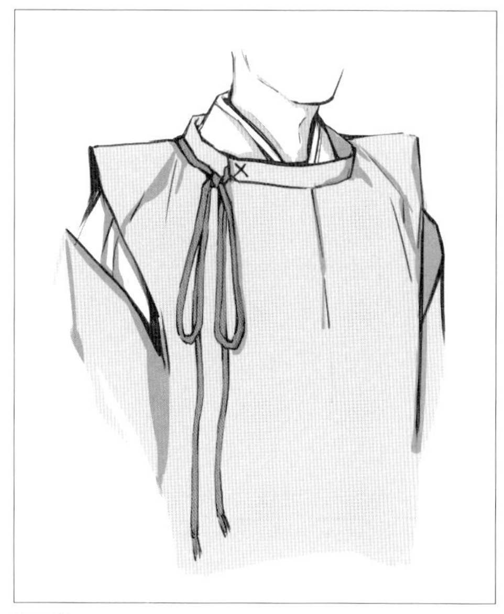

図2 盤領

烏帽子は、直衣や狩衣と同じものです。一般に、庶民は折烏帽子、公家は立烏帽子をかぶりました。立烏帽子は大きくて動きにくいので、庶民には折烏帽子のほうが楽だったからです。

水干は庶民の服装なので、麻の衣装が多いのですが、公家や上級武家の着る水干は絹のものも多くありました。

水干の特徴は、**菊綴**と**結紐**です。

菊綴は、水干が庶民の服だったことに由来します。布の縫い合わせ部分で、弱くて裂けそうなところを紐で補強したのが、本来の菊綴でした。この紐の端をほぐして総飾り（ただし、平らに作られている）としたのが水干の菊綴です。

結紐は、水干の襟の部分を締めるための紐です。片方の襟の先にある首上の前緒と、首の真後ろにある首上の後緒があり、これを結んで留めます。この着方を、**盤領**（図2）といいます。

しかし、この着方はきちんとしているのですが窮屈なので、メインイラストのように、前緒のある部分を内側に折り返してVネックのようにして、紐を左脇から出し、右肩から回した紐と結ぶ方法（この着方を**垂領**という）が一般化します。こうすると、襟の部分が下がってくつろいだ感じになります。

水干の下にはく袴は、水干とは違う生地で作られます。

公家や上級武家は、直衣などの下にはく指貫とよく似た**水干袴**という袴を着ています。指貫と違うのは、反物を横に6枚つなぎ合わせて作ることです。このため、指貫（8枚つないで作る）よりも細身で動きやすくなっています。水干袴には、左右の相引（前後の布を両脇の下のあたりで縫い合わせた部分）、膝上の絎目（袴の前の部分で、膝より少し上のあたり）の4カ所に、それぞれ2つずつ菊綴が付いています。

庶民は、もうちょっと動きやすい4枚つなぎの小袴（布の枚数が少ないので、こう呼ばれる）で、括袴（足のところでくくってある袴、邪魔になりにくいので歩きやすい）にしてはいていました。平安時代などは、下級官人や下級武官、さらには庶民や放免（軽犯罪を犯した者を、市中取締に徴用した者ども）などが、この姿だったと考えられています。

白拍子（平安の遊女だが、公家の屋敷に出入りすることもあり、文化などに見識が高い者も多かった）も水干姿ですが、烏帽子に水干、長袴でした。白拍子の水干は白、袴と水干の下の小袖は朱とされます。

水干を着ている人物といえば、牛若丸があげられるでしょう。五条大橋の上で、弁慶と戦ったときの服装は、水干姿に薄絹の衣を頭からかぶっていたと伝えられています。公家の子供の姿とも、武家の姿とも見えるところが、源氏の御曹司であり子供でもあった牛若丸（後の源義経）にぴったりだからでしょう。

通常の着方では、水干を袴の下に入れて着ます。しかし、水干を袴から出して着る着方（図3）もありました。この着方を、**覆い水干**や**掛け水干**といいます。

図3 覆い水干

075

武家男性の普段着（直垂）

折烏帽子
おりえぼし

本来は、立烏帽子を折りたたんでコンパクトにしたものです。しかし、室町時代以降は、最初から畳んである烏帽子が作られ、普通にかぶられるようになりました。

胸紐
むなひも

襟の外側に付けた紐のことです。ごく初期はともかく、この紐で前を留めているわけではありません。あくまでも飾りです。

直垂
ひたたれ

首回りが垂領（現代の和服と同様に首回りが開いている）になっている服です。

直垂袴
ひたたればかま

二股になっており、なおかつ裾が開いたままの袴です。初期には別布でしたが、共布を使って武家の礼服として使われるようになりました。

露
つゆ

狩衣や水干と同様に、袖括りの紐が付いています。しかし、紐は生地の中を通してあり、外に出ているのは、袖の下側だけです。この外に出た部分を露といいます。

時代

平安〜江戸時代

直垂は、武士の普段の衣装として、広く使われました。武士なら、誰に着せても似合います。

武士の平服から高位の礼服へ

直垂（ひたたれ）は、非常に古くから存在した衣装ですが、その地位は低いものでした。上等な衣装は束帯などのような盤領（あげくび）（首の回りをきっちり閉じている服）であり、直垂のような垂領（たれくび）（首回りが開いている服）は、庶民の着るものでした。しかし、動きやすく便利なため、鎌倉時代から武士の普段着や出仕（幕府で勤務すること）するときに使われるようになりました。そして、鎌倉末期には武士の礼装として使われるようになります。

直垂も、上半身を覆う直垂という服単体を意味する場合と、直垂を中心とした着こなしのことを意味する場合があります。

着こなしとしての直垂の構成は、烏帽子、直垂（服）、直垂袴からなります。

烏帽子は、**折烏帽子**（おりえぼし）、別名侍烏帽子（さむらいえぼし）とも呼ばれます。これは、立烏帽子（たてえぼし）を折りたたんで、行動の邪魔にならないようにしたもので、この折り方も有職故実（先例に従った制度や儀式などのルール）によって決まっていて、流派ごとに折り方が異なります。

直垂は、羽織（はおり）のように、前を紐でくくる服（図1）です。両脇は闕腋（けってき）（縫い合わされていない）で、前身頃は後身頃より少し長くなっています。胸には丸打（縫い付けるところを大きく丸く縫ってある）の紐をつけます。

公家の礼装と異なり、直垂袴（図2）は、メインイラストのように直垂などを袴の中に入れて着ます。直垂袴の特徴は、足下でくくらずに開いたままだという点です。その代わり、足下が邪魔にならないように、足首が見えるくらいまでの長さしかありません。

江戸時代には、直垂に家紋を入れた服を大紋（だいもん）といい、それに引きずるほど長い直垂袴を合わせて礼装として用います。『忠臣蔵』で、浅野内匠頭が松の廊下で着ている服です。

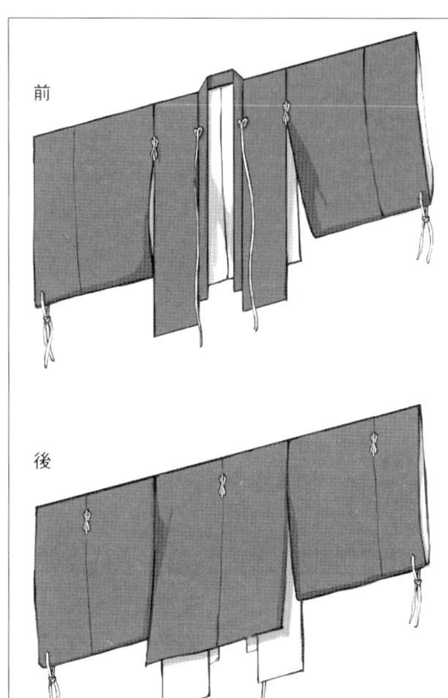

図1 直垂

図2 直垂袴

076

武家男性の正装（裃）

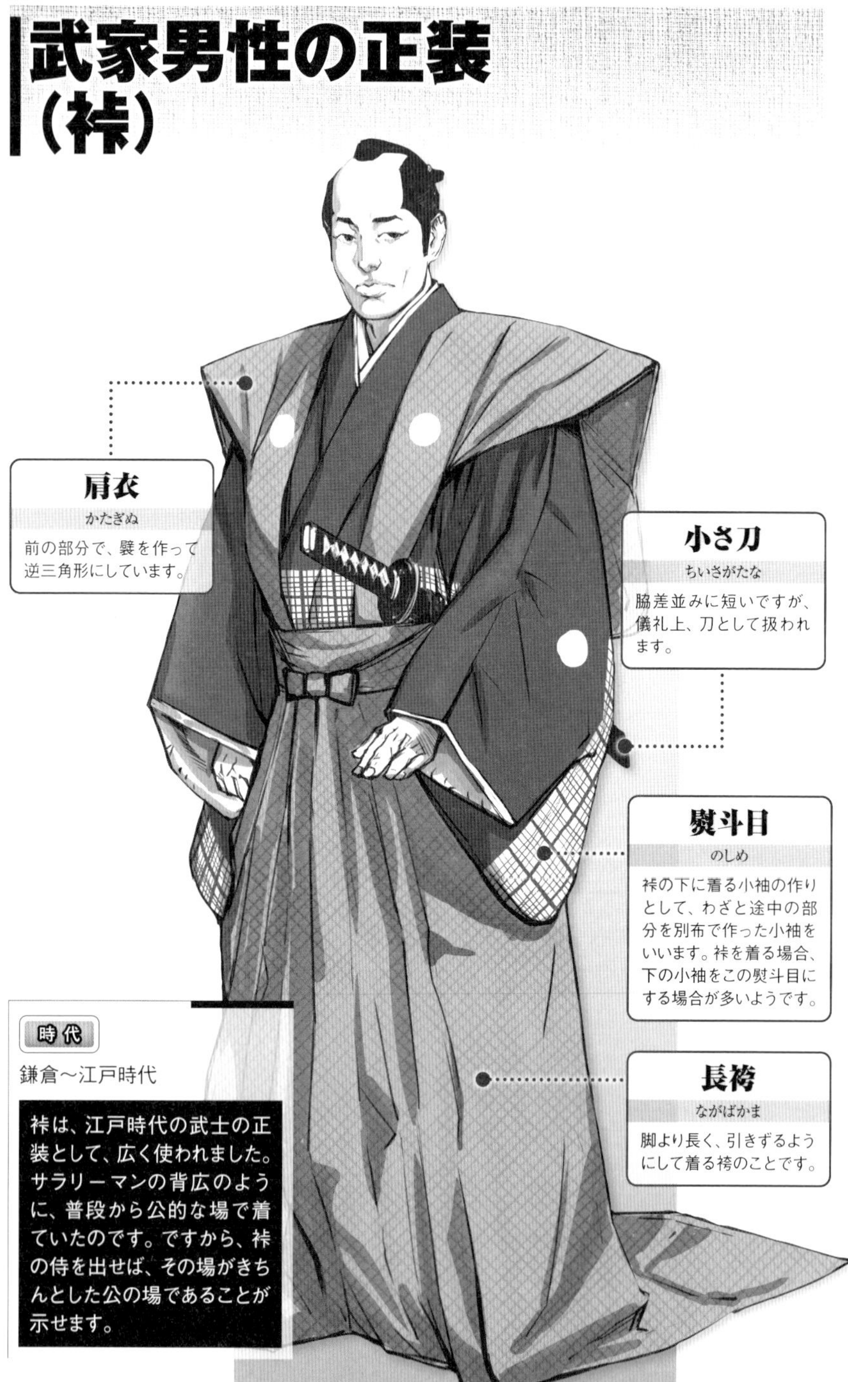

時代

鎌倉〜江戸時代

裃は、江戸時代の武士の正装として、広く使われました。サラリーマンの背広のように、普段から公的な場で着ていたのです。ですから、裃の侍を出せば、その場がきちんとした公の場であることが示せます。

武士の仕事着から庶民の礼装へ

裃（かみしも）は、素襖（すおう）（直垂（ひたたれ）のうち、袴も腰紐も共布で作り、袖のくくり紐を省略したもの）の袖を省略した肩衣（かたぎぬ）を使った衣装として、鎌倉時代頃から存在した衣装です。しかし、その地位は低いものでした。上等な衣装は束帯（そくたい）などのような盤領（あげくび）（首の回りがきっちり閉じている服）であり、直垂のような垂領（たれくび）（首の周りが広く開いている服）は、庶民の着るものでした。しかし、動きやすく便利なため、鎌倉時代から武士が出仕（幕府で勤務すること）するときにも使われるようになりました。そして、鎌倉後期からは武士の礼装として使われるようになります。

図1 直垂袴

裃は、襞をつけて逆三角形にした肩衣を小袖の上に着て、その上に袴をはいた着方です。この肩衣は、袴と同じ布で作ります。

袴は、裾を引きずるようにはきます。このような着方を**長裃**（ながかみしも）といい、江戸時代には武士の正式な礼装とされました。ただし、歌舞伎などに登場する長裃は、見栄えを重視して、通常の長裃よりさらに長く、足の長さの倍ほどもある袴を使ってます。あれを当時の武士がはいていたとは考えないでください。

長裃は屋外では非常に不便なので、略礼装としての**半裃**（はんかみしも）があります。武士が勤務時に半裃（長裃では、歩くのも面倒なため、仕事に不便なので）を着用します。これは袴が直垂袴（図1）になった裃で、庶民の冠婚葬祭の礼装としても使われます。ただし、藩によってはこの半裃の着用を許可制にして、最低でも村役人以上でなければ着用を許可しない藩もありました。

図2 熨斗目

裃は、肩衣と袴は同じ布で作りますが、つながってはおらず、袴の中に肩衣の裾をはさんで着ます。

肩衣と袴が別の布で作られた裃を**継裃**（つぎかみしも）と言います。これは、片方が傷んでも、別のものと組み合わせて着ることができるので、貧乏な武士にとっては便利なものでした。江戸時代でいうなら、捕物帖に登場する与力や同心といった下級の御家人に着せておくと、生活感が出ます。

裃の下に着る小袖は、江戸時代には**熨斗目**（のしめ）（図2）と呼ばれる、腰のあたりだけを別布で作った小袖が使われていました。布の切り替え位置は服ごとに異なり、腰から下だけ別布とか、袖の下半分も別布など、差があります。

裃のときには、**小さ刀**（ちいがたな）と呼ばれる脇差ほどの刀だけを帯刀します。脇差との違いは、鞘の先が脇差は丸く、小さ刀は切り落としたようになっているところです。

077

大奥女性の正装

小袖
こそで

打掛の下に着る着物です。ここでは見えていませんが、小袖の上には帯を巻いています。

打掛
うちかけ

帯をしめた上から羽織る小袖のことです。ただし奥女中の場合、より豪華にするために、このイラストのように振袖を打掛にすることもよく行われます。

袖扇
そでおうぎ

奥女中でも、中臈（将軍や御台所（将軍の正妻）の身辺の世話をする係で、側室もこの中から選ばれる）以上の役職についた女中のみが持っている扇です。骨は黒塗りで鳥の子紙（淡い黄色の上質な和紙）を張って、めでたい模様を描いたものです。長さは6寸7分（20.3cm）です。

お長下げ
おながさげ

大奥の女中などがよくする髪型で、公家のおすべらかしに似ていますが、襟元で髪を撫でつけて、途中でいくつもの元結をくくりつけています。また、公家のおすべらかしは、髱（襟足に沿って背中に張り出した部分）を作らないのに対し、お長下げでは作っています。

時代

江戸時代

大奥の奥女中の衣装は、女房装束とはまた違う美しさがあります。大奥のきらびやかさと重圧感を出すのに、奥女中の特異な服装はよく合います。

小袖が豪華になった奥女中の装束

公家の女性たちが、禁裏（皇居のことをこういった）や大貴族の家で女房（高貴な人の身の回りの世話をする女性）として働いていたように、武家の女性も、幕府や大名家の奥で奥女中として働きました。

女房として働く女性が女房装束を着ていたように、奥女中として働く女性にも公服が決まっていました。そして、それは冬の衣装と夏の衣装に大きく分けられます。

冬の衣装が、**打掛**（掻取ともいう）です。打掛とは、小袖に帯を締めて、さらにその上から羽織った小袖のことです。

夏場は、そんなものをかぶっていたら暑いので、代わりに腰のところで打掛を紐で結んで、上半身は小袖だけで済ませるようにしました。これが夏の衣装である**腰巻**（図1）です。小袖に**提帯**（図2）という帯を巻いて、その堤帯の結びの固い部分に打掛を掛けた姿を、腰巻といいます。

もちろん、このような大袈裟な姿をしていたのは、奥女中でも上臈（偉い人の周囲にいる女中で、実際の掃除や炊事などはしない上級職）だけです。

図1 腰巻

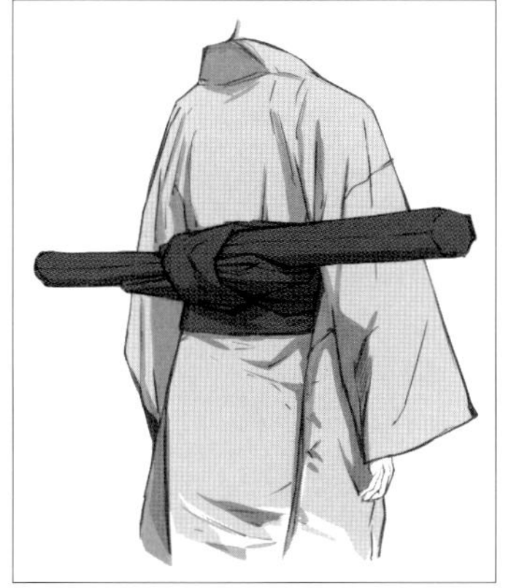

図2 提帯

表1 大奥の主な役職

役職	解説
御部屋様	将軍の息子を産んだ
御年寄	大奥の権力者
御中臈	将軍や御台所の身辺の世話担当
表使	買い物など、表との連絡担当
御三の間	三の間以上の掃除や雑用担当
御末	一番下っ端の下女で雑用一般担当

078

武家女性の普段着（小袖）

間着
あいぎ

打掛の下に着る小袖で、通常は白色のもので間白とよばれます。冬には赤い間赤、正月には黄色い間黄といった色の違う間着を使います。

雪洞扇
ぼんぼり

女性が袿や打掛姿のときに手にした扇です。通常の扇に比べて、畳んだときの広がりがあります。

打掛
うちかけ

帯の上から羽織る小袖です。上流武家では、この打掛に唐織（模様を浮き織りにした織物で、当時は明から輸入していた）などの高級品を使いました。

細帯
ほそおび

打掛の下の帯は、略式の細い帯（幅が18センチ）のものを使います。

時代

鎌倉～安土桃山時代

小袖は、使い方によって豪華にも質素にも見せられる、使い勝手のよい衣装です。

下着から上着に

小袖(こそで)は、その名の通り袖の小さな和服です。特に、袖口の開口部が小さくなっているので、活動しやすくなっています。鎌倉から江戸時代まで、ほとんどすべての女性が小袖を着ています。メインイラストのような豪華な着方は、桃山時代くらいまでで、江戸時代には打掛は省略して、もうちょっと動きやすい着方をします。

このため、庶民の着る質素な麻や綿の小袖から、上流武家や公家の着る絹の豪華な（刺繍などの飾りもたくさん付いた）小袖まで、様々な種類の小袖があります。

鎌倉時代あたりから使われ出したのが、小袖に袴(はかま)をはいた、いわゆる**裸衣**(はだかぎぬ)（図1）という着方です。この袴を五尺六寸（170cm）と非常に長くして、腰回りの紐の幅を太くしたものを**大腰袴**(おおごしばかま)（図2）といいます。江戸時代には白の小袖に紅の大腰袴は宮中の女官の服装として使われるようになりました。

小袖の上に袴ではなく**湯巻**(ゆまき)を着ることもあります。湯巻は、今木(いまき)ともいいます。本来は入浴のときに腰に巻くものでした。奉仕される貴人が裸を隠すために腰に巻いたり、奉仕する女房たちの袿(うちぎ)が濡れないように上に着たりするものでした。

これが袴の代わりに、略礼装として使われるようになり、室町時代には庶民にまで広まりました。普段着の上に着て、汚れ防止などの意味がありました。

図1 裸衣

図2 大腰袴

図3 湯巻

079

武家女性の普段着（振袖、留袖）

身八ツ口
みやつくち

着物を身体にまとうときに、前後の身頃をずらせるので位置調整をしたり、穴から手を入れておはしょりの調整をしたりと、便利に使われています。

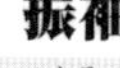

振袖
ふりそで

子供の小袖（八ツ口などが開いていて空気が通りやすい）の袖を大きくして、大人が着るようになった着物が、振袖です。振袖は、小袖よりずっと華やかなので、若い女性に愛されました。

振八ツ口
ふりやつくち

空気が通るように、袖の胴体側を開けたままにしてあります。子供用の小袖には、この振八ツ口が開いていました。振袖は、そこから発展したので、開いたままになっています。大人用の留袖では、この部分も縫われて閉じています。

着丈
きたけ

着物の着丈は、のばせば床に引きずる長さです。実際、上級武家や豪商の子女は、室内では引きずるように着ています。しかし、下級武家や普通の町人は、たくし上げて足下までにして着ます。

時代

江戸時代～現代

現代では、振袖は未婚女性の正装、留袖は既婚女性の正装です。江戸時代、振袖は実用的ではありませんが、だからこそ振袖を着ている女性の、裕福で優雅なところを見せつけることができます。

豊かな時代に生まれた新しい衣装

振袖（ふりそで）は、江戸時代に登場した、比較的新しい衣装です。

振袖が生まれたのは、江戸時代初期とされています。当時の普通の着物は小袖と呼ばれていました。その名の通り、袖は鯨尺（1尺≒38cm）で1尺余りの短いものでした。しかし平和で豊かな時代†になって、人々が実用だけでない衣装を求めた結果、小袖の袖は長いものが好まれるようになりました。そして、袂が長くなり、身頃との縫い付けが少なくなって、袖が揺れるようになったものが、振り袖と呼ばれるようになりました。江戸時代の間に、だんだんと長くなります。

初期の振袖は、男女兼用でした。ちょっと大きな袖は、女性だけでなく、粋を求める男たちにも愛用されたのです。しかし、江戸後期の長すぎる振袖は、若い女性のみが着用するおしゃれ着でした。

また、江戸後期になるにつれて着丈も長くなって、地面に引きずるほどの長さになります。そして、お端折り（はしょり）（着物は丈が長いので、腰のあたりでたくし上げた部分）を調整して、室内では引きずるように、屋外では足下までになるように調整します。またお端折りの幅を前後で調整することで、着物の腰から下がすぼまっていくように着ることができます。こうすることで、女性のシルエットが美しくなります。

現在、既婚女性が着る着物である**留袖**（とめそで）は、振袖の成立の後にできたものです。江戸中期までの留袖は、大人になって振袖の振八ツ口を閉じて、袖を小さく仕立て直したものです。ですから、昔の留袖は振袖と同様に華やかな生地でした。下半身だけに模様の入った、現代の黒留袖が成立するのは、江戸後期文化文政の時代になって、振袖の仕立て直しではなく最初から留袖を作るようになってからのことです。

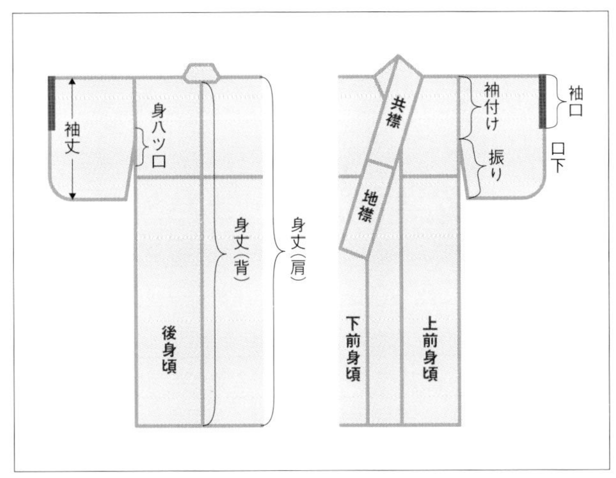

図1 着物の部位名称

† 平和で豊かな時代：貧しくて飢饉ばかり起きて、百姓一揆が頻発していたというイメージのある江戸時代だが、実際には飢饉など数十年に1回くらいしかなく、ほとんどの年は食うに困る人間は希だったことがわかっている。特に、江戸や京大坂などは、パリやロンドンなどと比べても、圧倒的に豊かで清潔な都市で、識字率も70%以上と世界最高の文化都市であった。このため、町人は贅沢なことに金を使うことができた。

080

武家女性の婚礼衣装（白無垢）

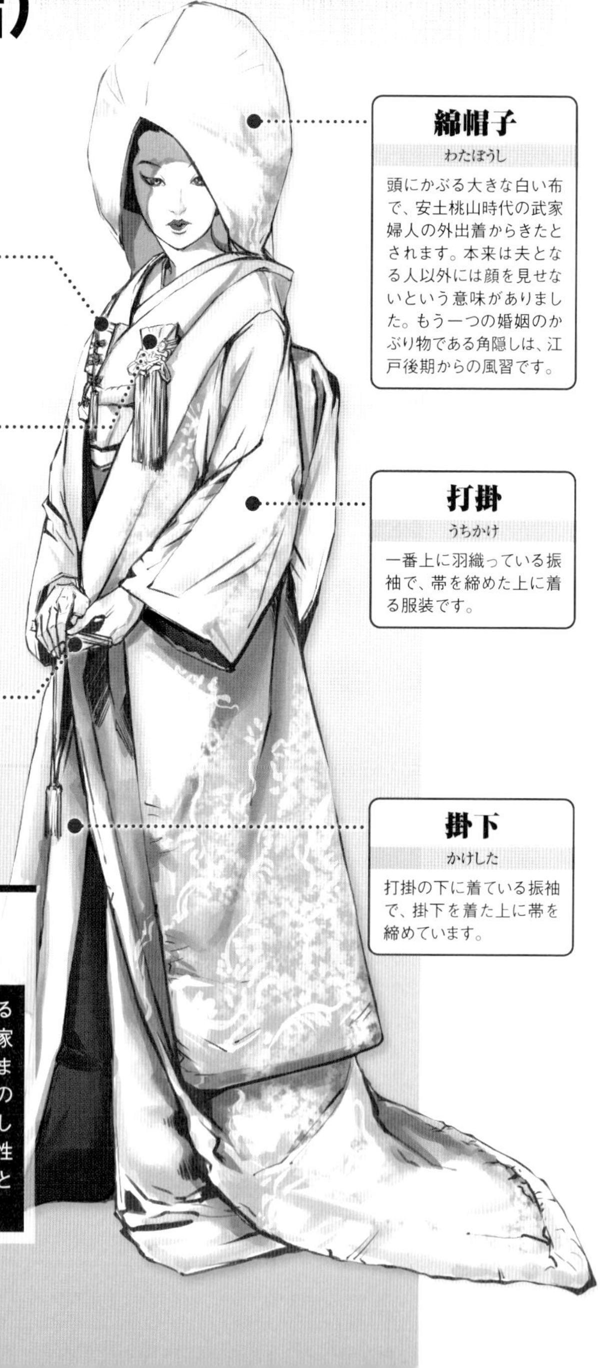

筥迫
はこせこ

小物入れです。胸元に入れてわずかに見せておきます。房は、外に垂らしておきます。

懐剣
かいけん

懐剣は、本来は護身用の短刀です。ですが、婚礼衣装の一つとして「二夫にまみえず」という意味があるといわれています。その名の通り懐に入れてあるので、直接は見えません。

末広
すえひろ

末広とは、めでたい席で扇子のことを祝っていう名称です。扇の形が末広がりで縁起がよいとして、この名があります。

綿帽子
わたぼうし

頭にかぶる大きな白い布で、安土桃山時代の武家婦人の外出着からきたとされます。本来は夫となる人以外には顔を見せないという意味がありました。もう一つの婚姻のかぶり物である角隠しは、江戸後期からの風習です。

打掛
うちかけ

一番上に羽織っている振袖で、帯を締めた上に着る服装です。

掛下
かけした

打掛の下に着ている振袖で、掛下を着た上に帯を締めています。

時代

江戸時代～現代

現代の和風婚礼衣装である白無垢は、この時代の武家婚礼衣装が元になっています。裕福な女性のみが、この白無垢を着て結婚できました。そのため、白無垢の女性はその実家が裕福であることを示すことができます。

小笠原流作法の服

白無垢(しろむく)という服は、実はありません。白無垢とは、すべてを白一色で揃えた服の着方のことです。

具体的には、白い掛下(かけした)の上に白い打掛(うちかけ)を着て、帯も白、小物も白、頭には白の綿帽子(わたぼうし)か角隠し(つのかくし)をかぶった衣装です。

掛下とは、振袖の一種で、打掛の下に着るものをいいます。**打掛**は、元々は打掛小袖といって小袖だったのですが、結婚のときの打掛は振袖(ふりそで)になっています。注意すべきは、帯は掛下の上に締めるもので、打掛はその上に羽織るように着て、帯は締めないというところです。ですから、打掛の背中を見ると、その下に締めた帯の形がわかります。

綿帽子は、白絹布を袋状にしたもので、室町時代に防寒具としてできたものですが、花嫁が顔を夫以外に見せないという奥ゆかしさを表すかぶり物として使われるようになりました。**角隠し**は、角を隠して夫に従順にという意味があります。

小物としては、**末広**(すえひろ)という扇子、**筥迫**(はこせこ)（図1）という小物入れ、**懐剣**(かいけん)（図2）という短刀などを持ちます。ただ、一般庶民まで懐剣を持つようになったのは、明治以降だといわれ、江戸時代には武家の女性以外は持っていないようです。

白無垢は、室町時代に小笠原流の作法とともに生まれた、武士の婚礼衣装だといわれます。ただ、当時は打掛も掛下も小袖で、振袖になったのは江戸時代になってからです。

江戸時代には、武士に倣って裕福な商人や農民なども婚礼に白無垢を着るようになりました。しかし、本当に誰もが白無垢を着られるようになったのは、第二次世界大戦後のことだといわれます。

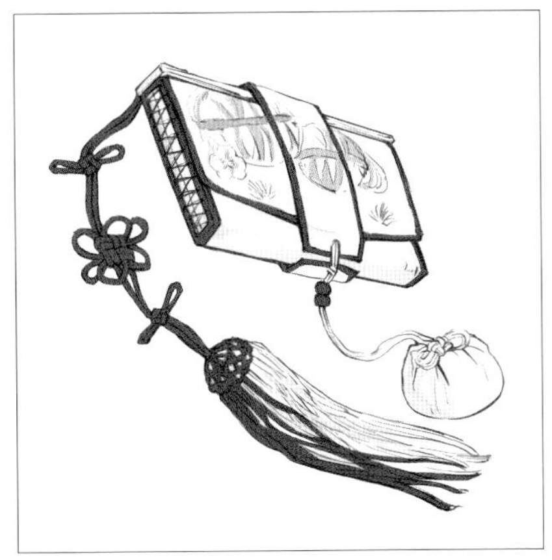

図1 筥迫

図2 懐剣

081

かぶき者

羽織
はおり

わざと、袖は短く丈は長く作っています。現代の、長袖の上にTシャツを着て下の服を見せるのと同じような感覚です。

十字架
じゅうじか

キリスト教信者ではないにもかかわらず、わざと禁令の十字架などをこれ見よがしに付けたりします。

裾
すそ

遊びのときなどは裾を引きずっていることもありますが、かぶき者は戦士でもあるので、戦うときはきちんとたくし上げます。

女物の小袖
おんなもののこそで

わざと、女物の派手な小袖を着ています。また、裏地を真っ赤にして、ちらちらと見せています。

鞘
さや

刀の鞘を、普通の黒っぽい色ではなく、ねじり棒や真っ白にしています。

時代

戦国時代末期〜江戸時代初期

かぶき者の姿をすれば、世間などものともしない自由人か、世間に背を向けたひねくれ者（作品によって違う）であることをアピールできます。

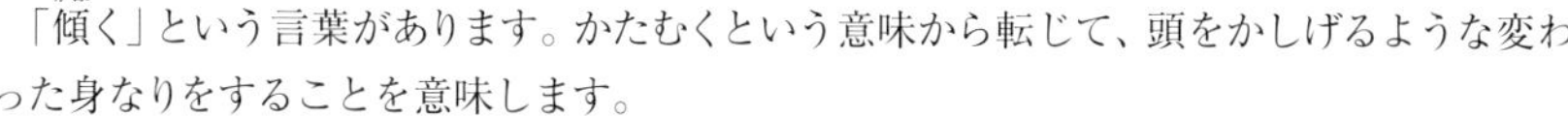

派手な反逆者

「傾く」という言葉があります。かたむくという意味から転じて、頭をかしげるような変わった身なりをすることを意味します。

かぶき者とは、戦国時代末期から江戸初期にかけて、江戸や京大坂などの都市部に現れた傾いた姿を好んだ人々のことをいいます。

男性の衣服は地味な色が多かった時代に、わざと女性用の華やかな色の小袖を羽織ったり、熊の毛皮の陣羽織や袴など奇妙な材質で服を作ったりと、挑発的なファッションで町を闊歩していました。

もちろん、刀にも凝っていて、鞘に奇妙な飾りを付けたり、メインイラストのように大きな模様を付けたりしています。

髪型も大袈裟で、髷が異様に大きかったり、月代をとても小さくしたりと、他と変わった髪型にします。メインイラストの髪型は「のんこ」といい、髷も髱（日本髪の後頭部）も大きくなっています。近松門左衛門の人形浄瑠璃『心中天網島』でも「のんこに髪結うて野良らしい伊達衆自慢といいそうな男」という一節があります。

彼らの姿に見とれる女性もいないわけではありませんが、ほとんどの良識的な人は眉を顰めていました。

江戸時代の中期以降は、このようなかぶき者はいなくなります。歌舞伎や浄瑠璃の舞台にだけ、その名残が見られます。

そもそも歌舞伎という名前自体、かぶき者の真似をした「かぶき踊り」から来たものです。また、歌舞伎の祖の一人といわれる名古屋山三郎（図1）は、当代のかぶき者でした。この山三郎が、歌舞伎の登場人物として数々の作品に登場しているのは、因果は巡るというべきなのかもしれません。

次に、彼らのような姿が見られるのは、幕末の志士たちが現れてからです。彼らの中には、やはり反逆者であるせいか、髪型を奇妙にしたり、わざと女物の派手な小袖を着たりと、江戸初期のかぶき者に通じるような姿をしている人もいました。

図1 歌舞伎における名古屋山三郎

忍び

頭巾
ずきん

風呂敷型の御高祖頭巾と顔の下半分を隠す手拭いで、マスクをします。

小袖
こそで

袖を筒袖（腕くらいの太さの細い袖）にした小袖で、色が暗いものを着ます。

裁付
たっつけ

腰回りはゆったり目で、脚は細めに作った、ズボンに似た形の袴です。農民が農作業のときなどに使ったといわれます。別名、伊賀袴。

手甲
てっこう

腕と手の甲を守り、また羽織の袖を引っかからないようにするために、下腕から手の甲にかけて取り付けます。

脚絆
きゃはん

袴の脚を、脚絆で押さえて引っかからないようにしています。光を反射しないように、金具を使わず紐で縛ってあります。

時代

戦国～江戸時代

忍者は、現代でも通用するのではと人々に想像させることができる、闇のエージェントです。忍者装束の人物ならば、特別な情報を持っていても誰も不思議に思いません。

黒くない忍び装束

忍者といえば、真っ黒の忍び装束と相場が決まっています。けれど、現実に存在した**忍び**はそんなものを着ていませんでした。

一つは、黒は高価だという問題です。黒をきれいに染めるには、高価な染料を惜しみなく使わなければならず、それは貧しい忍びにとってきつい出費なのです。

もう一つは、とてつもなく目立つということです。昼間、あの格好で歩いていたら、それは「俺は忍者だ」と叫んで歩いているようなものです。あの黒い衣装は、芝居などで隠れているように見えつつも、実際にはお客さんによく見えるようにと考えて、作られた衣装なのです。

では、実際の忍びはというと、柿渋色の服を着ていたといわれています。このくらいの色が、目立たなくてよいのです。柿渋色の小袖（袖が小さいもののほうがよい）や袴であれば、単なる地味な小袖や袴に見えます。それだけ着ていた場合、単に地味な格好の人に見えるのです。

そして、どこかに忍び込むような場合だけ、口を手拭いで覆い、**御高祖頭巾**（おこそずきん）を付けます（図1）。さらに、手甲と脚絆で袖や裾を押さえて、何かに引っかかったりしないようにします。

そして、仕事が終わったら人目のないところで、手甲、脚絆、頭巾（いずれも布なので、懐に隠せてしまうくらい）を外して、何食わぬ顔をして歩いていればよいのです。

褌（ふんどし）も、引っかかりにくいように両側に紐の付いた褌で、前側を首にくくって垂れ下がらないようにしています（図2）。

1：手拭いで口を覆う

2：広げた御高祖頭巾を額に当てて、紐（一つの角から辺の半分くらいのところに紐が付いている）を頭の後ろでくくります。

3：頭巾を後ろに回して、頭巾の左右の端を顎の下でクロスします。

4：首の後ろで、くくります。

図1 頭巾のかぶり方

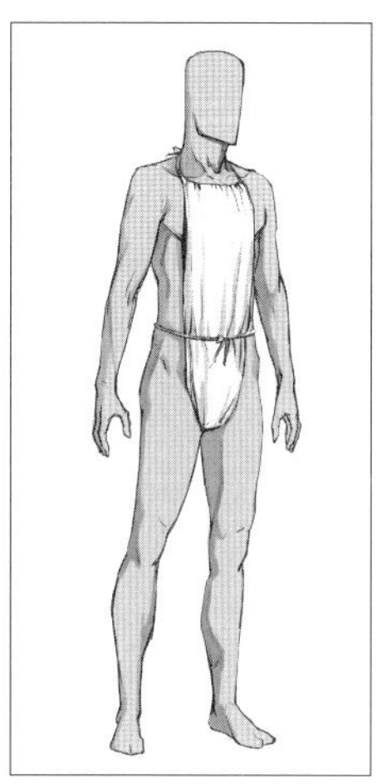

図2 褌

083

切支丹侍

襞襟
ひだえり

ヨーロッパで流行したラフが、日本に持ち込まれたものです。これを使うのは、切支丹でなければよほどの南蛮かぶれです。

コンタス
葡 *Contas*

キリスト教信者が、祈りのときに使う数珠にも似た輪をコンタスといいます。大珠6個、小珠53個で、それに十字架をつないだものです。

陣羽織
じんばおり

袖無しの羽織です。鎧の上に着ることが多いが、ここでは小袖の上に着ています。

軽衫
かるさん

ポルトガルのズボンであるカルサオを取り入れて日本で作られたものです。裾が足首のあたりですぼまっており、動きやすい袴です。島原の乱でキリスト教徒農民側の大将を務めた天草四郎時貞なら、元がポルトガルの衣類であることもあり、軽衫のような動きやすいものにしていたと考えられます。

時代

戦国時代末期～江戸時代初期

切支丹の衣装は、日本国内では明らかに特殊な衣装で、大変目立ちます。味方にせよ敵にせよ、特殊な背景を持つキャラクターであることを明示できます。

西洋の混じった切支丹

戦国時代末期から桃山時代にかけては、日本もヨーロッパとの交易を盛んに行っていました。宣教師や商人も数多く訪れ、様々な文物を持ってきました。ここで日本に持ち込まれた衣服は、**南蛮服飾**といいます。

キリスト教の教徒である切支丹（きりしたん）たちは、これら南蛮服飾を積極的に取り入れ、**襞襟**（ひだえり）（ラフ）のような装飾も身に着けました。侍でこのような姿をしている者たちを、**切支丹侍**（きりしたんざむらい）といいます。しかし、江戸時代になると、切支丹禁令とともに南蛮服飾は衰退します。

けれども、南蛮服飾の中でも、合羽（かっぱ）、軽衫（かるさん）、襦袢（じゅばん）など使い勝手のよいものは日本に定着しました。

合羽（図1）は、ポルトガル語のカパ（葡Capa）が日本語化した言葉です。日本に入ってきた直後は、羅紗（ウール）の合羽が武将に愛用されましたが、江戸時代に入ると、木綿の合羽、さらには桐油紙（とうゆがみ）（紙に桐の油を浸したもので水をはじく）の合羽など、簡易なものが庶民にも使われました。

図1 合羽

軽衫は、ポルトガル語のカルサオ（葡Calção）というズボンを、袴に仕立てたもので、袴にしてはかなり細く、足首のあたりですぼまっているため、動きやすいものです。このため、江戸時代には農民の野良着としても愛用されました。

襦袢は、ポルトガル語のジバン（葡Gibáo）という袖無しのベストからきた言葉で、鎧下に着る下着のことでした。しかし、江戸時代には鎧を着る機会などほとんどなく、小袖が下着化したもの（ただし、世界的にも珍しいことに、襟や袖口から見えるのが正式な着方）を襦袢と呼ぶようになっています、元々は、図2のような上半身だけのものが襦袢でしたが、後には足下までの**長襦袢**ができ、元々の襦袢は**半襦袢**といわれるようになります。

図2 襦袢

084

新選組

鉢金
はちがね

イラストのような額に沿って丸くなっている鉢金の他にも、はちまきに四角い板を取り付けたような鉢金もあります。

羽織
はおり

浅葱色のダンダラ模様(山型の模様が袖にある)の羽織で、初期の制服とされます。

胴
どう

討入りのときなどは、イラストのように胴を付けたり、小袖の下に鎖帷子を着けたりして、身を守っていました。

襠高袴
まちだかばかま

袴の中仕切り(袴を二つに分けて脚をそれぞれに分けて入れるので動きやすい)を襠といいます。襠高袴は、この襠を高めに付けているのでズボンに近いため、それぞれの脚を独立して動かしやすく、戦いのときに便利です。

時代

江戸末期(幕末)

新選組のダンダラ羽織は、男の誇りの象徴となっており、負け戦に勇気をもって立つ人物に着せるにふさわしい衣装です。

野暮がかっこよくなった

新選組の衣装といえば、**浅葱色**（薄い藍色）の**ダンダラ模様**（山型の模様）の羽織と決まっています。この衣装にしびれる人も多いでしょう。しかし、実は、この認識は二つの点で誤っています。

まず、浅葱色のダンダラ模様がかっこいいという感覚です。これは、当時の感覚ではまったく逆でした。

「きらはれるくせに女郎を浅葱好き」「女には御縁つたなき浅葱裏」などと川柳に謡われるほど、浅葱色は野暮の象徴です。というのは、浅葱とは安上がりな薄い藍色のことで、貧乏人の着るものだからです。特に、浅葱色の裏地は、「浅葱裏」と呼ばれて、江戸に来た野暮な田舎侍の隠語です。これは、新選組の活躍した京都でも同じです。また、浅葱色の裃は切腹するときの衣装でもありました。

初期の貧乏だった新選組が隊服を揃えるためには、この安い色を使うしかなかったのではないかと考えられています。

新選組のダンダラ模様は、忠臣蔵の赤穂浪士が討入りの際に使った羽織がダンダラ模様（こちらは白黒のダンダラでしたが）だったことにちなんでいるのではないかといわれています。この模様はかなり大きいもので、ダンダラの数は袖で3～4（一周で7～8）、裾で4～5（一周で9～10）くらいだったとされます。

また、現代の新選組グッズなどではダンダラ羽織に「新選組」や「誠」などと染め抜かれたものがありますが、実際にはそんな文字は入っていません。

次に、新選組がいつもダンダラ羽織を着ていたという認識も誤りです。

新選組の歴史は浪士隊の結成から、土方歳三の死までの5年あまりですが、そのうち浅葱色のダンダラ羽織を着ていたのは、初期の1年ほどです。池田屋事件のときには着ていたそうですが、その後は使用された記録が残っていません。

ダンダラ羽織を止めた後は、黒の小袖に黒袴、黒の羽織と黒ずくめでした。ですから、勤王派は黒衣の者に尾行されたら、新選組だとわかったといいます。

戦闘のときには、着物の下に鎖帷子を着て、**鉢金**（図1）と**籠手**（図2）を付けました。メインイラストのように、羽織の下に胴鎧を着た隊士もいたようです。

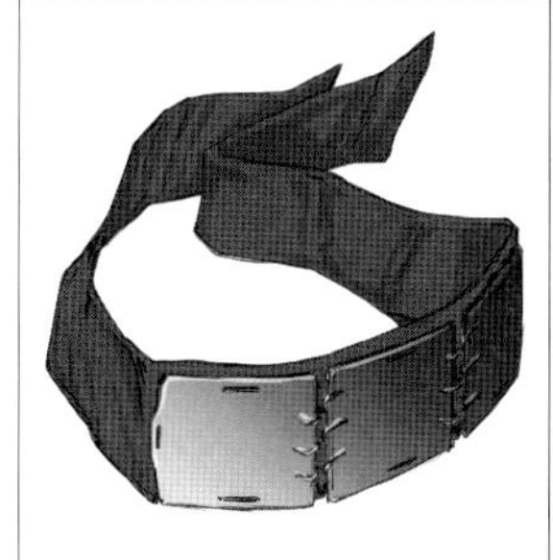

図1 鉢金

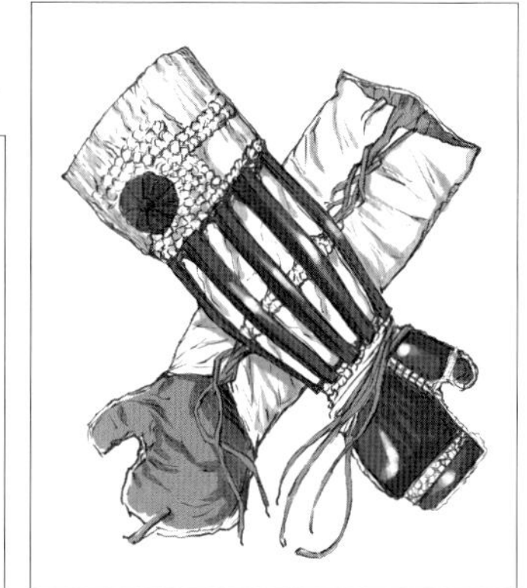

図2 籠手

085

官軍

半首笠
はっぷりがさ

戦国時代の陣笠の一種ですが、幕末の半首笠は薄い鉄板でできています。部隊によっては、軍費不足のためか、和紙に漆塗りや、革製の半首笠もありました。

韮山帽
にらやまぼう

富士山形の陣笠で、こよりで織るか革で作り、漆塗りにしたものがほとんどです。平らに畳めます。

半マンテル
はんまんてる

南北戦争時の米軍の軍服だったサックコート（Sack coat）という上着が大量に輸入されて、官軍の軍服に使われました。それを、日本人は半マンテルと呼んでいました。本来なら、上着として着てその上にベルトを締めるものですが、当時の日本人は腰に刀を差すため、袴の下にたくし込んだり、上のほうだけをボタンで留めたりしていました。

草鞋
わらじ

まだ革靴は一般的ではありません。また舗装も石畳でもない日本の道路では滑って歩きにくいので、革靴を持っていても、戦闘時には草鞋履きが多かったようです。

胴乱
どうらん

銃弾や火薬を入れる鞄で、斜めがけするタイプやベルト留めするタイプがありました。

時代

江戸時代末期（幕末）～明治時代初期

微妙なダサさと、新しさが共存する官軍の軍服は、敵にも味方にも使えます。

洋服に草鞋履き

幕末から明治維新にかけての混乱期に、和装と洋装が入り交じった服装で戦ったのが、戊辰(ぼしん)戦争の**官軍**です。もちろん、旧幕府側も、同様に和装洋装の混じった服装で戦いました。ただし、正確には官軍という軍隊は存在しません。各藩の軍隊のうち、天皇家側についた藩の軍を官軍（新政府軍）といいます。逆に旧幕府側は、旧幕府軍と奥羽越列藩同盟(おううえつれっぱんどうめい)の連合体です。

このため、軍備も軍装も、図1のように藩ごとに異なっています。貧乏で予算のない藩は、旧時代の武士の鎧に、刀や火縄銃で戦いました。逆に、余裕のあった藩は、洋式軍装に当時の新式小銃を使って戦いました。多くの藩は、これらの混合です。

官軍の象徴ともいえるのが、指揮官がかぶっていた**熊毛頭**(くまげがしら)（図2、シャグマともいわれる）です。これは、指揮官がはっきりし、藩で色分けされており、指揮しやすいという利点がありました。材質はヤクの毛が多かったとされますが、一部には馬のしっぽや人毛などで作ったものもあったといわれます。色は、土佐藩が赤、薩摩藩が黒、長州藩が白（に近い灰色）です。ただし、これらは江戸城にしまわれてあったものを接収して使っています。このため、鳥羽伏見(とばふしみ)の戦いなど、江戸城開城以前の戦闘で熊毛頭をかぶっているのは、間違いです。

図2 熊毛頭

図1 薩摩藩、長州藩、土佐藩の銃士

086

武家男性の髪型

時代 鎌倉～江戸時代

武家といえば丁髷ですが、髪型にも若向けの派手な髷から、落ち着いた髷まであって、髷の形で性格や立場を感じさせることができます。

古くから髷が存在していた

最初の髷は、平安時代に、冠や烏帽子をかぶるときに、烏帽子などを髪に留めるために作られた髪型です。髷は、頭の上で髻という髪の毛をくくった部分を作るのが特徴です。一般にこの髻の部分を髷と考えている人もいます。しかし、古くは、髷とは髻の他に前髪や鬢、髱などを含めた髪型全体のことを呼ぶ言葉でした。ただし、江戸時代には髻のことも髷と呼ぶようになっています。

髷は、大きく4つの部分からなります。

- **前髪**：ただし、月代（額から頭頂部を剃ったもの）を剃っている人には、前髪がありません。前髪があるのは、元服前の少年だけです。
- **鬢**：これは、髪の左右、耳の上や後ろの部分をいいます。江戸初期には、素直になでつけて後ろにまとめるものでしたが、江戸中期以降になると鯨のひげなどの型を入れて、鬢を大きく張り出させるようにするのが流行します。
- **髱**：これは後頭部の髪の部分です。若年層、特に都会の裕福な若者は、髱を大きく張り出して、格好を付けます。
- **髻**：男性の髻は、基本的に二つ折りのものです。後ろに少し伸ばしたところで折りたたみ、先を前もしくは上に向けて髻とします。

これらは、時代によって大きく張り出したり、小さく畳んだり、太くしたり細くしたり、様々に変化します。江戸時代にも、きちんと流行の波があり、髷の形も流行によって時代ごとに変化したからです。

武家男性の髪型

①たぶさ：先が茶筅に似ているので俗に「茶筅髷」ともいいます。武士が、頭のてっぺんの少し後ろ（百会）で髪を結んだ髪型です。

②唐輪（からわ）：髪を頭上で輪に結んだ髪型です。

③大月代（おおさかやき）：後頭部だけを残して、頭を剃ってしまった髪型です。このイラストは、後頭部を茶筅にしています。応仁の乱の頃からの茶筅は、公家の髪型である冠下一髻のように、頭のてっぺんにまっすぐ立つのではなく、水平もしくは斜め上に伸びています。また、元結も紐ではなく、白紙で巻きました。

④中剃（なかぞり）：頭のてっぺんだけ剃って、前髪を残した髪型です。少年がよくします。

⑤二つ折（ふたおり）：後頭部でくくった髪を、上に二つ折りにした髪型です。武士にも庶民にも、盛んに使われました。若者は太く長く、老人は細く短く作ります。二つ折は髷の形なので、頭の剃りは、大月代、半頭、中剃、総髪など、様々でした。このイラストでは、中剃二つ折になっています。

⑥若衆髷（わかしゅうまげ）：髷が太く大きくて、髱も張り出している、華美な髪型です。

⑦銀杏（いちょう）：カットの技術が上がり、髷の太さが途中で変化せず、また切り口をまっすぐにできるようになったことから作られた美しい髷です。

⑧講武所風（こうぶしょふう）：御家人に流行した、月代を狭くした髪型です。講武所風という名は、幕府の講武所に通っている武士が好んだことからつきました。

087

武家女性の髪型

時代 鎌倉～江戸時代

すらりと伸びたストレートロングヘアこそが、日本女性の古来の美しい髪型でした。

なぜ髪を結うようになったのか

本来の日本髪は、垂らし髪でした。髪を結うのはお風呂のときなどだけです。風呂場では、長い櫛をさして髪をくるくると巻き付けました。それが便利だったので、だんだんと結った状態の髪型が好まれるようになったのです。

そして、結い髪の手本となったのが、男性の髷(まげ)です。女性の髷は、男性の髷を真似て作られたものが多く、そこから発展して女性の髷が作られました。初期の唐輪(からわ)や島田(しまだ)といった髷は、男性の髷をアレンジして作られたものです。

武家でも、最上級の将軍や大名の室（妻のこと、正室も側室の両方を合わせてこういう）などは、公家に倣っておすべらかしをしていることもあります。

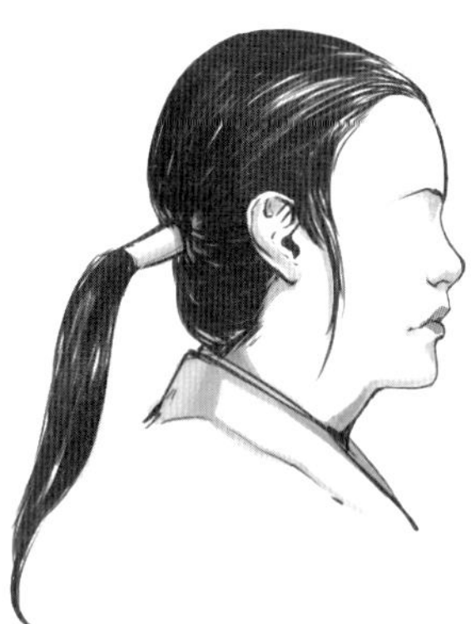

①根結垂髪(ねゆいたれがみ)：髪を元結で結び、それ以外の部分を短くしています。

②玉結(たまむすび)：髪の先に元結を結んで、ループさせています。このような結びが発展して、次の時代の髷につながっていったと考えられています。

③島田：髷を途中で折り曲げて、元結でしばったものです。若衆髷という男性の髷をアレンジして作られた髪型です。

④禿：女児の髪型で、てっぺんだけ芥子（髪をくくって筆の先のようにすること）にして、くくってあります。芥子は、頭のてっぺんに作っている場合もあります。

⑤片外し：江戸の御殿女中といえば片外しといわれるくらい有名な髪型です。横に刺した笄に、右は下を通し、左は上を通すように巻き付けたものです。

⑥志の字：別名、島田崩しともいいます。武家の中級女中が、よくこの髪型にします。髷の部分が小さくて作りやすく、崩れたときも直しやすくなっています。

⑦ちょんぼり：武家の下級女中が、よくこの髪型にします。髷の部分がさらに小さいので、作りやすいのです。しかも、上の女中の髪型より質素になっています。

Column 江戸時代の嫁入り

婚礼は、いつの時代にも一家を挙げての大事件であり、多額の費用がかかるものでした。貧乏人は貧乏人なりに、大名なら大名なりに、精一杯の準備をして、婚礼を行います。

江戸末期、秋田の久保田藩20万石の佳姫(よしひめ)が四国の宇和島藩10万石に嫁入りしたときの記録が残っています。この時代、大名は困窮しており、また幕府からも倹約するよう通達が出ていたこともあり、質素に行うことになりました。

その費用が、佳姫の持参金が3000両、悉皆金(しっかいきん)5000両とされています。当時は、小判の価値も下がっており、1両が現在の5万円くらいと推定されているので、持参金が1億5千万円、悉皆金が2億5千万円ほどです。

悉皆金とは、婚礼にかかる諸費用をまかなうためのお金です。具体的には婚礼衣装、嫁入道具、夜具、引っ越し費用、お付きの人々の手当、婚礼御用を勤めた人への手当、ご祝儀など、結婚の際にかかる費用すべてを、ここから捻出しています。

江戸末期の困窮時でこれですから、盛時の婚礼はこの何倍もかかったと予想されます。

江戸中期の記録ですが、旗本や御家人(江戸の将軍の配下の武士)の婚礼の場合、石高とほぼ同じ両がかかったといわれます。つまり、300石取りの武士と結婚する場合、嫁入り側が300両用意して、持参金と悉皆金に使うといわれました。

この頃の1両は10万円くらいの価値があったといわれているので、約3千万円の婚礼です。

この割合で、大名も婚礼費用を使っていたようなので、盛時の大名は、婚礼に何万・何十万両も使っていたと考えられています。

江戸時代の武士にとって、子供の嫁入り嫁取りは、家の浮沈に関わる大事業だったことがわかります。

それに対して、庶民の結婚は簡単なものでした。式亭三馬の『浮世床』に出てくる長屋の住人の結婚は、以下のようなものです。仲人さんが、花嫁を紹介してくれて、よいと思ったらOKします。すると、仲人さんが嫁の荷物を担いで長屋にやってきます。もちろん、嫁も普通に歩いてきます。結婚の式も、仲人さんの前で二人で固めの杯をして、めでたいので鰹節やスルメなどを食べてお終いでした。

第5章

日本の庶民

戦国から幕末の時代

武士の真似から広まった庶民の衣装

088

武士の真似から広まった庶民の衣装

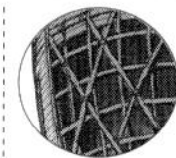    

The dress of the people in Japan

武士の影響力

武士の衣装は、一般の人々にも影響を与えました。公家の衣装はあまりにも動きにくく、農作業などをしなければならない庶民には縁遠いものでした。しかし、武士の服装は、刀が振るえるくらいですから、鍬(くわ)を振ることも可能です。

そして、人間は少しでも余裕ができれば、偉い人のまねをしてみたくなるのは当然の心境です。このため、農家や職人でも上位の金に余裕のある人々は、武士の衣装をまね始めたのです。

そして、上位の人々がまねをすれば、下位の人々がそれに倣うのも、これまた当然のことです。こうして庶民も、武士の衣装である直垂(ひたたれ)や、その子孫である小袖(こそで)を着るようになりました。

また、戦国の世は、農民であっても刀や槍を持って戦うのが当然の時代を作りました。とすれば、人々が武士の格好をまねるのは、当然ともいえるのです。

着流しの一般化

江戸時代までの日本の男性は、下半身に袴を着るのが常識でした。しかし、江戸時代の町人たちは袴すら省略して**着流し**(きながし)(男性の服の着方で、小袖だけで、下半身には特に何もつけない)の人物が多くなります。特に、庶民は、婚礼のときなど特別なときを除いて袴などを使うことはなくなります。

これは町方の習慣で、武士などは必ず袴をはきます。

ただし、武士でも浪人のように、格好を気にする余裕のない人々は、着流しのままで暮らすことが普通になっています。また、幕府に仕える武士であっても、廻り方同心(まわりかたどうしん)(町を見回って、警察の役目を果たしている下級武士)は着流しでもよいとされていました。

女性はというと、武家の女性がすでに袴をはかなくなっていたので、町人の女性は元から袴をはくという習慣は持ちません。

つまり、町人は男女そろって袴をはかない衣装文化を創っていたのです。

江戸時代には、着流し姿（本来着流しは男性の場合にのみ使う言葉ですが）は、町人の美意識を表すものとなります。きちんと袴をはくという武士の美意識から自由になった町人たちは、美しい着流し姿という新たな美意識を作り出したのです。

現代の振袖姿は、江戸の裕福な町人の子女が、小袖の袖を大きくして派手にした振袖という着流しの一形態が、成人式や結婚式にも着ることのできる礼装へと変化したものです。

また、町人文化においては、着流しを礼装とするものもあります。茶道や浄瑠璃といった江戸時代に興った町人文化がその代表です。

ただ、着流しのままでいると、小袖の裾が足元に絡みついて歩きにくくなります。これでは、かえって農作業などに不便です。かといって、袴をはくのも面倒です。

そこで、足下に絡みつく小袖の裾を、**尻からげ**にします。小袖の後ろの裾を帯にはさんで持ち上げると、尻からげのできあがりとなります。

冬場は脚がむき出しになって寒いので、股引（当時の股引は下着扱いです）で防寒します。この股引は、現在の大工さんなどが作業着としてはいている股引とほぼ同じです。これを、着流しの小袖の下にはきます。足元は脚絆で絞り込んでいます。

夏場は股引も（時には脚絆も）無しで、褌が見えるくらい持ち上げます。

これが、庶民の一般的な姿になっていきます。

農民の袴姿

袴をほとんどはかなくなった町人に対して、農民は袴をはく文化を維持していました。

ただし、見かけのためではなく、農作業や山仕事に便利なように、袴をはいたのです。作業中、足元が絡まらず動きやすいようにするためです。

このため、武家のはくような幅の広い袴ではなく、裾がすぼまり、脚に比較的ぴったりとした、木の枝や草に引っかかりにくいように作られた袴が必要です。それが、伊賀袴（裁付、山袴ともいう）やもんぺ（古くから東北地方で裁付の一種として存在していて、現代のもんぺと違い腰の部分の作りは袴と同じになっていた）です。

もちろん、農民も、常に袴をはいているわけではなく、脚を保護する必要のない場所では、袴を省略して尻からげで行動することも多々ありました。

089

商人

羽織

はおり

小袖などの着物の上に羽織って着ることから、この名前があります。前身頃を重ねることができないので、羽織紐でくくります。このイラストは紋付羽織（家紋のついた羽織で、庶民の正装）ではないので、普段着としての羽織です。

前掛け

まえかけ

大きな前掛けをしていることで、一目で丁稚とわかります。10歳くらいの丁稚も大人の丁稚も同じ前掛けを使うので、子供には大きすぎるのです。

白足袋

しろたび

布製の足袋が普及したのは、江戸時代後半です。白い足袋は、普段使いにも正装にも使えるので、最も普及しました。

草履

ぞうり

武士や町民・農民の正装は草履です。町中では、雨でもない限り（雨になると地面が泥だらけになるので下駄を履く）、草履を履きます。

時代

江戸時代

江戸時代の商人は、同時代で最も自由な人々です。自由ですから、太っ腹のお金持ちから金の亡者まで、商家の主人から下っ端の丁稚まで、様々な人物を商人として登場させることができます。

ランクのある商家の服装

商家に限らず、江戸時代の人々は一目見れば、その職業や地位がわかるような服装をしています。また、同じ商人の家でも、主人と番頭、丁稚は異なる格好をしており、一見の客でも誰がどんな地位にあるのか、一目でわかります。

商家では、主人－番頭－手代－丁稚（関東では小僧と呼ぶ）とランク付けされます。

主人（メインイラスト左）は、店の持ち主です。小袖に帯を締めて、羽織を着ています。足は、足袋に草履です。帯は角帯といって、幅20cmほどの布を半分に折って使うので、幅は10cmほどの帯です。結び目は、**貝の口**（図1）が一般的です。締めたら結び目は背中に回します。帯の位置は、前を下腹に当たるあたりまで下げて、横から見ると少し斜めになるようにします。

番頭は、主人に次ぐ地位で、主人のいないときの店の取り仕切りを行います。また、番頭の中から、のれん分けして、新しい店を持たせてもらえる人が出てきます。小袖に帯を締めて、前掛けをしています。羽織はほとんど使いませんが、大店の番頭などは、着ている場合もあります。ただし、主人も番頭も、店に出るときは羽織を着ません。

手代は、店で接客などを行う雇い人です。小袖に帯を締め、前掛けをしています。羽織は使いません。小袖は尻をからげて、**股引**（図2）をはいていますが、暑い時期は股引なしで済ませます。

丁稚（メインイラスト右）は、店の一番下っ端で、子供の頃は走り使いなどを担当し、大人になったら荷物の出し入れなどの力仕事を担当します。小袖に角帯、胸まで覆う大きな前掛けをしています。小袖は尻をからげて、股引をしていますが、暑い時期は股引なしで済ませます。

ちなみに、一般庶民（町民や農民）の正装は、江戸時代には紋付羽織袴です。紋付羽織は、五つ紋（背中の真ん中、両袖の後側、両胸）に家紋をつけた羽織のことで、紋は染め抜きにするのが正式です。

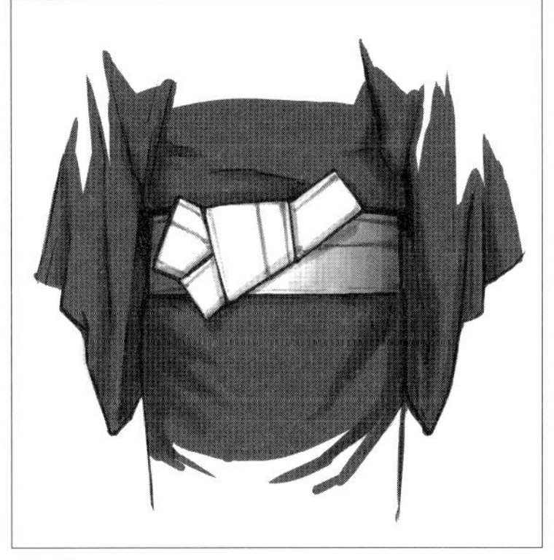

図1 貝の口

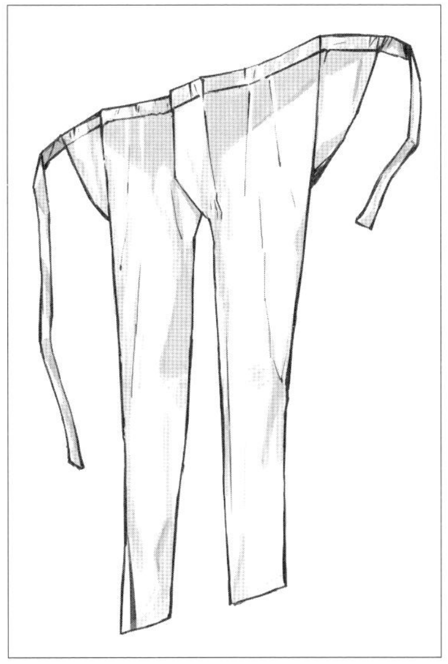

図2 股引

090

行商人

手拭い
てぬぐい

日よけのためか、手拭いでほっかむりをする行商人は多かったようです。

小袖
こそで

当時の人は、ほとんど小袖で、行商人などのような動きやすさを重視する仕事の人は、その尻をからげてきていました。

股引
またひき

夏の暑いときは、股引も省略するので、尻をからげると、褌が見えることもあります。

脚絆
きゃはん

脛には脚絆をはいて、歩きやすくします。

草鞋
わらじ

草履では、長い距離は歩きにくいので、草鞋を足にしっかり縛り付けています。

時代

江戸時代〜明治時代初期

江戸の町には行商人がたくさんいます。行商人は、江戸時代らしさを出せるキャラクターです。また、あちこち移動するため事情通なので、情報源としても有効です。

すべて肩で担いだ行商人

江戸には、ものすごくたくさんの行商人がいました。長屋に住んでいると、次から次へと様々な行商人がやってくるので、日用品は出かける必要もなくそろいます。このような商人は、天秤棒（てんびんぼう）で荷物を担いで売りに来ることが多いため、**振売**（ふりうり）や**棒手売**（ぼてふり）と呼ばれます。

知識も腕も必要のない振売は、誰でもできます。このため、江戸幕府は、弱者救済の意味もあって、50歳以上と15歳以下の人間にのみ、開業許可を出しました。しかし現実には、それ以外の年齢でも振売を行う者は多かったようです。

江戸の町は、大八車（人力の荷車）ですら許可制だったので、基本的に肩で担いで商品を売り歩きます。魚屋のように荷物が重かったり、かさばったりする場合は、天秤棒にぶら下げて運びますし、飴屋（あめや）のように軽い場合は、そのまま肩からぶら下げます。

メインイラストは**飴屋**で、肩から飴を入れた箱をぶら下げ、笛を吹きながらそれぞれの長屋を回ります。長屋に入ると、笛を吹き「飴屋～」と声をかけるのです。買いたい人が家から出てくると、その場で売ってくれます。

図1は、天秤棒で箒（ほうき）や柄杓（ひしゃく）などを担いだ**荒物屋**です。行商人だけでなく、旅人など歩き回る人は、このように杖を持つことがよくありました。

図1 荒物屋

図2は、**冷水売り**です。前後の四角い枠の下部に瓶（かめ）があります（図2では、瓶の口だけが見えています）。冷たいわき水などに、砂糖と白玉粉を混ぜて売っています。

図3は、**花売り娘**です。女性の物売りもたくさんいました。有名な女物売りは、京都の大原女（おはらめ）で、頭に薪を載せて京の町で売っていました。

図2 冷水売り

図3 花売り娘

091

素封家の妻子

お端折り

おはしょり

振袖の裾は、そのままだと床に引き摺るほどあります。この状態の裾を「引摺（ひきずり）」といいます。これに対し、帯の下で着物を折って地面に着かないようにした部分を「お端折り」といいます。江戸時代の絵などでは、一般女性は外でも引摺のままで、お端折りをするのは遊女などだけです。しかしそれは絵だけの話で、実際には地面を引摺で歩くと汚れて大変です。ですから、遠くまで歩くならお端折りやしごき帯、近場なら手で裾を持ち上げて歩くなどしていました。

前帯

まえおび

留袖では前帯、振袖は後帯です。後帯は、基本的に自分では結べないので、小間使いなどのいる家庭の娘しか使えません。前帯は自分で結ぶこともできます。

しごき帯

しごきおび

お端折りは、帯を着ける前にするので、後で引摺に変更することができません。そこで、帯の後で、しごき帯を使って、着物をたくし上げます。これなら、外では着物をたくし上げて、室内では引摺にできます。

振袖

ふりそで

このイラストは、袖が2尺7寸以上あるので、大振袖です。江戸時代の女性の身長は140～145cmくらいしかないので、大振袖ともなると非常に長くなります。

時代

江戸時代

場所

日本

江戸時代になると、裕福な人々は現代に匹敵する着道楽ができました。現代にも残る振袖や留袖は、この時代にできたのです。

振袖と留袖

「武家女性の普段着（振袖、留袖）」079 で紹介したように、**振袖**（ふりそで）や**留袖**（とめそで）は、武家の女性が着ているものでした。しかし、江戸時代が長くなると、町民の中にも裕福なものが現れ、武家の衣装を真似るものが現れます。こうして、庄屋・大商人などの妻子も、振袖・留袖を着るようになりました。振袖は当然のことながら、布をたくさん使いますし、美しい模様を付けますから、高価な布を使わなければなりません。さらに、振袖を着て作業をするのは困難です。つまり、江戸時代になって農民や町民にも余裕が生まれ、手を動かして働かない女性（口頭で指示などはする）を養うことができるようになったことで現れた服装です。そして、大人の女性が着るものが留袖です。

現代では、未婚女性が着るものが振袖、既婚女性が着るものが留袖です。しかし、江戸時代は異なります。子供から若い女性までなら既婚でも振袖を着て構いませんでした。と言うのも、当時は結婚年齢が低かったので、既婚でも振袖という場合があり得たからです。逆に、数え20才で「年増†」と呼ばれて、未婚でも留袖を着ました。最近は、高年齢女性が未婚でも留袖を着ることもあるようですが、江戸時代の使われ方に先祖返りしたと言えるかもしれません。

振袖の袖は、鯨尺（1尺≒38cm）で、2尺（76cm）以下を小振袖、2尺7寸（102cm）以上を大振袖、間を中振袖といいますが、厳密な決まりはありません。江戸末期には、3尺（114cm）を超えるものも現れました。当時の女性の平均身長（145cm）を考えると、確実に地面に擦ったと思われます。さすがに、現代ではこんな袖は作られていません。それに対し、留袖の袖は、1尺3寸（49cm）～1尺8寸5分（62.5cm）くらいです。

ちなみに、男性の平均身長は155cmくらいだったとされています。現代では頭を打つ人も結構多い1間＝181cmの鴨居も、当時は十分な高さだったのです。

振袖の特徴として、振りや身八ツ口が縫われていないという点があります（縫われていない振りを振八ツ口と言う）。これに対し、留袖は、振りが留められて（縫われて）いますが（だから留袖という）、身八ツ口は開いたままです。そして、身八ツ口も縫われているのは、男性用の着物です。

江戸初期までは、女性の着物も身八ツ口まで縫われて閉じられていたと言われています。しかし、女性がお洒落として太い帯を着けるように、しかも胸に近い高い位置に着けるようになったとき、着やすさと、腕の動かしやすさのために身八ツ口を開けるようになったと言われています。

下世話な話ですが、身八ツ口はエッチな用途にも使えます。男性が恋人の身体をまさぐるとき、襟から手を入れると、襟元から着崩れてしまうので、野暮な行為とされます。そこで、もののわかっている男性は、身八ツ口を使うのです。もちろん、身八ツ口からちらっと見える長襦袢は、大変色っぽく、上の振袖との色の取り合わせを楽しむものです。

† 年増：江戸時代、「年増」とは20才（数え年齢でしかも1月1日に加齢するので現代なら18～19才でも20才）になる女性を言い、20台半ばになると「中年増」、30才以上を「大年増」と言った。「年増」は現代と異なり、「大人の魅力が出てきた」という褒め言葉にも使われる言葉だった。

092

農民

野良着

のらぎ

別名、半着（はんぎ）ともいいます。丈が股までしかない着物で、農作業のときなどに便利なので、農民が着ました。また脚が自由に動かせるので、農民以外にも職人や馬飼いなどの仕事をする人々も、よく使いました。普通、素肌に着ます。

煙管

きせる

江戸時代初期には贅沢品でしたが、後期になると農民でも買えるようになって、休憩時に煙管で一服ということもできるようになります。

脚絆

きゃはん

脛に巻く布で、脛を保護し、足のむくみを抑えるため、農作業などのときに疲労をやわらげる効果があります。

時代

江戸時代

江戸時代で最も人口の多いのが農民です。そのため、モブキャラクターとして、大量に登場させることになります。

裁付

たっつけ

別名、伊賀袴ともいいます。脚の部分を細く作って農作業などに便利なようにしてあります。

草鞋

わらじ

しっかり縛ってあるので脱げることもなく、足裏を保護できるため、農作業には草鞋履きが普通です。しかし、貧しい農民のなかには、裸足で作業する人もいました。

江戸時代は節約時代

江戸時代、農民の人口は全体の80%以上を占めていたとされます。つまり、ほとんどの人が農民およびその家族だったのです。

彼らの衣服は、徳川幕府の法度（法律）により、絹を着てはならないと決められ、他にも質素にするように様々な制約を受けていました。このため、彼らは木綿（江戸時代には安価な生地になっていた）や麻の服を着ていました。

江戸時代は、非常にリサイクルの発達した時代で、晴れ着が傷んだら労働着に、それすら痛んだら寝間着にします。さらに、生地すら傷み出したら、切って赤ん坊のおむつなどに使い、本当にどうしようもなくなってから捨てます。しかし、捨てた布を燃やして灰にしたら、その灰を畑の肥料にするので、本当にゴミというものはほとんどありませんでした。

このように、ありとあらゆるものがリサイクルされる江戸時代、一部の豪農などを除いて、農民の暮らしは大変質素なものでした。ですから、彼らは、農作業に適した動きやすく布の少ない、半着のような短い着物を使います。そして、脚は裁付のような、現代のズボンにも似た細い袴をはき、さらに脚絆で押さえて動きやすくします。夏場は、裁付もはかず、褌が見えたままで脚絆だけという人のほうが多いくらいです。

ちなみに、江戸時代には、武士でも、どうせ袴の下は見えないのだからと、本来は着丈の長い小袖を着るところを、半着ですましてしまう横着者もいたといいます。

農繁期の農作業は、雨だからと休んでいられるものではありません。そこで、農民は蓑（図1）をかぶって、農作業を続けます。藁や棕櫚といった植物を編んだ蓑は、雨をはじき、中の人を濡らしません。しかも、暖かくて冬でも蓑の下に1枚着るだけで山仕事ができました。

図1 蓑

093

農民や町人の娘

黒襟
くろえり
小袖の襟が黒いものです。これは、幕末頃の流行です。それまでは、時代ごとに様々な色の襟が使われてきました。

小袖
こそで
江戸時代の女性の普段着です。

前掛け
まえかけ
商人の他に、宿場の女中なども、前掛けをしています。

草履
ぞうり
一般女性は、足袋に草履を履くのが普通です。素足で履くのは、芸者などの粋筋の女たちです。

時代
江戸〜明治時代

貧しく素朴な農民や町民の娘は、主人公になることは少ないですが、物語に一度や二度は必ず登場する、必須のバイプレイヤーです。

ルーズな着方

着物を着ると疲れるという女性は多いようです。確かに、現代のきっちりしていて乱れないような着方をしていると、着物はとても疲れる服装です。しかし、江戸時代までの人々は、日常着物を着ていたのに、疲れなかったのでしょうか。

実は、江戸時代の人々は、結構着物を着崩して着ていたのです。メインイラストを見てもわかるように、現代では着崩れていて恥ずかしいと思われるくらいに、襟も大きく開いており、帯も結構ルーズです。

けれども、当時はこれが普通の着方でした。というよりも、現代のようにきっちり着物を着て、しっかり帯を締めて、着崩れないようにしたままでは、農作業や家事などができるわけがないのです。現代のようなきっちりした着物の着方ができるのは、家事を一切しないような上級武家の奥方などしかいません。

つまり、現代風の着物の着方は、上流階級の子女の着方を踏襲したものです。庶民の着物の着方は忘れられてしまい、時代劇でも町娘が上流階級のような着方をしています。

庶民のルーズな着物の着方は、普段着の着方です。現代でいうシャツの外だしなどに相当するのではないかと思われます。

帯の締め方ですが、元々は帯は前で締めるものでした。服の前を閉じるための紐だと考えれば、それが自然です。しかし、女性の帯の幅が広がり装飾的になった頃から、帯を背中で締めるのが普通になります。しかし、江戸時代になっても、古風な**前帯**（図1）をする人も残りました。特に、京大坂の既婚婦人などに残っていたとされます。

有名な**お歯黒**（既婚婦人が、歯を黒く染める）は、実は平安貴族の男女がやっていたのが最初です。江戸時代には既婚女性のみの習俗となり、それも農村などでは祭りや儀礼のときくらいしかしなかったといわれています。そして、明治2年に皇族・公家にはお歯黒禁止令が出され、一般でも廃れていきました。

図1 前帯

僧侶

袈裟
けさ

四角い布をつなぎ合わせて1枚の布にしたもので、左肩にかけて身体に巻きます。このイラストは、七条袈裟と呼ばれる七枚の布を接ぎ合わせた袈裟です。

横被
おうひ

七条袈裟をかけるときに、別に右肩にかける布です。

直綴
じきとつ

僧侶が普段着る衣服で、基本的には黒い衣装です。この上に袈裟を重ねて着ます。

修多羅
しゅたら

装飾として、編み紐をたらしています。単色のもの、五色のもの、七色のものがあり、一部を袈裟の紐として使い、余った部分を背中側に垂らして装飾としています。

時代

平安時代〜現代

金まみれの生臭坊主も、清貧な僧侶も、着ている服装の基本ルールは同じです。使っている布の豪華さによって違いを出すことができます。

ぼろければぼろいほどありがたい

僧侶が普段から着ている和服に似ているけれどもちょっと違う服は、**直綴**（図1）といいます。色は黒が基本で、それゆえ**黒衣**ともいわれます。しかし現代では、色で僧侶の階級を表すこともあるので、黒以外の直綴も多くあります。

この上に、**横被**という布を、右肩にかぶせます。これは、袈裟が左肩しか覆わないためです（図2）。

最後に、**袈裟**という四角い布を、左肩に引っかけるように身体にまといます。僧侶の服装のことを袈裟ということが多いのですが、実は袈裟は一番上に羽織る布のことなのです。

平安時代には、メインイラストの**七条袈裟**の他に、**五条袈裟**（図3）という小さめの袈裟も作られます。胴体のまわりに巻いて、左肩の紐でぶら下げる袈裟です。

僧侶は本来、財産の私有を禁じられていたので、価値がなくなり汚物をぬぐうくらいにしか役に立たない布を拾い集めて、綴り合わせて布を作りました。ぼろ布であればあるほど尊いとされました。小さな布を縦につないだものを条と呼び、この条を横にいくつかつなぎます。条の数は、五条・七条・九条で、条の多いもののほうがよいとされます。これを、草木染めや金属の錆染めなどで黄土色や青黒色に染めたものが、袈裟です（別名糞掃衣）。

仏教が始まったインドは暖かいので、袈裟だけ着ていればよかったのですが、中国や日本では寒いので、袈裟の下に色々と着るようになりました。これが、日本の僧侶の着ている服装です。

図1 直綴

図2 横被

図3 五条袈裟

095

虚無僧

天蓋
てんがい

虚無僧のかぶる深い笠です。

尺八
しゃくはち

尺八は、長さが一尺八寸あることからその名がある、竹を使った日本の管楽器です。江戸時代には、虚無僧が喜捨を請うために、尺八を吹いて周囲に知らせています。

偈箱
げばこ

縦八寸(25cm)、横五寸(15cm)ほどの黒塗りの桐箱です。黒い紐で首から下げています。

手甲、脚絆
てっこう、きゃはん

手甲も、脚絆も藍色でした。白は多くありませんでしたが、現在の虚無僧はほとんど白です。

大掛絡
おおがら

小さな袈裟(これを掛絡といい、その中で比較的大きいものを大掛絡という)を太い紐でくくり肩にかけたものです。小さいので、胴体にまでかかっていません。

数珠
じゅず

左手に数珠を巻いています。

帯竹
おびたけ

本来は、予備の尺八を入れる袋ですが、江戸時代には脇差を入れてあることが多かったようです。帯の後側に差し込んであります。

時代

江戸時代

謎の虚無僧というのは、時代物における正体不明の人物の定番の一つです。他の創作における仮面の役割を、虚無僧の天蓋が果たします。

隠密の隠れ身

禅宗の一派に普化宗というものがあります。

この宗派の半僧半俗（完全に僧侶となっていない、半ば俗人の生活をしている人）の僧侶を**虚無僧**といいます。元は、薦僧と呼んでいて、どこでも座禅ができるように薦（むしろ）を腰に巻いていた僧だといわれます。

徳川家康が『慶長之掟書』をだして、往来自由（関所などに遮られず、日本全国どこへでも行ける）、帯刀許可、無法者の逮捕などの特権を虚無僧に与えました。その代わり、虚無僧になれるのは武家のみという制限もかけています。

ただ、浪人が食い詰めて虚無僧になったものも多く、品行が悪く、村にやってきては金や食料をゆすり取るというたちの悪い虚無僧もたくさんいました。

虚無僧の姿は、元は、普通の編み笠に白の小袖でしたが、江戸時代になって現在知られているような虚無僧の姿になりました。

メインイラストでは見えませんが、頭には白のはちまき（図1）をしています。腰の帯は、庶民と変わらない角帯で、普通に背中側で貝の口に結んでいます。

灰色か藍色の無紋の小袖を着流しにして（現在では白い小袖の虚無僧が多いですが、江戸時代は違いました）、袴ははきません。帯は前で締めます。

虚無僧は旅をするのが普通なので、藍色の脚絆、手甲を付け、草鞋履きです。ただし、寺にいるときは、脚絆や手甲は使わず、履物は草履だったようです。

背中には大掛絡をかけて、前でくくります。くくり方はいろいろのようです。

図1 白のはちまき

そして、首からは黒い箱（偈箱という）、もしくは濃紺か黒の袋（頭陀袋という）を提げています。現在の虚無僧の箱や袋には、表面に「明暗」と書いてありますが、これは明治以降のことです。当時の虚無僧の箱や袋には、五三の桐（天皇家の裏紋）が描かれていました。

虚無僧は、顔を隠せるため偽者もたくさんでました。特に虚無僧になれば世俗を離脱して刑罰を免れることができるため、無頼の徒が虚無僧になったり、姿だけを真似て偽虚無僧になったりといった事件が頻発しました。このため、幕府は虚無僧を規制するようになります。フィクションでは、隠密の隠れ蓑になったり、逃亡者が変装したりするのにも、よく使われています。

096

神職

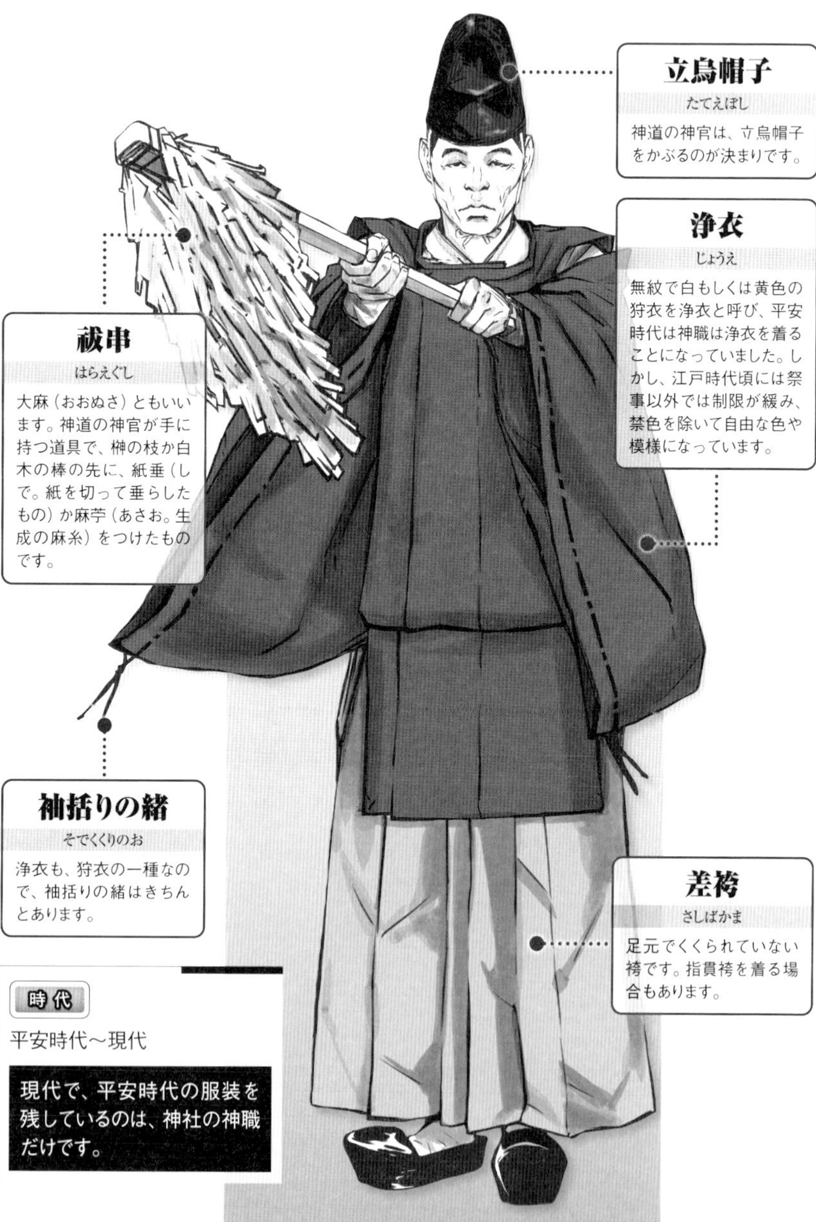

立烏帽子
たてえぼし

神道の神官は、立烏帽子をかぶるのが決まりです。

浄衣
じょうえ

無紋で白もしくは黄色の狩衣を浄衣と呼び、平安時代は神職は浄衣を着ることになっていました。しかし、江戸時代頃には祭事以外では制限が緩み、禁色を除いて自由な色や模様になっています。

祓串
はらえぐし

大麻（おおぬさ）ともいいます。神道の神官が手に持つ道具で、榊の枝か白木の棒の先に、紙垂（しで。紙を切って垂らしたもの）か麻苧（あさお。生成の麻糸）をつけたものです。

袖括りの緒
そでくくりのお

浄衣も、狩衣の一種なので、袖括りの緒はきちんとあります。

差袴
さしばかま

足元でくくられていない袴です。指貫袴を着る場合もあります。

時代

平安時代～現代

現代で、平安時代の服装を残しているのは、神社の神職だけです。

公家の衣装を継ぐ者

神社の**神職**は、公卿の衣服を現代にまで引き継いでいます。しかし、公卿の衣装とは、微妙に違います。

神職が、普段着ている服は**常装**(じょうそう)といいます。上半身に着ているのは、狩衣(かりぎぬ)です。もちろん、狩衣は隙間の多い服装なので、狩衣の下には単衣(ひとえ)を着ています。

ですが、公卿の狩衣姿と違うのは、下半身です。公卿は、狩衣の下半身には指貫袴(さしぬきはかま)をはいています。しかし、神職は、指貫袴の他に**差袴**(さしばかま)をはくこともあります。差袴は、足首まである袴で、指貫のような括りを入れてありません。

頭には、烏帽子をかぶります。

足にはいているのは、**浅沓**(あさぐつ)といい、革に黒漆をぬったものです。

狩衣の色は、天皇家の禁色である黄櫨染(こうろぜん)(黄土色)と黄丹(おうに)(黄赤色)を除けば、好きな色を使ってかまいません。

しかし、中祭のときには、正装を着ます。白の袍(ほう)(衣冠のときの上半身)に、白の差袴で、冠をかぶっています。

さらに、大祭のときには、最正装となります。袍に差袴、冠で、表1の規定の模様(図1)と色の服を使います。

表1 神職身分によって決まる正装の規定

等級	袍	差袴
特級	輪無唐草の黒	白八藤丸紋の白
一級	輪無唐草の黒	白八藤丸紋の紫
二級上	輪無唐草の赤	薄紫八藤丸紋の紫
二級	輪無唐草の赤	無紋の紫
三級	無地の紺	無紋の浅葱
四級	無地の紺	無紋の浅葱

図1 輪無唐草と八藤丸紋

097

巫女

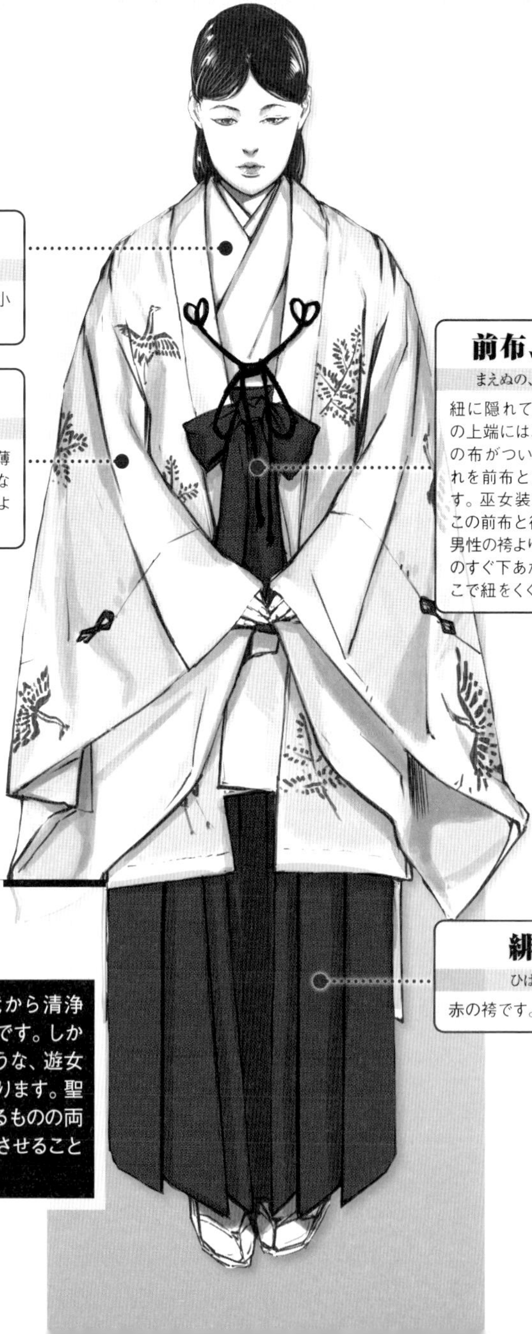

白小袖
しろこそで

巫女装束の上は、白の小袖です。

千早
ちはや

巫女装束の上に羽織る薄い上着で、祭事のときなどには着ることが多いようです。

前布、後布
まえぬの、うしろぬの

紐に隠れていますが、袴の上端には、前後に台形の布がついています。これを前布と後布といいます。巫女装束の袴では、この前布と後布の位置が男性の袴よりも上、バストのすぐ下あたりにあり、そこで紐をくくります。

緋袴
ひばかま

赤の袴です。

時代

平安時代～現代

巫女は、平安時代から清浄なるものの代名詞です。しかし、歩き巫女のような、遊女を兼ねた存在もあります。聖なるものと卑俗なるものの両方を、巫女は象徴させることができるのです。

白拍子から巫女さんへ

現代の**巫女**さんは、白い小袖に**緋袴**と決まっていますが、江戸時代までの巫女は、必ずしも現代の我々が思うような巫女装束を着ていたわけではありません。普通の小袖を着ている巫女も多かったようです。

江戸時代以前の巫女は、多くは**渡り巫女**といって、特定の神社に所属するのではなく、全国を回って祈祷を行ったり勧進を集めたりしていました。戦国時代には、密偵をやっている巫女までいたそうです。

現代の**巫女装束**（図1）は、白い襦袢の上に白衣（白の小袖ですが、袖は縫ってありません）を着て、その上から緋袴をはいています。

本来は、舞のため、足を動かしやすいように、襠（袴を二股に分けるための中仕切りに使われる布）のある馬乗袴をはいていました。ズボンのように二股に分かれている袴です。しかし、明治以降に行灯袴という襠のないものに変わりました。緋袴は、前に白いラインが入っていますので、イラストにするときには描き忘れないようにしてください。

神事のときなどは、その上から**千早**（図2）を着ます。千早は、脇がまったく縫ってありませんので、肩でかぶって引っかけるようにして着ます。千早の模様は、鶴などのめでたい動物、松桐などのめでたい植物、流水模様などで、山藍という黒に近いほど濃い藍色です。

図1 現代の巫女装束

図2 千早

098

修験者

結袈裟

ゆいげさ

山伏の胸に付いている丸い飾りと、それを付けてある幅の広い紐のようなものです。紐の幅は2寸(6cm)で、これに左右二つずつのボンデン(房)を付けてあります。前からは見えませんが、結袈裟の後首のところから背中に紐(打越)が下がっており、これにもボンデンが二ついています。

錫杖

しゃくじょう

先に金属の輪が左右各三つずつぶら下がる杖です。振ると六道輪廻の眠りを覚ます音がします。

曳敷

ひっしき

尻のところには着ける毛皮のことです。休憩時に腰を下ろすときに便利で、修験者が山の民の末裔であることの名残です。

法螺貝

ほらがい

法螺貝を加工した笛で、その音は仏の説法であり、悪魔降伏の力があります。

時代

室町時代〜現代

修験者は、山伏ともいい、山にこもって修行している人です。そのため、自然相手の修行で達人になった人に着せると似合います。

修験十六道具

修験者は、修験道という日本の山岳宗教（仏教と神道が混淆し、さらに陰陽道などの影響も受けて生まれた教え）の神官に相当する人々です。

彼らの多くはあまり教育を受けず、山岳において苦行を行うという実践的修行を主に行います。その教えは口伝が多く、自らの着物や持ち物になぞらえて、教えを記憶します。このための持ち物を**修験十六道具**といいます。メインイラストの解説と以下で紹介するものが修験十六道具です。

頭巾は、小さな12の襞がある宝珠の形をした被り物で、布を漆で固めたものです。額の上に乗るように、紐を後頭部でくくります。戦国時代までは烏帽子などと同じくらい大きいものでしたが、江戸時代に現在の小さな頭巾になりました。

篠懸は、山伏の着る上着です。白が多いですが、上位の修験者になると、様々な色を使います。舞台での見栄えを考えて能や歌舞伎では袴の外に出して着ていますが、実際に山歩きをする場合には引っかからないように袴にたくし込んであります。それでも、先達（先輩格の優れた人）は、これをあえて外に出すことがあります。これを掛衣といいます。

伊良太加の数珠は、煩悩を祓う呪力を発揮します。

螺緒は法螺貝を腰にくくる麻紐ですが、人間を支えられるほど太く、山中ではザイルのように使います。新客（新人）で16尺（5m弱）、度衆（普通の修験者）で21尺（6m強）、先達で37尺（11m）と決まっています。

斑蓋は、修験者のかぶる笠のことで、雨や日差しから守ってくれます。

金剛杖は、八角の木の棒で、山を歩くときの杖になり、棒術で戦うときの武器にもなります。

脚絆は、他で扱われている脚絆と同じですが、黒いものを使います。ただ、現在では白い脚絆が使われるようになっています。

桧扇は、桧を薄く切って作った扇です。

柴打は、護摩の木を切るのに使ったことからこの名が付きましたが、刀のことです。

草鞋とは、わらじのことです。ただ、現代では足下の安全を考えて、地下足袋が使われることが多いようです。

背中に背負う**笈**（図1）は、法具などを入れる箱です。さらに笈の上には、横幅1尺8寸、奥行6寸、高さ5寸の**肩箱**を載せます。肩箱は経文などを入れる箱です。

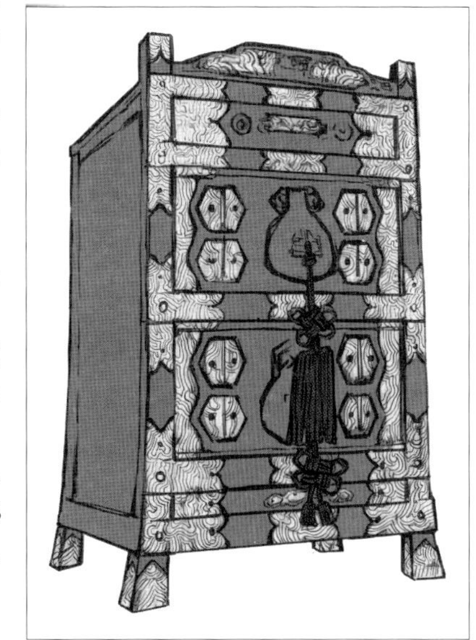

図1 笈

099

医者

坊主頭
ぼうずあたま

医師は、僧侶ではありませんが、頭を剃っていました。

刀
かたな

医者は、名字帯刀が許されており、旅をするときには差していきます。武器無しで旅をするのは危険だからです。ただ、あくまでも護身用なので、武士のように二本差しにすることはほとんどありませんでした。

十徳羽織
じっとくばおり

医者は羽織を着ていることが多いのですが、身分によって着る羽織が違います。町医者は、普通の羽織を着ていました。しかし、幕医や藩医などの武家に使える医者は、十徳羽織を着ています。

脚絆、草鞋
きゃはん、わらじ

メインイラストの医者は、旅姿なので脚絆に草鞋という、歩きやすい姿をしています。町中で近所を往診する程度なら、脚絆をせずに草履で歩きます。

時代

江戸時代

冒険ものには怪我がつきものです。そのような場合に、医者の登場は必須です。

僧侶ではないが世俗外の人

江戸時代でも、**医者**は特殊な役職です。武士ではないにもかかわらず、**名字帯刀**(みょうじたいとう)（名字を名のり、刀を着用すること）が許され、罪を犯して逮捕されても牢屋（庶民が入る）ではなく揚屋(あがりや)（武士や神官が入る）に収監されます。

医者には、**本道医**（内科医）と**蘭方医**（内科も見るがおおむね外科）の2種類がいましたが、本道医は剃髪するのが普通です。ただし、本道医でも、儒医といって、儒学者から医者になった者は、儒学者や蘭方医と同じく儒者頭(じゅしゃがしら)をしていました。

医者が剃髪したのは、世俗の人間が高貴な人物に会ったり、ましては触れたりすることは問題なので、僧侶の風体を真似ることで世俗外の人として相手の身分などに関係なく医療行為ができるように、という意味があったのではないかと考えられています。

他にも、鎌倉～戦国時代に従軍医が戦場で殺されるのを避けるために剃髪して僧侶の風体でいたことの名残ではないかという説もあります。

江戸時代になって現れた蘭方医が髪を伸ばしていることを考えると、後者のほうが近いのかもしれません。

医者の着る**十徳羽織**(じっとくばおり)は、普通の羽織と違います（表1）。絽(ろ)や紗(さ)の薄物で作り、袖の丸みがなく、袖口が広袖（袖丈が全部開口部になっている）です。

表1 十徳羽織と羽織の違い

	十徳羽織	羽織
袖口	広袖	小袖口
袖丸	角袖で丸みがない	丸袖で丸みがある
襟	折り返さない	折り返しがある
脇	ヒダがある	襠かある
前の紐	共布の紐	組紐
紋	入れない	礼装には入れる
布地	絽や紗の薄物	様々

医者は、常に**薬箱**（図1）を持って歩きます。弟子などのいる医者は弟子に、小者（男の召使い）がいるなら小者に持たせているので自分は手ぶらですが、そうでないなら自分で持っています。

図1は蘭方医の薬箱です。本道医も、薬箱を持って歩きますが、図のような薬の入ったガラスビンがたくさん入った箱ではなく、陶器のビンや、紙で包んだ薬が入った箱でした。

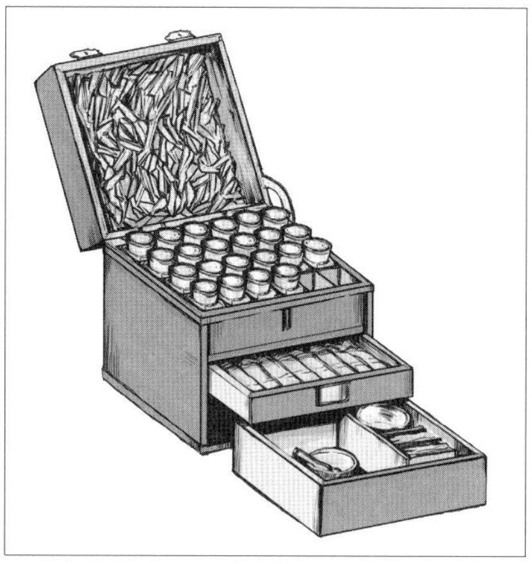

図1 蘭方医の薬箱

100

花魁

笄、大櫛

こうがい、おおぐし

笄（髷を作るときに掻き上げたり巻き付けたりするための棒）を前に8本、後ろに6本、大櫛を2つほど使っており、全部で数キロあったそうです。

俎板帯

まないたおび

花魁の特徴ともいえるのが、前で締めて大きくだらりと垂れ下げた俎板帯です。俎板帯は、前帯（締めるところを前にした帯の締め方）の一種で、垂らした部分が俎板並みに大きいことから、こう呼ばれます。遊女は服を脱ぎやすくするためもあってか、前帯をすることが多いようです。特に、京都の島原遊郭の遊女たちは前帯だったといわれます。俎板帯をふっくらさせるために、帯の中に綿を入れたり、枕のようなものをはさむこともありました。しかし、江戸末期には、このような風俗もなくなり、もっと簡素な姿（図1）になります。

素足

すあし

遊女の他に、芸者も素足で歩いていました。素足のほうが古式なのです。

花魁下駄

おいらんげた

花魁道中のときに履く、黒塗りの三枚歯の下駄です。

時代

江戸時代

江戸時代で、最も華やかな女性が花魁です。花魁の衣装を出すと、画面が一気に賑やかになります。

玄人さんの着こなし

江戸時代には、あちこちの町に**女郎**(江戸時代から、娼婦をこう呼ぶようになりました)がいました。ちなみに、**遊女**というのは、平安時代から使われていた遊芸を行う女性のことを指す言葉で、実質的に娼婦のことを意味していました。

もちろん、幕府公認の女郎は江戸では吉原にしかいません。吉原は、堀で囲われた狭い地域(江戸初期の元吉原で200m四方、中期以降の新吉原になると300m四方)に2000人もの女郎を集めた地域です。

女郎には、ランクがあり、上位から太夫－格子－散茶(京都では天神と呼んだ)－呼出し－附廻し－部屋持－座敷持－河岸女郎－局女郎となっています。このうち、呼出し以上が高級女郎で**花魁**といわれます。ただ、太夫と格子は高級すぎて金も手間もかかって面倒なため、江戸時代半ばに消えてしまい、散茶が最高位となります。

花魁というと、吉原の**花魁道中**が有名です。これは、花魁が、控え室である見世と実際に仕事をする揚屋もしくは引手茶屋との間を行き来することをいいます。振袖新造(若手の遊女で花魁の見習い)や禿(見習いの子供)などを引き連れて特徴ある八文字という歩き方で進む花魁の姿は、なかなかに優雅で見栄えのするものでした。

二流以下の遊女は見世の格子(ショーウインドウ)の中に並んでおり、客はそれを選んで直接見世に入りました。

公娼(政府公認の娼婦)の他に、宿場などには、**飯盛女**(図2)と呼ばれる宿の女中兼私娼(未公認の娼婦)もいました。こちらは、宿の女中であるという名目で存在しているので、普通の女中さんと同じ衣装です。

公娼が存在したのは、三大遊郭である、江戸の吉原遊郭、京の島原遊郭、大坂の新町遊郭とされます。他にも、長崎の丸山遊郭など、全国で20カ所以上の遊郭が存在しました。

図1 江戸末期の花魁

図2 飯盛女

101

俳人

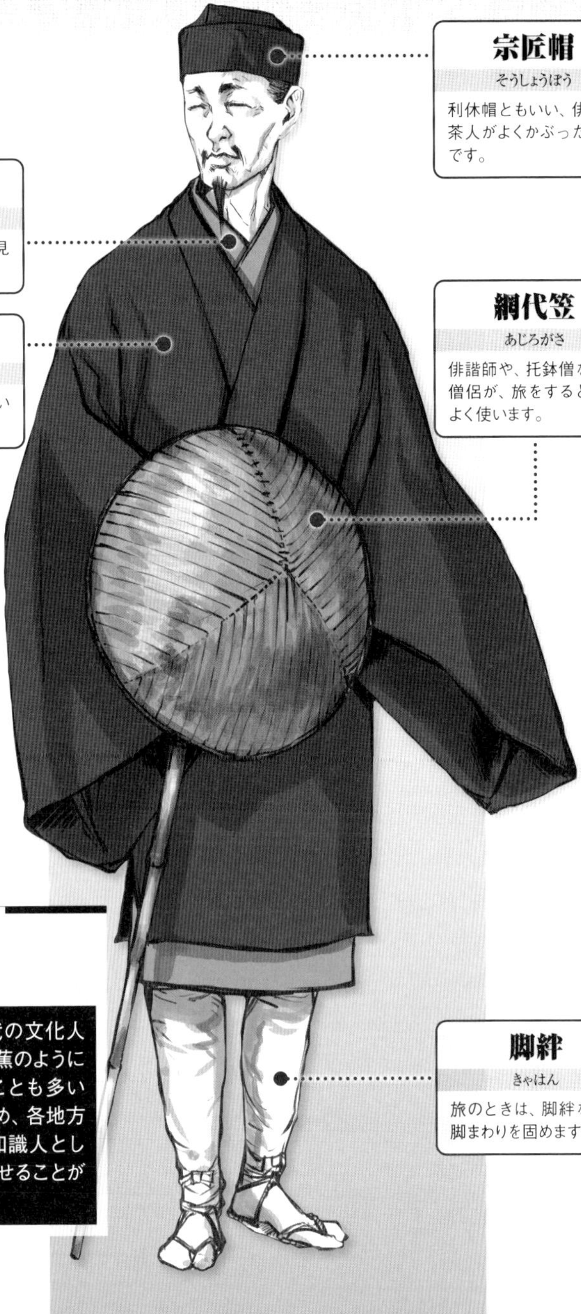

宗匠帽
そうしょうぼう

利休帽ともいい、俳人・茶人がよくかぶった帽子です。

小袖
こそで

裾と、襟からわずかに見えています。

褊綴
へんとつ

膝のあたりまである、長い羽織です。

網代笠
あじろがさ

俳諧師や、托鉢僧などの僧侶が、旅をするときによく使います。

脚絆
きゃはん

旅のときは、脚絆などで脚まわりを固めます。

時代

江戸時代

俳人は、江戸時代の文化人で、しかも松尾芭蕉のように各地を旅行することも多い職業です。このため、各地方の様子に詳しい知識人として、俳人を登場させることができます。

芸術家の衣装?

褊綴という、あまり一般の人は着なかった服があります。褊衫と直裰という、二つの衣装を折衷したような羽織で、俳諧師、狂歌師、碁打ち、将棋指し、占い師などのちょっと変わった職業の人々が着ている服装です。

褊衫は、僧侶が袈裟の下に着る衣装で、袖が大きく、手首まで隠れるほどです。そして、通常の着物とは逆に、左前（襟を、自分から見て左側を内側にする）に着ます。

これに対し、直裰も僧侶が袈裟の下に着ますが、こちらは日本で作られたためか、通常の着物と同じく、右前に着ます。

褊綴は、これらを折衷したような衣装だったといわれています。というのは、実物が残っておらず、資料があまりないのです。『和漢三才図会』の巻廿七では、褊衫の俗称が褊綴だとありますが、この本にある褊衫は、現在知られている褊衫とは別物です。この本で褊衫とされている服が、俳人らが使う上着としての褊綴なのではないかと考えられています。

褊綴は、図1のように袖が振袖のように長く、また通常の着物と違って、袖は反物の2幅分あるので、手が隠れてしまいます。

また、羽織の一種にしては丈が長く膝くらいまでありますが、歩きやすさを狙ってか脇の裾を5寸（15cm）ほど縫わずにおいてあります。

メインイラストでは、旅を好んだ芭蕉をイメージして、俳諧師の旅姿を描いています。このため、脚には脚絆をつけて、草鞋を履いています。

江戸時代には、俳諧師という、専業の俳人が存在しました。彼らは、連歌所で講義をしたり、連歌の本を出版したり、個人教授をしたり、裕福な商人などに呼ばれて連歌の会に参加したりして生活していました。芭蕉も、その俳諧師の一人ですが、現在のように一つの俳句を鑑賞するのではなく、多数の歌が連歌として作られるのを鑑賞するものでした。

図1 褊綴

102

博徒

三度笠
さんどがさ

江戸中期まで、女笠（女性の使う笠）でした。江戸後期になると、江戸と大坂の間を月に三度往復する飛脚が使うようになり、三度笠と呼ばれるようになります。旅人が使うことから、渡世人が使う笠というイメージが付いています。

縞合羽
しまかっぱ

博徒のトレードマークのような縞の合羽ですが、実は普通の人も旅行のときに羽織っていました。

振り分け荷物
ふりわけにもつ

紐で二つの小さな行李（竹や籐などを編んで作った蓋付きの箱）を結んで、身体の前後にぶらさげたものです。

長脇差
ながわきざし

通称、長どす。武士以外は刀を持つことを禁じられましたが、脇差までなら持つことができました。このため、ぎりぎりまで長い脇差を使っています。本来脇差の刃は2尺（60cm）以下ですが2尺3寸（70cm）の長脇差などが作られました。

脚絆
きゃはん

裾が絡まないように脛に巻く布で、小鉤で留めて、紐で締めます。藍染めが多いようです。

時代

江戸時代

ならず者役として、もしくは任侠に生きるいい男として、博徒ややくざ者は、時代物に欠かせません。味方にしても敵にしても、さらには主人公にしても似合います。

旅から旅への三度笠

江戸時代には、勘当された人（犯罪に連座制度があったので、累が及ぶことを恐れた親族から追放されている）、罪を犯して追放刑になった人（つまり、生まれ故郷から放逐されている）、飢饉や借金で農村で暮らしていけなくなった百姓など、故郷を離れて放浪する人々がいました。彼らは、宗門人別改帳（江戸時代の戸籍に相当する）から外され、行政の保護を一切受けられません。

このような人々を**無宿**もしくは**無宿人**といいます。世の中を渡っていくことから、**渡世人**ともいいます。彼らは、基本的に旅をしていることが多いので、衣装というと旅姿になってしまいます。このため、旅姿の人物を見ると無宿人であると考えてしまいがちですが、実際には無宿人以外でも、**縞合羽**や**三度笠**は使っているのです。

博徒は、江戸時代に発生した無宿人の中で、賭博を生業とした者たちです。このため、彼らは家を持たず、旅から旅の暮らしをしていました。

彼らの旅姿の特徴として、手甲と脚絆があります。

手甲（図1）は、手の甲から上腕あたりまでを覆う布で、汚れ、日焼けなどを防ぎます。手甲の手の甲の部分は、先に紐が輪になっており中指を通して固定します。手首は、紐か小鉤（指の爪のような形で、輪に差し込んで留めるものです）で留めます。博徒が使っている手甲は、防御を考えて革や刺子（布地に刺繍で模様をつけたもので、単なる布よりも丈夫になる）で作ってあります。

脚絆（図2）は、締めておくと足回りの布がまとわりつかず、さらに疲れにくいので、旅人はたいてい履いています。小鉤で留めるようになったのは江戸中期で、それまでは紐でくくっていました。

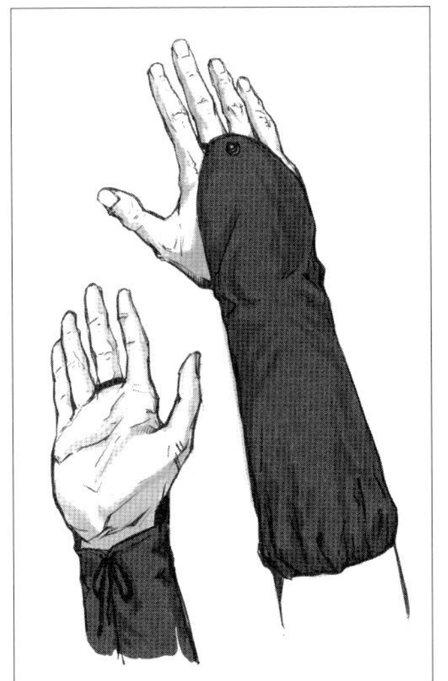

図1 手甲

図2 脚絆

103

庶民男性の髪型

時代 平安〜江戸時代

庶民の髪型は、より上流である武家の髪型の影響を大きく受けています。

庶民の髷

男性は、平安時代から一般庶民も髷(まげ)を結っています。

最初の髷は、平安時代に、冠(かん)や烏帽子(えぼし)をかぶるときに、それらを髪に留めるために作られました。しかし、その習慣は庶民にも広がり、どんな貧しい人間でも烏帽子をかぶるようになります。

江戸時代になると、この烏帽子をかぶる習慣が廃れ、様々な髷を結った頭を見せるようになります。多くの男性は、**月代**(さかやき)（額から頭頂部あたりを剃った部分）を作って髷を結いますが、一部の特殊な職業は**総髪**(そうはつ)（月代を作らずに、全部髪の毛がある状態）にしています。本来なら、兜をかぶらない庶民が月代を剃る必要はないのですが、江戸時代には完全に風俗の一つとして定着します。

①たぶさ：雑色や馬飼いなどは、烏帽子をかぶらず、下髪にしていました。

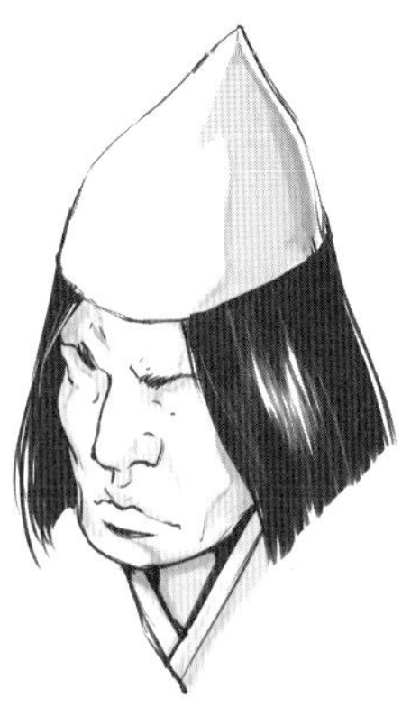

②断髪(だんぱつ)：髷を作らず、肩の辺りで切りそろえた髪型です。山伏が好みました。

③総髪二つ折（そうはつふたおり）：総髪（月代を剃らない髪型）にして髷を結んでいます。町民のうち、昔気質の人などがしていた髪型です。

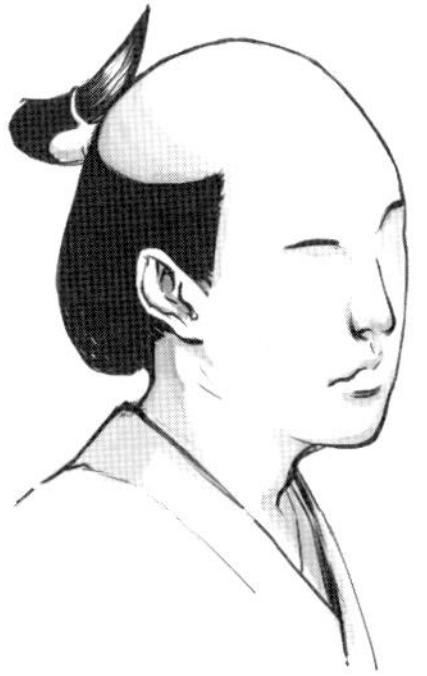

④蝉折（せみおれ）：相撲取りや侠客が好んだ髷で、刷毛先が細くなっています。

⑤豆本多（まめほんだ）：髪をつめて髷を小さくした髪型です。奴や侠客が好みました。

⑥たばね：髷の先を広げて散らし、上に向けたものです。ならず者が好みました。

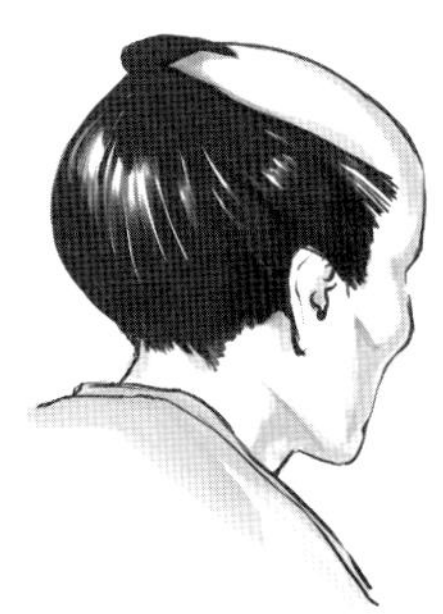

⑦丁髷（ちょんまげ）：老人など髪が少なくなった人が、大きな髷が結えなくなり、やむを得ず作った小さな髷です。

⑧儒者頭（じゅしゃがしら）：儒学者や医者（蘭方医）などが総髪で小さく髷を結った髪型です。

104

庶民女性の髪型

時代 平安〜江戸時代

平安時代の庶民の女性の髪型は、単純で同じようなものばかりでした。しかし、江戸時代になると人々が豊かになり、様々な髷が作られます。髷の選択によって、粋にも無粋にも、凛とした風にもだらしなくも見せることができるのです。

女髷の発展

一般の女性は、働く必要があったので、比較的早い時代から髪をくくっていました。それが室町時代に女髷（おんなまげ）へと発展します。女髷は、男性の髷を摸して考え出されたものですが、すぐに女性ならではの美を競うようになります。

特に、平和で豊かになった江戸時代には、本当に様々な髷が美しさを競うようになりました。

髷の具合によって、その人の職業、既婚か未婚かもおおよそわかります。また、同じような髷でも、使い方や結い方の工夫によって、格好良くなったり色っぽくなったり、地味になったりするのです。

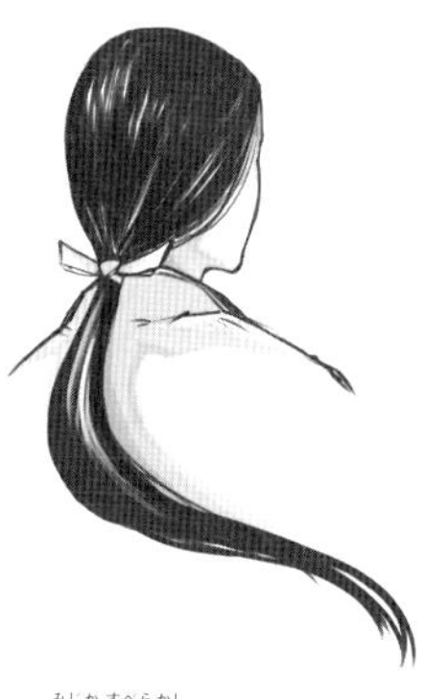

①短垂髪（みじかすべらかし）：庶民の女性は、髪を腰くらいで切って、首の下あたりで元結で結んでいました。

②巻髪（まきがみ）：室町時代の庶民が、垂髪を後頭部でくくり、残りを頭の回りにぐるぐると巻き付けたものです。たいていの場合、その上から白い布で包んでいました。

③唐輪（からわ）：室町時代頃の男髷を、安土桃山時代の関西の遊女たちがまねたものです。このため、江戸時代には兵庫髷と呼ばれて、遊郭で使われました。女歌舞伎や女武者の一部も、この髪型をしていたとされています。この唐輪髷から、様々な女髷が考え出されました。

④勝山（かつやま）：芸妓の勝山がしたことから名が付いた髷です。髪を束ねて輪にし、先を束ねた根本に結びつけたものです。

⑤元禄島田：様々なバリエーションのある島田髷の中で、最も一般的な髪型です。

⑥ 笄 髷：片手笄といい、京大坂で使われた髪型です。髪を元結で縛り、根に刺した笄にぐるりと巻き付けたものです。頭に付けているのは輪帽子で、江戸前期に略式の帽子として外出時に使いました。

⑦貝髷：簪（かんざし）を縦にして、これに髪を巻き付けて結び、あまりを外に出した髪型です。京大坂で使われた髪型です。鬢の部分は、燈籠鬢といって、横に広がって髪の毛の量が少なくなるために、向こうが透けるところからそう呼ばれたもので、江戸中期に流行しました。

⑧櫛巻：櫛を巻き込んで高く髷を結った髪型です。櫛を逆に巻いたところが粋で、また手間がかからないため、江戸で流行しました。

⑨高島田：別名を奴島田、京都では文金島田と呼ばれる髪型です。未婚の若い女性のする髷を高く大きく取った島田です。本来は武家の髪型ですが、庶民も正装のときには、この髪型にしました。

⑩玉川島田：年配の女性がよくした髪型で、鬢もあまり張らず、比較的地味な髪型です。

⑪先笄（さっこう）：20歳くらいの若い既婚婦人の髷です。京風の髪型で、櫛・笄など髪に挿すものは、同じ材質のひとそろいを使うのがよいとされていました。

⑫雌（めん）おしどり：京都で芸妓の襟変え（舞妓が芸妓になるとき）に結ぶ髷です。また20歳くらいまでの町民の娘も、結婚前に結いました。

⑬横兵庫（よこひょうご）：髷がとても大きくなり、二つに分かれた髪型です。花魁などの高級遊女の髪型として有名です。

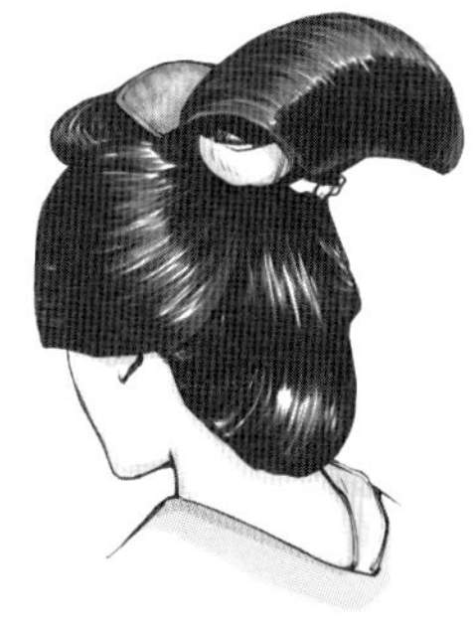

⑭丸髷（まるまげ）：既婚女性の髷です。年齢によって、髷の大きさが変わり、若いほど大きく、年配は小さくなります。また手絡（てがら。髷を結うときに巻く布）も、若妻は赤、年配になると水色と変えました。

⑮両輪（りょうわ）：中年の既婚女性のよくする髪型です。特に、京大坂で好まれました。先笄では、そろそろ若すぎるときにする髪型です。

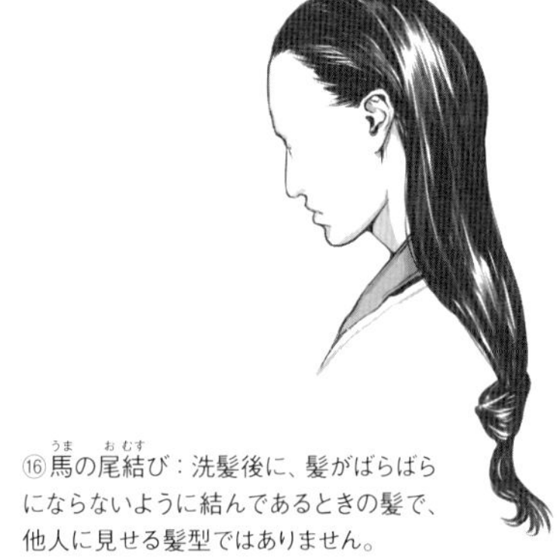

⑯馬の尾結び（うまのおむすび）：洗髪後に、髪がばらばらにならないように結んであるときの髪で、他人に見せる髪型ではありません。

第6章

日本の近代

大正から戦前の時代

大正ロマンの時代

105

大正ロマンの時代

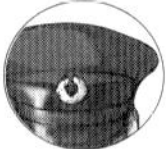

The Period of the Taisho Romance

一瞬だけの自由な時代

明治が終わり、昭和が始まるまでの15年しかない大正時代は、第一次世界大戦が発生した激動の時代でもありました。しかし、主な戦線から遠く離れ、逆に戦争特需で景気のよかった日本は、戦争を行いながらも自由な時代を謳歌していました。

ヨーロッパから100年ほど遅れてロマン主義の影響を受けた日本では、大正時代になって初めて、個人の自由が多くの人々の希望となります。それらは、**大正デモクラシー**として、民主主義・自由主義という考え方も、ある程度広まりました。

昭和の初め、世界恐慌の始まりとともに、日本は軍国主義的な国家へと変化してしまいます。日本のロマン主義は、社会を変える力は持たず、個人的な小さな自由だけにとどまったのです。

しかし、創作の舞台として見れば、大正時代はとても都合の良い時代です。大正時代の人間が生活して様々な活動をするさまは、現代の我々にとっても、共感でき、また興味深く感じられるでしょう。それには、いくつかの理由があります。

第一に、現代ほどではないにせよ、自由な雰囲気があります。民主主義を信じている人、自由主義的な行動を行う人を出しても不自然ではないのです。大卒サラリーマンもこの時代に一気に人数が増えて、デパートなども多くはこの時代にできています。

第二に、関東大震災が大正12年に発生し、東京が火の海になるという大事件が発生します。この地震を、魔法災害や怪獣の襲来、悪の組織の陰謀などに見立ててシナリオを構成している創作作品も多数あります。他にも、第一次世界大戦の発生や、歌謡曲やジャズの流行など、イベントに事欠きません。

第三に、にもかかわらず現代とは大幅に文化や風俗が異なります。

つまり、現代人の感覚に近く行動に思い入れをしやすい主人公を出せる上に、イベントも多く、エキゾチックな時代として、大正時代は大変便利な舞台なのです。

和装と洋装の融合

ファッションにおいても、大正時代は、便利な時代です。現代以上に、服装のバリエーションがある時代なのです。

第一に、和装と洋装の両方を無理なく登場させることができる時代です。都会では洋装が主流となっていましたが、地方に行くといまだに和装の人が数多く存在しました。また、和装と洋装の混じったような服装の人物すら、ごく普通に登場させることができます。

現代日本では、日常の場に和装の人物を出すのは違和感がありますが、この時代なら問題ありません。

第二に、帝國陸海軍が存在しているので、軍装の人物を無理なく登場させることができる時代です。

軍服（自衛隊では制服という）というのはなかなかかっこいいものですが、現代日本では、自衛官は軍装で町中を歩くことがまずありません。実はこれは日本だけの異常な現象で、他のすべての国では、軍服で町を歩くのはごく普通のことです。アメリカ国防総省などの軍の省庁では、軍人は軍装（戦場で着る戦闘服ではなく、通常勤務用の常装という軍服がある）で勤務していますし、公的私的な式典では正装や礼装（最近は簡素化のために正装がなくなって、礼装や常装ですませていることも多い）の軍服を着るのが当然です。けれども、現代日本だけは、日常の世界に軍装の人物を出すことができません。

ところが、大正時代は帝國陸海軍の軍装で町を歩いていても、まったくおかしくありませんでした。というか、兵卒の軍装ですら立派と見られ（実際には、デザイン的には今ひとつでしたし、支給品なのでサイズもぴったりとはいかない）、士官の軍装（自費で購入するのでオーダーする士官も多く、ぴったりフィットして見栄えもよい）など凛々しくて格好良いと考えられていました。

第三に、上のような大きな差異があるにもかかわらず、この時代の美意識は現代でも通用します。例えば、竹久夢二の絵は多少ロマンチックさが過多ではあるものの、繊細で可憐な少女趣味は現代の萌えキャラにも似て、現代でも十分通用しています。中原淳一のポップな絵は、ファッション雑誌のイラストのようです。

このように、大正時代はヴィジュアル的にもバリエーションが大きく、キャラクターの特徴を付けやすい便利な時代なのです。

106

19~20世紀上流男性の昼の正装

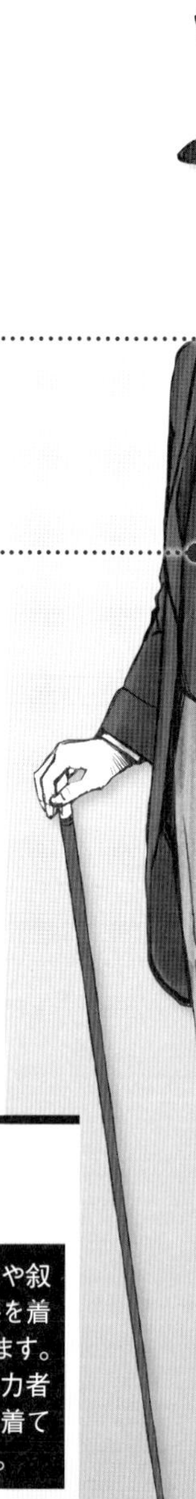

ネクタイ
Necktie

白黒の斜めのストライプが、正式です。

ウェストコート
Waistcoat

黒もしくは灰色で上着とは別の生地を使うことが多いですが、上着と同じ生地で作る場合もあります。

ワイシャツ
White shirt

白のターンダウンカラー(Turndown collar、日本で普通に売っているワイシャツの襟)です。袖から、手首にぴったりあったワイシャツの先が少し見えるのが正式です。

モーニングコート
Morning coat

前は斜めにカットされていますが、乗馬服ではないので、後にベント(切れ目)はありません。ボタンは、一つです。

コールズボン
Formal trousers

縦縞の(まれにチェック柄もあり)ズボンです。サスペンダーで吊るので、ベルト通しはありません。

ストレートチップの靴
Capped-tow Oxford

黒の革靴で、ストレートチップ(つま先に横に一本の線が入る)で、内羽根式(Balmoral、紐を締める部分が靴の甲と一体化しているもの)が、最も正統です。

時代

19~20世紀

ゲームでも、王との謁見や叙勲、式典出席など、正装を着るシーンはたくさんあります。また敵方の権力者や有力者は、きちんとした礼装を着ていることが多いようです。

日本に定着した西洋風正装

大正時代にもなると、日本でも正装といえば西洋風でした。和服は、一部天皇家の儀礼などで使われていましたが、首相や大臣への任官、勲章の授与（軍人を除く）など、ほとんどの公式行事では、モーニングなどの西洋風正装に身を固めます。現代でも、内閣の認証式に大臣たちはモーニングコートでの出席が慣例となっています。たとえ、認証式が深夜になってもモーニングなのは、グローバルスタンダードとしては間違っているのですが、日本だけの特殊な慣例となっています。

正装には詳細なルールが定められており、それを外すと途端に正装として認められなくなります。つまり、正装・礼装の登場するシーンは、クリエイターの知識の有無が、もろに出てしまう非常に怖い場面でもあるのです。

現在、世界中で正装・礼装と認められているのは、三種類あります。

その一つが、19世紀末～20世紀初頭にヨーロッパで成立した正装・礼装です。男性は「ヴィクトリア朝前期の上流男性の正装」034のルールを基本としており、その後もあまり変化がありません。モーニングやテイルコート、タキシードなどを着ています。しかし、女性は、「ヴィクトリア朝の上流女性」039のようなバッスルは廃れて、アフタヌーンドレスやイブニングドレスが主体となっています。またイブニングドレスは現在でも華麗なドレスが主流ですが、それでもこの時代よりはシンプルになっています。アフタヌーンドレスは、簡素なもののほうが多くなっています。

二つ目は、個々の国家における正装・礼装です。日本人なら男性の紋付袴や既婚女性の留袖に未婚女性の振袖、インド人ならサリーなどです。これらを着て、よその国の式典に出ても、何の失礼もなく正装・礼装と認められます。ただし、これはその国の人が着ている場合のみ、正装・礼装となります。アメリカ人が振袖を着ても、おしゃれではあるかもしれませんが、正装・礼装ではありません。

三つ目は制服です。学生の制服は、正装としてそのまま使用できます。また、軍人は、何種類かの軍服を持っていますが、戦場で着る戦闘服などの他に、正装・礼装と呼ばれる軍服があります。ただし、簡素化の影響か、正装軍服を廃止した国が増え、常装軍服（戦場ではなく通常勤務時に着る軍服）に勲章などを飾って正装としている国が多くなっています。

最も一般的な西洋風正装ですが、昼間と夜とでは別のルールがあります。

モーニングコートは、その名の通り、元は午前中の散歩着から発展し、昼間の正装となったものです。このため、夜に着てはすべて台無しなのです。

107

19~20世紀上流男性の夜の正装

蝶ネクタイ

Black tie

正装のタキシードには、黒の蝶ネクタイと決まっています。それ以外の色を着るときは、遊び着としての装いとなります。

カマーバンド

Cummerbund

上着の下に着る飾り帯です。後ろは紐でくくってあります。カマーバンドには上下があって、襞が上向きになるように着けます。1920年代より前は、カマーバンドは正装ではなく、ウェストコート（Waistcoat）を着なければいけませんでした。本来、タキシードのボタンはかけておくものですが、このイラストではカマーバンドを見せるために外してあります。ボタンをかけてあった場合、襟と襟の間にわずかに見えるだけです。

ショールカラー

Shawl lapel

1920年代までは、タキシードの襟はサテンのショールカラー（ショールをかけたような丸みのある襟）でした。1920年代になって、下図のようなピークドカラー（Pointed lapel、とがった部分が上向きの襟）のものが登場します。この襟は、サテンなどの、光を反射しやすい素材でできています。

側章

Galon

ズボンの外側の縫い目を覆うように、サテンのリボンが縫い付けられています。

時代

19～20世紀

夜のパーティーは、男女の出会いとしても最適です。特にダンスを一緒に踊るシーンは、優雅で美しいのでお奨めです。

正装シーンのために

正装は昼と夜とではまったく別物を着なくてはいけません。基本的に、夜の正装は、襟の部分がサテンでテカッています。これは、暗い部屋で、少しでも顔が映えるようにという意図だったのではないかといわれています。

夜の男性の正装を表す言葉に、**ホワイトタイ**（White tie）と**ブラックタイ**（Black tie）があります。ホワイトタイのほうが、より正式で仰々しく、メインイラストで描かれたブラックタイは後からできたカジュアルなものですが、後に正装となったものです。

ホワイトタイとは、テイルコート（燕尾服）に白の蝶ネクタイ、立襟・イカ胸・両穴・本カフスのシャツ、ウェストコート（ベスト）です。ズボンはベルトは着けずに、サスペンダーで吊ります（ベルト通しはありません）。

シャツは図1のように、襟が普通の襟と違い立襟と呼ばれる形で、**イカ胸**という二重の布地でピンと胸を張り、シャツの両側にボタン穴が付いていて**スタッドボタン**（図2）で留め、袖も両方とも穴が開いていて**カフスボタン**で留めるものです（普通のワイシャツのようなボタンは、付いていません）。スタッドボタンもカフスボタンも白蝶貝(しろちょうがい)が本式です。

ブラックタイとは、タキシードに黒の蝶ネクタイ、立襟・イカ胸・両穴・本カフス（1920年代以降なら、ヒダ胸でも可）のシャツ、ウェストコート（1940年代以降はカマーバンドでも可）です。ズボンは、タキシードと同じ生地で、側章のあるものを使います。スタッドボタンとカフスボタンは黒蝶貝(くろちょうがい)です。

タキシードのカラーは、現在では、メインイラストのショールカラーと、解説にあるピークドカラーの両方が使われています。どちらが正装ということはありません。

また、靴はエナメルスリッポンのオペラパンプスが正式です。ただ、1950年代以降は、普通の黒の革靴でもかまわないとされるようになりました。

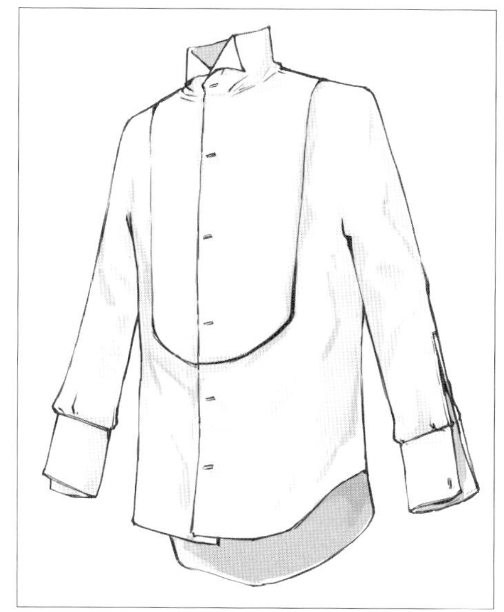

図1 シャツ

図2 スタッドボタン（黒蝶貝）

108

19~20世紀上流女性の昼の正装

襟ぐり

High-cut

襟ぐりは大きく開いていてはいけません。ただし、襟の形状自体は、襟無し・立て襟・開襟と様々です。

レース

Lace

しとやかで控えめなドレスといっても、レースやリボンはふんだんに使って、豪華さを演出します。ただし、現代では、派手にならない無地のものが多くなっています。

手袋

Gloves

袖が長いので、短い手袋を使います。食事のときは、外します。

パンプス

Pumps

黒・茶・白などで、エナメルでもかまいません。しかし、金・銀は避けます。

時代

19～20世紀

上流の女性にきちんとした服装をさせようとした場合、このアフタヌーンドレスを着せると、上品さと慎み深さの両方を表すことができます。

お昼は控えめに

女性の正装も男性の正装と同様に、昼と夜とで異なります。

昼間は、基本的にしとやかかつ控えめなドレスを着て、光りものなどもあまり付けません。

昼間の女性の正装を**アフタヌーンドレス**（Afternoon dress）といいます。これはフランスの**ローブ・モンタント**（仏Robe montante）を基本とした、襟ぐりが閉じられたドレスのことです。男性の着るモーニングコートと同様、午前から午後の太陽の出ている時間帯の正装です。

アフタヌーンドレスは絹（最近は別素材のものもある）のワンピースで、襟元まできちんと閉じられており、腕もほぼ手首まで隠します（夏でも最低七分袖くらいはある）。スカートの長さは、くるぶしまであります（足元まであるものもあり）。

靴は、パンプスを履きます。黒でも白でもかまいませんが、金や銀は避けます。

日本では、女性皇族が昼間の式典で着ているのが、このアフタヌーンドレスです。

しかし、それ以上の縛りはありません。女性のファッションは、たとえ正装であろうともバリエーションが広く取れます。

襟元まで隠してあるならば、服に襟があってもなくてもかまいませんし、その上にショールや毛皮、ボレロ（丈が短く、前が開いているジャケット）やジャケットを羽織るのも可です。

宝石類は、あまりぴかぴか光って目立つものは品がないとされるので、真珠などが好まれます。もちろん、1カ所くらい宝石が輝いていても、問題ありません。

20世紀前半くらいまでは、派手な刺繍を施したローブ・モンタントが多かったのですが、現在では無地のシックなアフタヌーンドレス（図1）が主流です。

図1 無地のシックなアフタヌーンドレス

109

19〜20世紀上流女性の夜の正装

襟ぐり
Low-cut

襟は大きく開いていなければいけません。背中や腕の見せ方は、様々です。

扇
Fan

日本の扇のように開くタイプが多いのですが、下図のように開いた形のままのものや、羽根でできたものなど様々です。

手袋
Gloves

肘まである長いものを使います。食事のときなども、外しません。基本的には、白で、レースなどを使って華やかにする場合もあります。

スカート丈
Long skirt

足元まで隠す長さにします。

時代

19〜20世紀

女性の夜会服は、露出も多く、多少エロティックな雰囲気があります。アダルトな雰囲気の女性に着せれば、その魅力を最大限に引き出してくれます。

夜の奔放なドレス

夜の女性の正装である**イブニングドレス**（Evening gown）は、昼の正装とは大きく違って、奔放で色っぽいものになります。元々は、フランスの**ローブ・デコルテ**（仏Robe décolletée）を基本としています。

デコルテとはフランス語で本来は「襟無し」という意味で、首筋から胸元、さらにはバストの谷間を表す言葉です。その名の通り、ローブ・デコルテは、肩から胸を大きく開けて、女性の美を最大限に表現するためのドレスです。

男性のテイルコート（燕尾服（えんびふく））やタキシードと同様に、夜の正装として着用されます。

ローブ・デコルテは、絹・ベルベット・サテン・オーガンジーなど高価な布地のワンピースです。襟を大きく開けて首筋まで見せていて、背中も大きく開いています。また、袖無しもしくはあっても非常に小さく、肩も露出している場合もあります。20世紀に入ると、**ホルターネック**（図1）なども可になります。

生地の模様は、織り柄もしくは刺繍柄でプリント地などは使いません。

頭には、クラウン、ティアラ、ベール、ダチョウの羽（この場合、頭の左側に留める）などで飾り、帽子は使いません。

手袋は、白もしくはドレスと同色の長手袋（ひじ上まである手袋）です。縫い目は必ず内縫いのものを使わなければいけません。

靴は、ドレスと同色の布地かサテン、革などのパンプスをはきます。黒・白が基本ですが、派手な金・銀の靴でもかまいません。

手には、扇を持つのが基本です。ただし、現代では扇は使われず、光沢のある小型のハンドバッグを持つことが多いようです。

ローブ・デコルテは、胸元を大きく開けているので、移動途中などのために羽織るものが必須です。肩だけ覆うものから全身を覆うものまで、様々な種類があります。毛皮のショールなども、よく使われます。

図1 ホルターネック

110

サラリーマン

ワイシャツ

White shirt

白のターンダウンカラー（Turndown collar、通常のワイシャツの襟）です。

ベスト

Vest

ベストがあるスーツをスリーピース、ないものをツーピースといいます。1950年くらいまでは必ずベストを使いましたが、これ以降省略されることが増えました。

共布

Suite

スーツは、ジャケットとズボンを同じ布で作ります。別の布で作った場合、それはスーツとは呼びません。

ネクタイ

Necktie

一番シックで正統的なのは小紋と呼ばれる小さな模様が散らばったネクタイです。一見正統的に見える無地のネクタイは、逆におしゃれ着です。

ボタン

Buttons

立っているときは、三つボタンなら上の二つを留めて下の一つは開けています。二つボタンなら上の一つを留めて下の一つは開けています。このイラストでは、中のベストを見せるためあえて開けていますが、本当は締めるのが正統です。

袖

Sleeves

自然に腕を下ろしたとき、ジャケットの袖は、手首が隠れないくらいの長さです。また、ジャケットの袖からワイシャツが1cmくらい見えるのが、正しい着方です。

革靴

Oxford

黒もしくは茶色の革靴で、ベルトと同系色を選びます。スニーカーなどを履いてはいけません。

時代

19～20世紀

スーツを着た会社員が普通に見られるようになったのが、大正時代です。今では社会人の制服のようなものですが、当時スーツを着ている男性は、都会的で流行の先端にいる人に見えます。スーツを着た男性は、敵味方いずれもたくさん出てきます。けれども、同じスーツでも、その着こなしで、その人となりを見せることができます。

正統に着るか着崩すか

スーツの着方は様々で、着こなし一つで、格好良くもダサくも変化します。

ここでは、最も正統な着方を紹介します。

スーツのボタンは、二つもしくは三つです。二つボタンの場合は、上のボタンだけ留めます。三つボタンの場合は、中央のボタンだけ留める、もしくは上二つを留めます。重要なのは、一番下のボタンを留めてはならないということです。これを留めると、途端にダサい人になってしまいます。もちろん、ダサい人を表現するなら、それでかまわないのですが。

シャツの袖は手首まで隠すもので、ずれないように手首のサイズにぴったりさせておきます。袖がぶかぶかなのは、おしゃれではありません。袖の長さには余裕を持たせておき、腕を動かしてもシャツの袖の位置が変わらないようにします。

ジャケットの袖口は、シャツの袖が1cmくらい出るような長さにします。ジャケットの袖が長すぎて、ワイシャツが見えなかったり、手のひらまで隠れていたりするのは、大変ダサい格好なので、新入社員のようにスーツを着慣れていない人や、スタイルなどどうでもよくなったおじさんサラリーマンなどを表現します。

ズボンの裾は、靴の甲にワンクッションだけかかっているのがよいとされます。短すぎると、背が伸びてしまった子供みたいです。逆に、長すぎて靴に思いっきりかぶっていると、着慣れていない借り物臭のある着方です。

ダブルのスーツもありますが、これが一般的になるのは1930年代以降で（ダブルのスーツはギャングのイメージがありますが、1920年代のギャングはシングルスーツです）、それまではシングルボタンのスーツでした（図1）。

ジャケットのポケットには蓋が付いています。これは本来は雨避けのために付けられたものです。このため、晴れた日には、ポケットの蓋はポケットの中に入れてしまって見えないようにするのが本当だとされます。

ネクタイの長さは、剣先（先の三角形の部分）が、ベルトに少しかかっているくらいがベストです。長すぎるとだらしなく、短すぎると田舎者に見えます。

斜めのストライプ模様のネクタイは、レジメンタル（連隊）タイといって、イギリス陸軍の連隊ごとに決まった模様があります。その後、他の組織や学校なども自らの模様を作り、レジメンタルタイを付けてメンバーであることを自ら示すようになりました。日本でも、この習慣はスクールタイで取り入れられています。だから、わかる人はレジメンタルタイを見て、その人の出身を判別できるのです。

シングルスーツ：
ボタンが縦1列のスーツ。
襟はノッチドカラー。

ダブルスーツ：
ボタンが縦2列のスーツ。
襟はピークドカラー。

図1 シングルとダブル

111

モダンガール

おかま帽
Cloche hat

昭和になると、金田一耕助がかぶるダサい帽子になってしまいますが、大正時代のおかま帽は、流行に敏感な女性が好んでかぶるおしゃれなフェルトの帽子です。1920年代には、欧米でも流行していました。

シャネルスーツ
Chanel suit

ココ・シャネルが、女性の解放を目指してデザインしたといわれる、男性のジャケットに似た上着に、膝丈のスカートというデザインの服です。

ポケット
Pocket

それまでの女性用スーツには、まったくポケットがありませんでしたが、シャネルスーツによって、ポケットのある服が登場します。

スカート丈
Short skirt

1920年代になると、膝丈のスカートが登場するようになりました。

時代

19～20世紀

この時代の服装は、現代でもフェミニンで仕事ができる女性の服装として使えるほど、現代に近くなっています。大正時代のモダンガールは、ほぼリアルタイムで、ヨーロッパの流行を取り入れています。洋服を着せることで、裕福で自由奔放な女性であることをアピールできます。

働く女性の服

第一次世界大戦は、女性服にも大きな影響を与えました。何より、戦争のために大量の兵士が必要となり、勤労男性が足りなくなります。このため、女性が働くようになったので（特に工場などで）、働く女性のための服が求められるようになりました。現代の、ビジネスウーマンのスーツは、この時代にできあがったものです。

ドレスのデザインは直線的で、またスカートの長さも短く歩きやすいものになっています。また、過剰な装飾も取り払われ、シンプルな衣服が好まれるようになりました。これも、戦争による節約ムードと、働く女性が働きやすい服装を求めたことによる影響です。

コルセットも（こんなものを付けていたのでは、仕事などできませんから）使われなくなります。代わりに登場したのが、ブラジャーです（ブラジャーは、この時代に登場したものです）。

簡潔になった服装の代わりに化粧の技術が上がったのも、アイシャドウが流行して口紅が現在のように円筒に入ったのも、この時代です。

特に有名なのが、メインイラストのようなテーラードスタイル（男性のスーツに似たスタイル）のシャネルスーツです。U首のボーイッシュスタイルのイブニングドレス（図1）も、この時代にできたものです。

第一次世界大戦が終わると、学を身につけ、職業を持ち、自由な恋愛を楽しむ女性たちが現れました。彼女たちは**ギャルソンヌ**と呼ばれます。「少年のような娘」という意味です。

日本でも、この流行はほとんど時間差無く現れています。もちろん、大正時代の若い女性の大半はまだ着物を着ていました。しかし、それでも比較的裕福で流行に敏感な女性が、このような服装で銀座（当時の最先端流行地域）を闊歩したのです。彼女たちを、**モダンガール**、略して「モガ」といいました。

図1 ボーイッシュスタイルのイブニングドレス

112

大正の一般女性

ショール

Shawl

銘仙の上にショールを羽織るのが、大正時代の和装のおしゃれな着方です。それまでのショールは、正方形の布を三角にして羽織るものでした。ですが、大正時代は長方形の布を縦に畳んだショールが流行します。

銘仙

めいせん

現代ではほとんど使われない銘仙という絹織物が、大正時代には大流行します。

色鮮やかな着物

いろあざやかなきもの

化学染料が進歩したため、草木染めなどでは生み出せなかった極彩色が作れるようになりました。このため、着物の色にも鮮やかな色が使われるようになります。しかし、極彩色の衣服を複数組み合わせて格好良く着るには、かなりのセンスが必要です。

和モダンの模様

わもだんのもよう

着物の柄に、アールヌーヴォーやアールデコといった、当時のヨーロッパ文化の模様を取り入れ、和モダンと呼ばれるようになります。

時代

大正時代

大正時代になっても、着物の女性はたくさん登場します。良家の子女で、着物を着ていれば、おとなしくて控えめで、ちょっと保守的な家庭で育てられた女性であることを示すことができます。

大流行した銘仙

大正時代でも、洋装よりも和装の女性のほうが、ずっとたくさんいました。洋装が一般家庭にまで普及するのは、関東大震災の後です。震災に遭って、着物姿より洋装のほうが動きやすく安全だということで、洋装が広まったのです。

逆にいえば、それまでは着物が主流だったということです。さすがに、日本髪の女性は減り始めており、束髪（そくはつ）がだんだんと増えていました。しかし、桃割（ももわれ）などの比較的簡単に作れる日本髪は、昭和初期まで愛好され続けます。

そんな大正から昭和初期にかけて、一般女性たちに最も愛されたのが**銘仙**（めいせん）の着物です。

銘仙とは、先染め（糸の段階で染めて、染めた糸で反物を織ったもの）の絹織物の一種です。本来の銘仙は、くず繭（まゆ）と呼ばれる、蚕（かいこ）の糞で汚れた繭などの、そのままでは白くきれいな絹糸にならない繭を材料にして生地にしたものです。

このような繭は、草木染めしかない時代には、ろくな色にならないため、大変安いものでした。このため初期の銘仙は、女中さんなどが着る安物の着物で、色が悪い代わりに丈夫に作っていました。

銘仙は先染めなので、絵模様などは作れませんでした。銘仙で作れる模様は、絣（かすり）や縞（しま）などの簡単なものだけでした。

しかし、大正時代に入り、化学染料の発達によって、銘仙の価値は大きく上がります。強力な化学染料を使えば、銘仙であってもきれいな色に染められ、しかも安価で堅牢な部分はそのままです。

また、型紙を使って先染めでも銘仙に絵模様を描くことができるようになります。このため、ますます自由なおしゃれ着としての着物が広がります。その模様も伝統的和模様とは限らず、図1のようなバラやヨットといった、ヨーロッパ由来の模様を描いた着物も多数登場します。

これら丈夫で華やかな銘仙は、活動的になった当時の女性のための着物として大変便利で、しかも彼女たちの気分にぴったりだったので、大流行します。

図1 和モダンの着物模様

113

旧制高校生

学帽
がくぼう

当時の人々は、帽子をかぶるのが普通でした。学生は、角帽をかぶっています。

詰め襟
つめえり

当時の旧制高校・大学の制服は黒の詰め襟です。

長髪
ちょうはつ

軍人は短髪ですが、この時代の学生は、長髪の人もたくさんいました。ただし、おしゃれな長髪というよりは、無造作に伸ばしただけの敝衣蓬髪（へいいほうはつ。破れたぼろい服に、乱れて汚い長い髪）です。

コート
Coat

旧制高校生のコートといえば、とんび（袖無しのインバネスコート）と考える人も多いですが、普通のコートの学生もたくさんいました。色は、黒または紺でした。

下駄
げた

裸足に下駄履きが、バンカラな学生の基本です。逆に、黒の革靴などを履いていると、華族などの上流の出ではないかと考えられました。

時代

20世紀前半

バンカラというちょっと古くさい言葉が似合う旧制高校や帝大の学生は、当時の女性のあこがれの的です。エリートであり、着こなしによってバンカラにも貴族的にも見せることができます。

学生服に下駄

大正時代の学制は、かなり複雑です。以下で紹介しているのは、主な学校で、実際にはもっと多くの学校がありました。

まず、現在の小学校に相当する尋常小学校が6年間あります。たいていの子供は、小学校だけしか、通えません。

上の学校に行く子供は、2年制の高等小学校、もしくは4～5年制の旧制中学校（男子のみ）か高等女学校（女子のみ）に通います。他に、5年制の実業学校（農学校・商業学校など）へのコースもありました。高等小学校から、4年制の師範学校（先生になるための学校）に進学する学生もいました。

旧制中学校を卒業した人は、3年制の旧制高等学校に進学できます。現在の、大学の教養学部に相当するものと考えられています。ここまで進学するのは、本当の超エリートでした。

初期の旧制高校は、全国で8校ありました。これらはナンバースクールといって、特別視されました。その後も旧制高等学校は増設され、官立・公立・私立合わせて、39校になります。

旧制高校を卒業すると、3年制の帝國大学（略して帝大）に進学します（医学部は4年制）。帝大の定員は、ほぼ旧制高校の定員と等しかったので、旧制高校を出さえすれば、選り好みさえしなければどこかの帝大に入ることができました。

このため、帝大の入試は比較的簡単でしたが、代わりに旧制高等学校への入試が激烈な競争となっていました。

表1 旧制高校名と所在地

学校名	場所
第一高等学校	東京
第二高等学校	仙台
第三高等学校	京都
第四高等学校	金沢
第五高等学校	熊本
第六高等学校	岡山
第七高等学校造士館	鹿児島
第八高等学校	名古屋

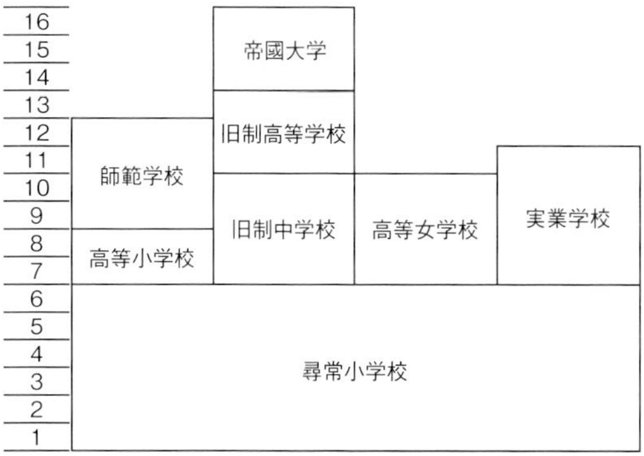

図1 大正時代の学校

114

大正の女学生

リボン

Ribbon

お下げを締めるのに、洋装のリボンを使うようになりました。

銘仙

めいせん

銘仙と呼ばれる比較的安価な絹織物が好まれました。

お下げ

おさげ

結い髪の髷を結わず、そのままお下げ（三つ編みのことではなく、そのまままっすぐ伸ばしている）にした髪の女学生が多数いました。

女袴

おんなばかま

スカートのように、一つになっている袴（行灯袴）です。通常の袴は、後腰の部分に腰板と呼ばれる厚紙の板を入れてありますが、当時の女袴は胸のすぐ下で締めるため、腰板を使用しません。

時代

大正時代

明治時代の袴は、自立する女性の象徴でした。大正時代になると、それが女学生の象徴となります。いずれにせよ、当時としては高い教育を受けた、自意識の高い女性であることを示すことができます。

ブーツ

Boots

脚を隠すためか、袴の下はブーツが多かったようです。

袴とセーラー服

平安時代から身分のある女性が袴をはくようになりましたが、鎌倉以降は廃れ、女性の袴は朝廷でのみ着用されるものでした。ですが、明治になって一般の女性も袴をはくようになりました。これは、文明開化によって立ったり椅子に座ったりする生活が増え、裾さばきを気にしないですむ服装が求められるようになったからです。特に、外で仕事をする、いわばキャリアウーマンたちは、袴を愛用するようになりました。

そして、学校はまさに立ったり椅子に座ったりの生活なので、明治4年の学制公布と同時に、文部省が女学生の袴を認めるようになりました。

当初は男物の袴をそのまま使っていたのですが、これには非難が集まったため女子袴が発案されてそれが一般にも広まりました。これが、男性の袴のように股が分かれていない、スカート状の袴（女袴（おんなばかま））であり、明治・大正と使われ続けたのです。

当初は、袴の上は振袖（ふりそで）などでしたが、明治40年に学習院院長になった乃木将軍が、華美な振袖を止め銘仙ていどに留めるよう主張したため、大正時代は銘仙の着物が主流になりました。しかし、普段美しい模様の服を着ている皇族や華族など上流階級の女性たちのために、模様入り銘仙が開発されました。

現在では、袴の上にさらに何かを着ることはありませんが、当時は図1のように羽織を着ていることもありました（図1）。

袴の色は、華族女学校の海老茶式部と、跡見女学校の紫衛門が二大巨頭であり、多くの学校はこのどちらかの色を真似たとされます。

他に特徴的なのは、女子高等師範学校の袴で、袴の上に金属バックルのベルト（図2）をしていました。このベルトは、現在でもお茶の水女子大学附属中学校の制服に使われています。

履物は、明治の頃は草履などが主流でしたが、だんだんと靴やブーツが使われるようになりました。

図1 袴の上に羽織を羽織った女学生

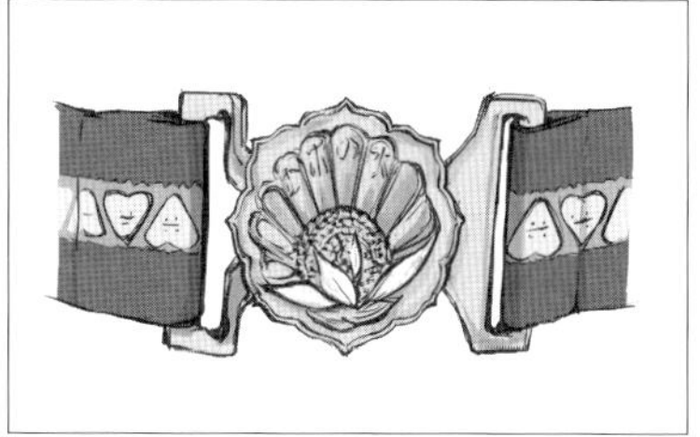

図2 ベルトのバックル

115

帝国陸軍

短髪
たんぱつ

五分刈りなどの刈り上げ頭の軍人が多かったのですが、皇族や華族出身の士官は、海外でパーティーなどに出席する都合上、あまりにも無骨な髪型にはできませんでした。

詰め襟
つめえり

おしゃれな軍人は、襟をこのくらい高くしました。

五つボタン
いつつぼたん

詰め襟なので、上までボタンがあり、スーツなどよりボタンの数が増えます。

ウエスト
Waist

ウエストを絞って、スタイルをよく見せています。このあたりの仕立ては、オーダーメイド品ならではです。官給品ではこうはいきません。

時代

20世紀前半

ダサいと評判の日本の軍服も、仕立てによっては格好良く見えます。皇族や華族出身の士官には、身体にフィットした格好良い制服を着せて、一般将校や兵卒との差別化を目に見えるようにします。

黒革靴
くろかわぐつ

通常は、黒の短靴ですが、騎兵科などでは、ブーツもありです。

おしゃれな人もいた大正時代の軍人さん

大日本帝国の軍服というと、垢抜けない格好悪いイメージが強いのですが、もちろん当時の軍人の中にもおしゃれな人はちゃんといて、軍服をかっこよく着こなしていました。

また、昭和に入って、日本が戦争に忙しくなってからの粗製濫造品の軍服と違い、大正から昭和初期の軍服はまだまだ丁寧な作りをしていました。さらに、士官は軍服も自前であったために、ある程度の費用をかければ、格好良い軍服を作ることができます。おしゃれな士官は、自分のサイズにぴったり合わせてオーダーした上で、微妙に流行を取り入れた見た目もスマートな軍服を着ていました。

軍帽（図1）は、カーキ色と赤色のフェルトに、一つ星のマークが付いています。ひさしの部分は、黒の革です。

帝国陸軍は、長らくロシア（後にソ連）を敵としていたので、防寒具も重要でした。図2は防寒用の外套です。将校にはマントもあって、怪しい人物に着せると似合います。

時代は、まだ平和で、「欲しがりません勝つまでは」といった狂ったスローガンもなく、その意味では、日本の軍人が最も格好良く見えたのが、この時代だといえるでしょう。

ちなみに、自衛隊では、士官も曹士も軍服（自衛隊では制服と呼ばれる）が支給されます。ただ、士官は、立場上制服を着る機会が多いので、追加で私物として購入してもかまいません。ですから、士官の中には、体型に合わせてオーダーする人もいます。

図1 将校用軍帽

図2 外套

116

帝国海軍

詰め襟

つめえり

海軍の軍装も詰め襟です。

五つボタン

いつつぼたん

詰め襟なので、上までボタンがあり、スーツなどよりボタンの数が増えます。

軍帽

ぐんぼう

士官、下士官で帽子の模様が違います。メインイラストは、士官用です。下士官は、帽章が以下のようになっています。

黒革靴

くろかわぐつ

通常は黒の短靴ですが、第二種軍装の場合は白のキャンバス地の靴（図1）でもかまいませんでした。

時代

20世紀前半

大正から昭和にかけて、日本人は、陸軍より海軍のほうが、スマートでかっこよいと考えていました。そのわけは白い第二種軍装にあります。第二種軍装を着た海軍士官は、清潔そうでエリートらしく見えます。

白い軍装と黒い軍装

帝國軍の軍装というと、どうしても海軍のほうが格好良いというイメージがありますが、実際には陸軍と海軍の通常軍装の形状には、それほど大きな差はありません。

海軍には、冬用の第一種軍装と、夏用の第二種軍装があります。その形状はほとんど同じですが、色が違います。メインイラストは、夏用の第二種軍装です。

第一種軍装の色は黒です。それに対し、第二種軍装の色は白です。山本五十六提督の白い第二種軍装が印象的なので、日本海軍の軍装は常に白だと思っている人も多いようです。冬用の軍装は黒なので、間違えないようにしてください。このとき、帽子も黒です。

黒い軍装には、黒の革靴を合わせます。白い軍装には、黒の革靴でも可ですが、色を合わせるために白のキャンパスシューズ（図1）を履く人もたくさんいました。

参謀将校には、**参謀飾緒**(さんぼうかざりお)（図2）という、飾り紐が付けられます。通常の軍隊では、将官飾緒や侍従武官飾緒などはありますが、参謀に飾緒を付けることはありません。大日本帝國陸海軍だけの特異な規定です。帝國軍において、必要以上に参謀の地位が高かったことと何か関係があるのかもしれません。

陸軍でも、同様に将官飾緒・参謀飾緒・侍従武官飾緒などがありますが、これらは「飾緒(しょくしょ)」と読みます。

図1 白いキャンパスシューズ

図2 参謀飾緒

117

大正の警官

肩章

けんしょう

ショルダーボード型（短冊形の布）の肩章の周りには赤のラインが入っています。この肩章の模様で、地位がわかります。正装の幹部は、エポーレット型（丸と四角をつなげた形で、丸い部分から総が下がっている場合が多い、図1）の肩章を使います。

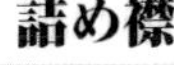

つめえり

警官の制服も、軍人などと同じく詰め襟です。

サイドベンツ

Side vents

サーベルを装備するため、上着には横にベント（切れ目）があります。

ポケット

Pocket

左右に胸ポケットがあり、また上着の裾にも左右にポケットがあります。これらのポケットに蓋は付いていません。

時代

大正時代

どんな物語でも、事件が起これば警察がやってくるはずです。このため、警官の姿を押さえておく必要があります。特に、探偵ものなどでは必須といえます。

黒革靴

くろかわぐつ

通常は、黒の短靴です。

詰め襟のお巡りさん

大正時代の警官も、軍人と同様に詰め襟の制服を着ています。

警察官も、海軍軍人と同様に、夏季と冬季では、制服の色が違います。夏季は白（図2）で、冬季は黒（メインイラスト）です。

上着の左右には胸ポケットがありますが、これは明治末期から昭和初期までの制服で、それ以前やそれ以降は、左胸にしかポケットがありません。また、帽子の仕様も違いますので、時代設定によって差を付けます。

当時の警官は拳銃は持っておらず、代わりにサーベルを提げています。ただ、交通警官のように動きやすさを重視する役職の場合、動きにくくなる長いサーベルの代わりに、短刀を提げていることもあります。

大正時代も、警察官はオートバイに乗って出動することがありました。ただし、当時は白バイではなく、赤バイと呼ばれる小豆色のオートバイに乗っていました。

図1 肩章

図2 夏季制服

118

大正の一般女性の髪型

時代 大正時代

洋装を着るために日本の女性たちが生み出した束髪は、落ち着いたしとやかさを演出し、ヨーロッパとは違う和洋折衷の美しさを見せることができます。

束髪の大流行

明治16年に鹿鳴館ができ、女性が洋装するようになると、女性たちは大変困ったことに気がつきました。今までやってきた日本髪が、洋装にまったく似合わないという事実にです。かといって、当時のヨーロッパで流行していた、巻き毛がくるくる下がった西洋風髪型も、日本人の顔に合いません。

そこで、これらの折衷ともいえる髪型、日本髪を西洋風にアレンジした、日本オリジナルの髪型が流行し始めます。これが**束髪**です。明治18年に「婦人束髪会」という団体ができ、『洋式婦人束髪法』というパンフレットが発行されて、明治の女性たちに、一気に束髪を流行させます。そして、その流行は、大正に入っても、消えることはありませんでした。

束髪は、日本髪の前髪、鬢(びん)、髱(たぼ)などの作り方はそのままに、髷(まげ)を止めて、代わりに髪を束ねたり編んだりした上で、頭の後でまとめたり、お下げにしたりしたものです。

束髪は、一種類の髪型というわけではなく、前髪の作り方や、まとめた髪の処理など、多くのバリエーションがあり、整え方によって、大人しい既婚婦人風にも、艶やかな女優風にも見せることができます。

この束髪は、日本髪より作るのが簡単で、しかも洋装だけでなく和装にも似合うことがわかり、日本の隅々にまで普及します。束髪は、当時最新流行のかっこいい髪型だったのです。このため、当時の女性は、その髪型に、かっこいい（と当時考えられた）名前を付けています。「英吉利(いぎりす)巻結び」や「まかれいと結び」なども、その例です。

現在残っている髪型では、お団子頭や夜会巻きなどが、束髪の一種といえます。

もちろん、和装の女性はまだまだたくさんいて、未婚女性なら桃割(ももわれ)などのように、比較的作りやすいものが昭和初期まで使われ続けました。

男性の髪型は、会社員や軍の幹部は七三分け、学生は五分刈りや蓬髪、下級の軍人は五分刈りなどが多く、現代の保守的な髪型とあまり変わりません。

118 大正の一般女性の髪型

①英吉利束結び：明治16年頃に考え出された束髪の一種です。後頭部で三つ編みを作り、それを丸めて留め針で押さえたもの。若い女性のする髪型です。

②まかれいと結び：明治16年頃に考えられた束髪の一種です。「まかれいと」とは、マーガレットのことで、後頭部で編んだ三つ編みの先を根本に返してリボンで結びつけたものです。16～17歳くらいの娘の髪型です。

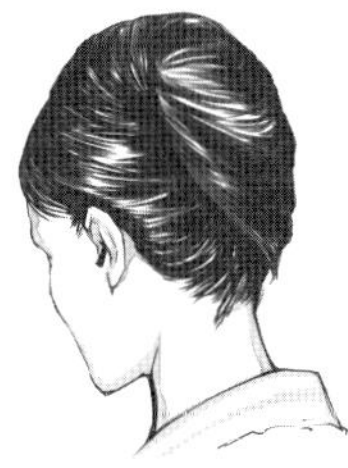

③揚げ巻き：明治28年頃から流行りだした髪型で、夜会巻きともいいます。束髪を日本髪風にしたもので、西洋の模倣に反発し始めた風潮にマッチしました。

④二百三高地髷：髷と名付けられていますが、これも日本風になった束髪の一種です。日露戦争の頃に流行したので、この名前があります。前髪を大きく立ててひさしのように伸ばしているのが特徴です。

⑤桃割：明治の末から昭和初期にかけて、20歳前の若い娘が結った髪型です。「鬢出し」といって、左右の鬢を前に出しています。この頃から、髪飾りにセルロイド製品が使われるようになります。

⑥行方不明：第一次世界大戦によって職業婦人が増えるとともに、新しい束髪スタイルが考え出されました。この行方不明は、髪の毛の先が中にたたみ込まれてどこにあるかわからないことから、その名が付いています。

⑦耳隠し：大正8年頃から広まった束髪の一種で、耳を隠していることから、この名前があります。

⑧耳隠し：大正10年頃から、コテを当ててウェーブを作る技術が広まって、同じ耳隠しでも、華やかなウェーブの付いた髪型が作られるようになりました。

Column　セーラー服の女学生と袴の女学生

女子の袴は、明治初期に職業に就いた女性たちが、活動しやすいためにはき始めたのが最初といわれています。

大正時代の女子学生の制服として有名な、女学生袴は、明治中期頃に各地の女学校で採用され始めます。特に有名なのが、華族女学校の海老茶式部（赤褐色の袴）と、跡見女学校の紫衛門（紫の袴）で、このいずれかの学校が、女子袴の始まりだといわれています。

現在の女学生が着るセーラー服は、大正10年（1921年）に福岡女学院が女子制服（図1）として採用したものが最初です。洋装制服としては大正8年（1919年）に山脇高等女学院が先行していますが、セーラー服ではありませんでした。また、大正9年（1920年）に平安女学院がセーラー服型のワンピースを制服にしていますが、現代のようなツーピースのセーラー服ではありませんでした。

和服が多く、袴姿ですら颯爽として見えた当時、洋装の制服は大変ハイカラでおしゃれでした。これが大流行し当時いくつもの女子校が採用したのです。

袴の制服は、セーラー服の普及とともに減っていきます。大正12年（1923年）の関東大震災の影響もあって、動きにくい和装は廃れていき、昭和初期には一般家庭でも洋装で過ごすことが普通になりました。同時に袴の制服も減り、昭和初年代には洋装制服が一般化します。

このため、大正時代後期から昭和初期にかけてのわずかの年代のみが、袴の女学生とセーラー服の女学生を同時に登場させることができる時期なのです。

図1 セーラー服

参考文献

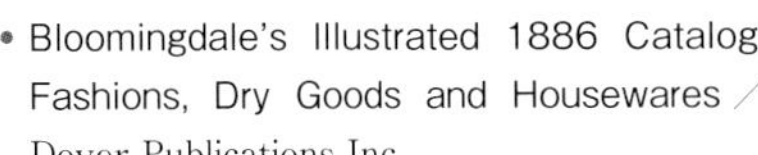

- Bloomingdale's Illustrated 1886 Catalog: Fashions, Dry Goods and Housewares／Dover Publications Inc.
- Celtic Fashions／Tom Tierney／Dover Publications Inc.
- Clothing in the Middle Ages／Lynne Elliott／Crabtree Publishing Company
- Costumes of Everyday Life: An Illustrated History of Working Clothes from 900-1910／Margot Lister／Barrie & Jenkins
- Elizabethan Costuming: For The Years 1550-1580／Janet Winter & Carolyn Savoy／Other Times Publications
- Empire Fashions／Tom Tierney／Dover Publications Inc.
- Everyday Dress 1650-1900／Elizabeth Ewing／Chelsea House Publishers
- Everyday Fashions 1909-1920: As Pictured in Sears Catalogs／Joanne Olian／Dover Publications Inc.
- Everyday Fashions of the 20th Century／Tom Tierney／Dover Publications Inc.
- Everyday Fashions of the Fifties: As Pictured in Sears Catalogs／Joanne Olian／Dover Publications Inc.
- Everyday Fashions of the Forties: As Pictured in Sears Catalogs／Joanne Olian／Dover Publications Inc.
- Everyday Fashions of the Thirties: As Pictured in Sears Catalogs／Stella Blum／Dover Publications Inc.
- Everyday Fashions of the Twenties: As Pictured in Sears Catalogs／Stella Blum／Dover Publications Inc.
- Fashioning Fashion: European Dress in Detail, 1700-1915／Sharon Sadako Takeda, Kaye Durland Spilker, et al.／Prestel
- French Baroque and Rococo Fashions／Tom Tierney／Dover Publications Inc.
- Full=Color Sourcebook of French Fashion 15th to 19th Centuries／Pauquet Frères／Dover Publications Inc.
- Historic Costume: From Ancient Times to the Renaissance／Tom Tierney／Dover Publications Inc.
- Historic Costume in Pictures／Braun & Schneider／Dover Publications Inc.
- Historic Costuming／Nevil Truman／Pitman Publishing Corporation
- Late Victorian and Edwardian Fashions／Tom Tierney／Dover Publications Inc.
- Medieval Fashions／Tom Tierney／Dover Publications Inc.
- Nineteenth-Century Fashion in Detail／Lucy Johnston／V&A Publishing
- Peasant Costume in Europe／Kathleen Mann／Adam and Charles Black
- Renaissance & Medieval Costume／Camille Bonnard／Dover Publications Inc.
- Renaissance Fashions／Tom Tierney／Dover Publications Inc.
- Royal book of crests of Great Britain and Ireland, Dominion of Canada, India and Australasia : derived from best authorities and family records／James Valentine Fairbairn／Internet Archive
- Sears, Roebuck Home Builder's Catalog: The Complete Illustrated 1910 Edition／Sears, Roebuck and Co.／Dover Publications Inc.
- Seventeenth and Eighteenth-Century Fashion in Detail／Avril Hart and Susan North／V&A Publishing
- The British Army on Campaign (3) 1856-1881: Men-at Arms／Michael Barthorp／Osprey Publishing
- The British Army on Campaign (4) 1882-1902: Men-at Arms／Michael Barthorp／Osprey Publishing
- The Dress of the People: Everyday Fashion in Eighteenth-Century England／John Styles／Yale University Press
- The History of Underclothes／C. W. & P. Cunnington／Gordon Press
- The Knights of Christ: Men-at Arms／Terence Wise／Osprey Publishing

- The Mode in Footwear: A Historical Survey with 53 Plates／R. Turner Wilcox／Dover Publications Inc.
- The Mode in Hats and Headdress: A Historical Survey with 198 Plates／R. Turner Wilcox／Dover Publications Inc.
- The Royal Navy 1790-1970: Men-at Arms／Robert Wilkinson-Latham／Osprey Publishing
- The Venetian Empire 1200-1670: Men-at Arms／David Nicolle／Osprey Publishing
- Tudor and Elizabethan Fashions／Tom Tierney／Dover Publications Inc.
- Victorian Costuming, Volume I: 1840 to 1865／Janet Winter & Carolyn Savoy／Other Times Publications
- Victorian Fashions／Tom Tierney／Dover Publications Inc.
- Victorian Fashions and Costumes from Harper's Bazar, 1867-1898: Dover Fashion and Costumes／Stella Blum／Dover Publications Inc.
- ヴィクトリア朝百貨事典／谷田博幸／河出書房新社
- 英国メイドの世界／久我真樹／講談社
- 英国紋章物語　シリーズ紋章の世界3／森護／河出書房新社
- 江戸奥女中物語／畑尚子／講談社
- 江戸の旗本事典／小川恭一／講談社
- 大江戸開府四百年事情／石川英輔／講談社
- 概説 忍者・忍術／山北篤／新紀元社
- 改訂日本結髪全史／江馬務／東京創元社
- ガヴァネス（女家庭教師）　ヴィクトリア時代の〈余った女〉たち／川本静子／中央公論社
- カラー版世界服飾史／深井晃子／美術出版社
- 軍服／川成洋 訳／同朋舎出版
- 決定版幕末戊辰西南戦争／学習研究社
- ゴシック&ロリータバイブル／バウハウス
- コスチューム　中世衣裳カタログ　Truth in Fantasy 53／田中天& F.E.A.R.／新紀元社
- 時代考証事典／稲垣史生／新人物往来社
- 十字軍騎士団／橋口倫介／講談社学術文庫
- 資料日本歴史図録／笹間良彦／柏書房
- 図解日本の装束　F-Files 18／池上良太／新紀元社
- 図説英国貴族の城館　カントリー・ハウスのすべて／田中亮三／河出書房新社
- 図説西洋甲冑武器事典／三浦權利／柏書房
- 素晴らしい装束の世界　いまに生きる千年のファッション／八條忠基／誠文堂新光社
- 西洋の飾り紋　中世騎士甲冑紋／マール社
- 西洋服飾史　図説編／丹野郁／東京堂出版
- 西洋ルネッサンスのファッションと生活／チェーザレ・ヴェチェッリオ 著／加藤なおみ 訳／柏書房
- 続・時代考証事典／稲垣史生／新人物往来社
- 続・間違いだらけの時代劇／名和弓雄／河出書房新社
- 中世ヨーロッパの服装／オーギュスト・ラシネ／マール社
- 日本古典文学全集 47　洒落本滑稽本人情本／中野三敏／小学館
- 日本の髪型　伝統の美、櫛まつり作品集／京都美容文化クラブ／光村推古書院
- 日本の髪型と髪飾りの歴史／橋本澄子／源流社
- 日本服装史／佐藤泰子／建帛社
- 年貢を納めていた人々　西洋近世農民の暮し／坂井洲二／法政大学出版局
- 幕末の素顔　日本異外史／永六輔／毎日新聞社
- フェアチャイルドファッション辞典／C・M・キャラシベッタ 著／石井慶一 訳／鎌倉書房
- 武器と防具 幕末編　Truth in Fantasy 79／幕末軍事史研究会／新紀元社
- 間違いだらけの時代劇／名和弓雄／河出書房新社
- モードの歴史　古代オリエントから現代まで／R・ターナー・ウィルコックス 著／石山彰 訳／文化出版局
- 結うこころ　日本髪の美しさとその型／村田孝子／ポーラ文化研究所
- 有職故実（上下）／石村貞吉／講談社
- 有職故実図典　服装と故実／鈴木敬三／吉川弘文館
- 洋式婦人束髪法／村野徳三郎／国立国会図書館近代デジタルライブラリー
- ヨーロッパの紋章・日本の紋章　シリーズ紋章の世界2／森護／河出書房新社
- 輪切り図鑑 大帆船／リチャード・プラット 著／北森俊行 訳／岩波書店

索引

❖あ行

❖か行

❖さ行

❖た行

❖な行

❖は行

ま行

や行

ら行

わ

■著者、イラストレーター紹介

山北 篤（やまきた あつし）［著者］
ソフトウェアエンジニアからゲームライターへ転じ、ゲーム作成に必要な様々な知識を元に、数多くの著作を持つ。主な著書に、『シナリオのためのファンタジー事典』『悪魔事典』『コンピュータゲームの数学』『概説忍者・忍術』『漫画／イラストで使える西洋魔術事典』などがある。
Web：https://www.game-writer.com/konogoro/

池田 正輝（いけだ まさてる）［イラストレーター］
イラストレーター。『三国志大戦』『戦国大戦』『Legend of Monsters』カードイラスト、『ファイナルファンタジー XII』召喚獣デザイン、『ファイナルファンタジー XI』モンスターデザイン、『シルバー事件』裏シナリオイラスト、歴史小説・クトゥルー神話関連書籍の装丁画など。
X：https://x.com/masateru_ik

本書のサポートページ

https://isbn2.sbcr.jp/23715/

本書をお読みいただいたご感想・ご意見を上記URLからお寄せください。本書に関するサポート情報やお問い合わせ受付フォームも掲載しておりますので、あわせてご利用ください。

シナリオのためのファンタジー衣装事典

キャラに使える伝統装束118

2023年12月8日　初版 第1刷 発行

著　　者　山北 篤
イラスト　池田 正輝
発 行 者　小川 淳
発 行 所　SBクリエイティブ株式会社
〒106-0032 東京都港区六本木2-4-5
https://www.sbcr.jp/
印　　刷　株式会社シナノ

組　　版　編集マッハ
装　　丁　渡辺 縁

Printed in Japan　ISBN978-4-8156-2371-5